Голос Сердца

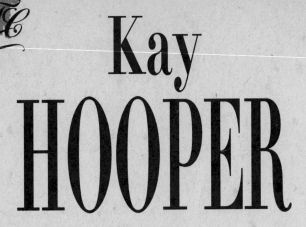

Kay HOOPER

After Caroline

Кей ХУПЕР

Вещие сны

Роман

МОСКВА
«ЭКСМО-ПРЕСС»
2000

УДК 820(73)
ББК 84(7США)
Х 98

Kay HOOPER
AFTER CAROLINE

Перевод с английского *Г. Шульги*

Серийное оформление художника *С. Курбатова*

Серия основана в 1997 году

Хупер К.
Х 98   Вещие сны: Роман / Пер. с англ. Г. Шульги. — М.:
Изд-во ЭКСМО-Пресс, 2000. — 432 с. (Серия «Голос
сердца»).

ISBN 5-04-006224-9

Пережив клиническую смерть, Джоанна Флинн потеряла покой. Кошмарные сны неотвратимо влекут ее в маленький городок на берегу океана. Ведь именно там жила Кэролайн — женщина, как две капли воды похожая на Джоанну и умершая в одну минуту с ней. Джоанна чувствует, что смерть Кэролайн не несчастный случай. А разговор с местным шерифом лишь подтверждает ее догадки. Но кто же тот таинственный убийца, на совести которого жизнь ни в чем не повинной женщины? Джоанна понимает, что не успокоится, пока не узнает его имя!

УДК 820(73)
ББК 84(7США)

ISBN 5-04-006224-9

Пролог

Ничто не предвещало столь сокрушительного эффекта. Ну небольшое пятно на дороге — только и всего. Может быть, лужица масла накапала. Видно, какая-то машина притормозила на этом месте непонятно зачем, разве что из-за этой самой неисправности. Здесь не было ни тротуара, ни перекрестка, ни даже просто широкой обочины — взгляд не на чем остановить. Джоанна ехала совершенно спокойно. Ее старенький «Форд», только что совершенно подвластный ей, плавно несся по отличному шоссе и вдруг через мгновение бешено закрутился на месте.

Джоанну мотало во все стороны, как тряпичную куклу. Изо всех сил вцепившись в руль, она тщетно пыталась выровнять машину. Но автомобиль вертело с такой бешеной скоростью, что Джоанна была абсолютно беспомощна. Казалось, теперь это будет длиться вечно — вечно летняя зелень пейзажа будет бешено крутиться вокруг нее, и мучительный визг шин по разогретой мостовой будет вечно стоять в ушах. Вокруг скрипели тормозами и оглушительно сигналили другие машины, довершая чудовищную вакханалию звуков.

«Форд» вынесло на обочину, заросшую кустами и невысокими деревьями. Безумная карусель несколько замедлила свое смертельное вращение, но тут днище автомобиля за что-то зацепилось, раздался немыслимый скрежет, и новая серия ударов обрушилась на несчастную машину и ее владелицу, в ужасе закрывшую глаза. «Форд» подбросило в последний раз, он встал дыбом, угрожающе качнулся и наконец застыл.

В эту минуту Джоанна имела возможность полностью прочувствовать смысл стершегося до банальности выражения «глухое молчание» — она не слышала ничего, кроме биения собственного сердца. Затем, словно кто-то опустил звуконепроницаемое стекло, в сознание просочились крики людей и пронзительные автомобильные гудки. Осторожно открыв глаза, Джоанна моргнула, стряхивая с ресниц слезы. Ужас пережитого еще не был осознан ею.

Зрелище, открывшееся перед ней, как будто явилось из ночного кошмара. Лобовое противоударное стекло исчезло, вместо него зияла не прикрытая ничем пустота. Джоанна медленно обвела взглядом открывшуюся картину и увидела смятый в гармошку капот с непонятно как уцелевшими фарами, направленными прямо в небо. Дальнюю дверцу вдавило внутрь — можно было безо всяких усилий, не наклоняясь вправо, положить на нее локоть. Дверца водителя, как ни странно, осталась неповрежденной. Задняя часть машины тоже была расплющена. Джоанна оказалась заточена в тесной коробке искореженного металла. Картина аварии вставала перед ней с ужасающей ясностью.

Она с усилием оторвала руки от руля и подняла их на уровень глаз, осторожно, один за другим, сгибая и разгибая пальцы, — и убедилась, что все десять целы и работают. К груде металла, в которую превратилась ее машина, приближались люди, голоса становились слышнее, но все равно состояние какой-то заторможенности не покидало ее. Джоанна слегка приподнялась, ожидая боли от ушибов или ран, но ничего подобного не ощутила. Ощупала ноги, убедилась, что они не повреждены, поправила задравшуюся юбку. Ни одной царапины — это не укладывалось в голове.

Джоанна не была религиозна, но, сидя сейчас в искореженной до неузнаваемости машине, оставаясь при этом живой и невредимой, невольно подумала: «Наверное, что-то или кто-то хранит меня».

— Леди, вы в порядке?

Она увидела через выбитое окно обеспокоенное лицо незнакомца и услышала собственный неуверенный смешок, а потом и ответ:

— Да. Можете в это поверить? — Ощущение нереальности происходящего не оставляло ее.

— Нет, — произнес он, и его губы тронула улыбка. — На вашу машину просто страшно смотреть, а вы, похоже, даже не ушиблись. Это, должно быть, самый счастливый день в вашей жизни.

— И не говорите. — Приподнявшись, она добавила: — Но здесь особо не развернешься, я не могу дотянуться до ручки дверцы. Откройте ее, пожалуйста.

Незнакомец, мужчина средних лет с мощными от тяжелой физической работы плечами, подергал дверцу.

— Ничего не выйдет. Сама-то дверца цела, но ее сдавило и спереди и сзади, заклинило намертво. Сейчас подъедет аварийная бригада, они сделают все, что нужно. «Скорую помощь» тоже вызвали — врач вам сейчас не помешает.

Отдаленный вой сирен становился все громче. Она с тревогой сказала:

— У меня полный бак газа. Вам не кажется...

— Ничего не чувствую. — Он принюхался и вполне уверенно добавил: — Я, знаете ли, большую часть жизни проработал в гаражах. Не волнуйтесь. Кстати, меня зовут Джим. Джим Смит, хотите верьте, хотите нет.

— В такой день поверишь во что угодно. Джоанна. Рада познакомиться, Джим.

Он кивнул.

— Я тоже, Джоанна. Вы действительно в порядке? Нигде не болит?

— Абсолютно. — Она посмотрела поверх его плеча; машины сзади притормаживали и сворачивали к обочине. Увидев, как далеко ее отнесло, она начала понемногу осознавать случившееся. — Боже мой. Я ведь чуть не погибла, да?

Джим оглянулся, бегло оценил широкую полосу изломанных кустов и взрытой земли, посмотрел на Джоанну и ответил:

— Я же сказал: это, должно быть, самый счастливый день в вашей жизни.

Джоанна еще взглянула на разбитую машину и содрогнулась от мгновенно охватившего ее ужаса. Боже, оказаться так близко от смерти...

Не прошло и пяти минут, как прибыли аварийная бригада и «Скорая помощь». Все радостно удивлялись, что она невредима, просто чудо какое-то! Чтобы не мешать рабочим, занимающимся освобождением Джоанны из железного плена, Джим отошел и присоединился к толпе зевак, собравшейся у обочины. Оглянувшись, Джоанна поняла, что оказалась в центре внимания.

— Я всегда мечтала стать звездой, — негромко пробормотала она, чтобы скрыть замешательство.

Врач «Скорой помощи», подвижная женщина примерно одних с ней лет, на нагрудной именной карточке которой значилось «Е. Мэллори», услышала и засмеялась в ответ.

— Уже разнесся слух, что вы в такой жуткой аварии не получили ни царапины. Так что не удивляйтесь, если в скором времени здесь окажутся журналисты.

Джоанна хотела отшутиться, но не успела раскрыть и рта, как мир и покой этой минуты взорвались внезапно и страшно. Раздался звук, похожий на пушечный выстрел, десятки голосов закричали: «Назад!» — и прямо с неба на нее упало что-то похожее на черную толстую змею с огненной головой. Ее тряхнуло с такой силой, как если бы поезд сошел с рельсов, и все погрузилось во тьму.

Время остановилось. Джоанна исчезла, растворилась где-то в пространстве, между раем и адом. Она невесомо парила в ласкающем безмолвии и мраке, словно бы чего-то ожидая. Вот-вот ей должно было открыться что-то важное. Но это важное, пытаясь пробиться к ней, все ускользало, не достигая ее сознания, и оставалось неузнанным. Абсолютное безмолвие длилось, но мрак потихоньку начал рассеиваться, и ее как бы слегка потянуло куда-то в сторону — или ей показалось? — но почти сразу отпустило, и она опять свободно парила во вновь сгустившейся темноте, со странным чувством, что она не одна. Ей почудилось слабое прикосновение, будто тополиный пух, кружась, задел ее на лету.

НЕ ОСТАВЛЯЙ ЕЕ ОДНУ.

Джоанна по-прежнему ничего не слышала, но эта безысходная мольба сама по себе возникла и отпечаталась в ее мозгу. Она попыталась пробиться к теперь отчетливо ощущаемому ею иному, мучительному присутствию, но не успела — что-то резко выхватило ее из небытия.

— Джоанна? Джоанна! Ну же, Джоанна, открой глаза!

Этот призыв был ею услышан. Он становился все громче по мере того, как ее тянуло вниз. Сначала она сопротивлялась, не поддавалась, но тяга усилилась — и она вновь стала чувствовать вес собственного тела.

Каждый нерв, каждый мускул был охвачен огнем боли, и, силясь открыть глаза, она застонала.

Ее лицо покрывала прозрачная пластиковая маска, а над ней — незнакомые лица, расцветшие улыбками. А еще выше — ясное летнее голубое небо с легкими белыми облаками. Она лежит на земле. Почему она лежит на земле?

— Она снова с нами, — сказал кто-то, обернувшись к стоящим у него за спиной. — Давайте отнесем ее в машину. — Затем обратился к ней: — С вами будет все в порядке, Джоанна. Все будет хорошо.

Джоанну подняли. В полузабытьи она смотрела, как мимо проплывают чужие лица. Одно показалось ей смутно знакомым — только через некоторое время, уже внутри мчащейся с воем «Скорой помощи», до нее дошло, что этот человек сказал ей:

— Определенно, это счастливейший день вашей жизни. Вы дважды едва не погибли.

Когда Джоанна пришла в себя, она не могла не согласиться с Джимом. В самом деле, много ли людей хоть однажды побывали на краю смерти? Вряд ли. А она дважды стояла на краю пропасти и вот жива и на вид невредима — если не считать того, что не болит только кончик носа.

Нет, безусловно, удача на ее стороне, и она должна быть благодарна судьбе.

В больнице ее осмотрели, сняли боль, напичкали лекарствами. Врач сказал, что из невероятных испытаний этого дня она вышла, в сущности, почти без всякого для себя ущерба. Один ожог на правой лодыжке, там, куда угодил высоковольтный провод, и, конечно, неминуемый шок от остановки сердца и от усилий вновь заставить его биться.

Ей повезло, она не будет страдать от последствий того, что с ней случилось, — так ей сказали.

Но ошиблись. Потому что настала ночь, и ей приснился сон.

Глава 1

— Кэролайн?

Джоанна Флинн резко обернулась — не только потому, что на плечо ей легла чья-то рука; ее поразила неожиданная интонация человека, назвавшего ее чужим именем. Изумление, недоверие и что-то еще, что она не столько услышала, сколько почувствовала.

— Нет, — ответила она. И добавила, тронутая выражением его лица: — Мне очень жаль.

Мужчина со светлыми рыжеватыми волосами и голубыми глазами, из которых постепенно уходило потрясенное выражение, снял руку с ее плеча.

— Нет, — медленно произнес он, — этого не может быть... Простите меня. Простите. Но вы так похожи... — Он замолчал, качнул головой, уже полностью придя в себя, вежливо улыбнулся — мол, извините за беспокойство, и пошел дальше.

Джоанна смотрела ему вслед с чувством смутной тревоги, причин для которой не было никаких. Умом она понимала, что люди все время путают кого-то с кем-то, и если раньше с ней такого не случалось, и вдруг случилось сегодня, то это еще не повод для волнений. Но потрясенное лицо окликнувшего ее человека застыло перед глазами. Незнакомец уже скрылся из виду, а она все стояла на почти пустынной улочке Атланты, под жарким сентябрьским солнцем, стараясь успокоиться. Наконец, отогнав дурные мысли, Джоанна продолжила путь на работу — в одну из частных библиотек города.

Это простая случайность, уговаривала себя Джоанна. Занесем ее в колонку жизненных странностей, начало которой два месяца назад положила авария. С тех пор эта колонка постоянно пополнялась. В ней накапливались записи о чем-то на первый взгляд весьма незначительном, как, например, постоянное беспокойство, вообще-то для Джоанны нехарактерное, чувство смутной, все возрастающей тревоги, нервозность, вскипающая вдруг, без видимого повода.

Но главное — сон. Вот его никак нельзя было отнести к вещам незначительным. В первый раз этот сон приснился ей в ночь после аварии. С тех пор он постоянно повторялся. Всегда один и тот же, он являл собой некую последовательность образов и звуков, которые следовали друг за другом в неизменном порядке. В этом не было ничего изначально пугающего, но отчего-то каждое утро Джоанна просыпалась с колотящимся сердцем и перехваченным от страха горлом. Ее не покидало чувство, будто что-то где-то не так и надо действовать как можно ско-

рее. А если промедлить, то... случится непоправимое.

Она не знала, что именно, но несомненно это должно быть ужасно.

Такая неопределенность сводила с ума. Казалось бы, ну сон — и сон. Всего лишь бессвязное порождение дремлющего сознания. Джоанна никогда не придавала большого значения снам, и ей бы очень хотелось не обращать внимания и на этот. Но не получалось.

Ее врач сказал, что причудливых сновидений следовало ожидать: ее ударило током такой силы, что произошла остановка сердца. Мозг подвергся воздействию мощнейших электрических импульсов — напряжение высоковольтной линии составляло многие тысячи киловатт. Совсем без последствий это остаться не могло, но врач был уверен, что всерьез беспокоиться не о чем.

Джоанна хотела бы полностью разделять его уверенность, но...

* * *

Сначала — оглушительный рев океана, перекрывающий все другие звуки. Затем — красивый дом, одиноко высящийся над морем. Дом вызывает у нее противоречивые чувства: восхищение и гордость — и в то же время беспокойство и страх; в этих чувствах хочется разобраться, но ее неодолимо влечет прочь, и дом отдаляется, тает в тумане. Ярко раскрашенная карусельная лошадка, покачиваясь, кружится на блестящем медном штыре, словно бы под музыку, не слышную Джоанне. Пахнет розами; краем глаза она видит вазу с цветами. Рев прибоя резко стихает, становится слышно громкое тиканье часов. Джоанна проходит мимо мольберта и ускоряет шаги, потому что нужно успеть... Нужно найти что-то... Услышав всхлипывания, она бежит...

Джоанна резко села в постели, выбросив руки вперед. Она дрожала. Сердце едва не выпрыгивало из грудной клетки, воздух с трудом прорывался сквозь сжатое судорогой горло. Весь мир окутывала холодная черная пелена страха, боль и печаль были почти невыносимы.

Она постаралась успокоиться. Медленно опустила руки, внушая себе, что это просто сон. Всего лишь сон. Охватившие ее бурные чувства потихоньку отступали, оставляя после себя уже привычное смутное томление.

Сон стал иным, точнее, изменилось его воздействие на Джоанну. Теперь страх, и боль, и тревога, переживаемые ею, были куда более сильными, чем раньше. И еще невыносимее стало сознание того, что действовать надо немедленно. Она откинула одеяло и спустила ноги с кровати, чуть посидела, словно пытаясь понять, что с ней и куда она стремится, потом все-таки встала. В конце концов, уже утро — хотя и очень раннее. Половина шестого.

Она прошла на кухню, поставила кофе, потом зажгла свет в гостиной, уютной комнате с удобной мягкой мебелью, заполненной множеством безделушек со всех концов света. Тетушка Сара любила путешествовать и каждое лето, прихватив племянницу, отправлялась в какой-либо отдаленный уголок земного шара.

В детстве все друзья завидовали Джоанне: тетушка Сара была совсем не похожа на прочих родителей. Джоанне и самой нравилось ее неортодоксальное воспитание. Но в самом дальнем, тайном уголке души она горько завидовала друзьям — ведь у всех были мама и папа, кроме нее.

Она подошла к холодному камину и указательным пальцем медленно провела по серебряной рамочке фотографии на каминной полке. Тетя Сара — умные глаза, теплая улыбка. Джоанна погрузилась в воспоминания и запоздало устыдилась своих детских мыслей о том, что одной тети для счастливой жизни мало. Одна тетя не в силах дать ей чего-то важного, необходимого, чего Джоанна лишена навсегда.

Она перевела взгляд на другой снимок в такой же серебряной рамке. Ее родители. Мать на этом снимке моложе, чем Джоанна сейчас, — сияя улыбкой, прелестная, хрупкая, она стоит, опираясь на сильную руку мужа. Люси вышла замуж за друга своих детских игр и была без ума от него до последнего дня жизни. Джоанна помнила, как неизменно нежно разговаривала ее мать с ее отцом, ласково называя его «милый».

Отец, Алан Флинн, запомнился Джоанне своим смехом, веселым и заразительным. Он обожал жену и дочь и был готов ради них на все. Никогда не ссылаясь на занятость на работе, адвокат Флинн охотно проводил время с семьей.

Джоанна, вглядываясь в фотографию родителей, задумалась, далеко уже не в первый раз, что было бы, если бы в то солнечное июньское утро судья не заболел. Тогда отец не получил бы выходной и не повез жену кататься на лодке. И почему судьба распорядилась так, что в этот день она, Джоанна, оказалась далеко: тете Саре вдруг вздумалось свозить ее в Диснейленд. И как могло случиться, что служба погоды не предупредила о шторме. А если предупреждение было, то почему отец этим пренебрег. Он, с его большим опытом морских прогулок, не смог тогда подвести лодку к берегу.

С тех пор прошло уже двадцать лет.

Свист кофеварки, возвещающий, что кофе готов, отвлек ее от грустных воспоминаний. Это сон на нее так подействовал, решила она, идя на кухню.

Но первая утренняя чашечка кофе не принесла ей успокоения. Горечь трагедии ее детства в это тихое утро была остра как никогда. Как будто открылась старая рана — Джоанна опять чувствовала себя обойденной и покинутой, брошенной на произвол судьбы, как в тот июньский вечер, когда тетя Сара обняла ее и заплакала.

Как будто все возвращается вновь.

* * *

Прошла первая неделя сентября, потом вторая. Джоанна изо всех сил старалась держаться как ни в чем не бывало, но нервы ее были на пределе. Все тот же сон повторялся каждую ночь, и она пребывала в постоянной тревоге и беспокойстве. Джоанна ловила себя на том, что часто отвлекается от работы и напряженно вслушивается, совершенно не представляя себе, зачем она это делает.

Она замечала за собой и другие странности, которым не могла найти разумного объяснения. Например, почему с некоторых пор детский плач так сильно на нее действует. Почему дымок сигареты вызывает желание вдохнуть поглубже. Почему она стала отдавать предпочтение юбкам, хотя раньше больше любила брюки. И почему в довершение ко всему смотрит на себя в зеркало с нескрываемым удивлением, словно видит там кого-то чужого.

Мучительное напряжение росло, словно давление в скороварке, пока не стало почти невыносимым, просто-таки опасным. Надо было что-то делать. Но что?

И только в середине сентября сон сам дал ей подсказку.

* * *

Все было как обычно. Сначала — оглушительный рев океана, перекрывающий все другие звуки. Затем — красивый дом, одиноко высящийся над морем... Вот и ярко раскрашенная карусельная лошадка, покачиваясь, кружится на блестящем медном штыре. Вновь резко стихает рев прибоя, становится слышно громкое тиканье часов. Джоанна проходит мимо мольберта и ускоряет шаги, потому что нужно успеть... Нужно найти что-то... Услышав всхлипывания, она рванулась было, но не смогла двинуться с места — и тогда увидела дорожный указатель...

Джоанна проснулась. Она, как всегда после ночных кошмаров, сидела в постели, выбросив руки вперед, сердце гулко колотилось. Медленно опуская руки, в тишине темной спальни она прошептала одно-единственное слово.

КЛИФФСАЙД.

* * *

Указатель, как в кино, — корявые буквы на старой расколотой доске. Клиффсайд. Не так уж много это и проясняет. В одних только Соединенных Штатах сотни, если не тысячи городов с таким названием.

К счастью, Джоанна работала в библиотеке, а значит, имела доступ ко всем необходимым справочным материалам, обладала достаточными знаниями, чтобы решать такие задачи. Не теряя времени, она начала активные поиски, которые обещали быть весьма длительными. Ее рабочая нагрузка в тот момент была невелика и вполне позволяла ей проводить целые часы за компьютером и чтением микрофиш.

Поиск и систематизация информации — в этом и состояла по большей части ее работа; такое совпадение весьма облегчало ее задачу, а кроме того, она могла искать спокойно указатель из своего сна, не вызывая ни у кого никаких вопросов. Окружающие и не догадывались о том, что с ней происходит. Джоанна успешно скрывала свои нервозность и беспокойство. Никому и в голову не приходило, что каждую ночь она просыпается в слезах, с криком ужаса, застрявшим в горле.

Внешне жизнь ее текла по старому руслу. Каждое утро она приходила на работу, каждый вечер возвращалась домой. В зеркале отражалось ее лицо, такое же, как всегда, и улыбалась она по-прежнему легко и охотно. В том, что Джоанна остается поработать в обеденный перерыв, сотрудники не видели ничего необычного. Семьи у нее не было, с друзьями в последнее время она почти не встречалась, ссылаясь на занятость, — так что никто, собственно, и не замечал, что на самом деле жизнь ее очень изменилась и весьма далека от нормальной.

Но сама-то Джоанна это прекрасно понимала. Она словно плыла по течению, окончательно потеряв волю, не в силах идти собственным путем. Ее уносило потоком, хотела она того или нет, — к местечку под названием Клиффсайд. Джоанна никогда всерьез не верила в судьбу, но сейчас ей казалось, что само провидение велит ей сосредоточить все силы на поисках этого Клиффсайда.

Но почему? Что с ней? Этот сон подчинил себе всю ее жизнь! Надо полагать, что все происходящее каким-то образом связано с аварией, в которой она осталась жива, вопреки здравому смыслу. В минуты наивысшей усталости и растерянности Джоанне очень хотелось поверить, что виной всему действительно воздействие электрического тока на ее мозг, но концы с концами явно не сходились. Даже если авария и послужила своего рода катализатором, сон сам по себе никак не мог быть простым сочетанием электрических импульсов.

За этим что-то стоит. И пока она не поймет что, ее жизнь не будет принадлежать ей.

Джоанна стала искать Клиффсайд, сравнивая скалистый, изрезанный прибоем берег из своего сна со снимками реальных пейзажей. Список наполовину сократился после исключения Клиффсайдов, расположенных не на море, но в нем все равно остались десятки городов с этим названием, каждый из которых нужно было проверить — работа медленная и кропотливая.

К середине третьей недели сентября Джоанна стала всерьез опасаться за свое душевное здоровье. Она перестала быть собой. Любимая еда становилась неприятна. Привлекали цвета, раньше оставлявшие ее равнодушной. И впервые в жизни она вдруг начала грызть ногти — это было столь ей несвойственно, что Джоанна растерялась. Нервозность и напряжение росли, ибо каждую ночь она просыпалась в холодном поту — сон продолжал преследовать ее.

Клиффсайд. Он стал ее путеводной звездой, влекущей и манящей; он стал ее навязчивой идеей. Все остальное потеряло для нее значение.

В воскресенье она решила оторваться от груды книг и вырезок, заполонивших ее гостиную, и съездить в торговый центр. Не то чтобы ей нужно было купить что-то конкретное. Просто она слишком устала и слишком боялась предстоящей ночи и потому решила побаловать себя флакончиком духов или пеной для ванны.

Когда она выходила из дверей магазина, неся покупки в фирменном бумажном пакете, кто-то вдруг схватил ее за руку.

— Кэролайн?

На сей раз это была женщина — красивая блондинка с кошачьими глазами немного неестественного из-за контактных линз цвета, одетая в линялые джинсы и двухсотдолларовую шелковую блузу.

— Нет, — сказала Джоанна. — К сожалению.

Женщина разжала руку. Потрясение на ее лице сменилось вежливой улыбкой.

— Извините, мне показалось... Я приняла вас за другую.

Она смущенно засмеялась, явно еще не оправившись от шока, еще раз пробормотала извинения и вошла в дверь, из которой только что вышла Джоанна.

Оглянувшись вслед незнакомке, Джоанна поймала свое отражение в зеркальных дверях. Опять Кэролайн. Дважды за столь короткое время ее принимают за какую-то Кэролайн, — вероятно, это не просто случайность. Но еще больше ее занимал вопрос, почему и мужчину, и женщину эта ошибка повергала в столь сильный шок. Почему они смотрели на нее так, словно не верили своим глазам?

Кто эта Кэролайн? И откуда у Джоанны такое чувство, что этот вопрос для нее сейчас важнее всех других?

* * *

— Боже мой! — Джоанна не отдавала себе отчета в том, что произнесла это вслух, что, впрочем, вряд ли имело значение, поскольку в хранилище микрофильмов больше никого не было. Никто не мог услышать ее восклицания и увидеть, как она изменилась в лице. Просматривая упоминания об очередном Клиффсайде, на этот раз штат Орегон, в «Портленд Ситизен Таймс», она наткнулась на некролог.

«Кэролайн Маккенна, двадцати девяти лет, первого июля погибла, потеряв управление машиной на мокром от дождя шоссе в десяти милях от дома. Коренная жительница Клиффсайда, штат Орегон, она всегда принимала активное участие в общественной жизни города. Кэролайн Маккенна вечно будет жить в памяти мужа и дочери. Панихида состоится четвертого июля в Клиффсайде».

«Кэролайн! Она погибла в день моей аварии!»

Эта женщина жила в городе Клиффсайде, штат Орегон, и первого июля погибла в автомобильной катастрофе. По-видимому, они с Джоанной были очень похожи — настолько, что люди, знавшие миссис Маккенну, увидев Джоанну на улицах Атланты, принимают ее за ожившую Кэролайн и застывают в шоке.

Теперь становится ясно, что означает указатель «Клиффсайд» из ее сна!

Джоанна снова и снова перечитывала некролог. Чтобы подвести итог человеческой жизни, информации не слишком много. Автомобильная катастрофа. Молодая женщина безвременно погибла в расцвете лет. У нее остались муж и дочь.

Почему это так волновало Джоанну? За внешним сходством проступали явные несовпадения. Кэролайн была замужем, имела ребенка, Джоанна — не замужем и бездетна. Джоанна работала, а Кэролайн лишь занималась «общественной деятельностью» и, видимо, была вполне обеспечена, чтобы позволить себе это. Они жили в противоположных концах страны, одна — в крупном промышленном центре, другая — в небольшом городке на побережье. И в один и тот же июльский день обе они попали в аварию, но Джоанна чудом осталась в живых, а с Кэролайн такого чуда не произошло.

За три тысячи миль от Джоанны погибла женщина, которой она никогда не знала. Они были одного возраста и, вероятно, внешне похожи, но их жизни никак не пересекались — это точно. Тем не менее Джоанна чувствовала настоятельную потребность узнать о Кэролайн Маккенна и Клиффсайде как можно больше.

Она скопировала некролог, для чего завела новый файл, назвав его просто «Кэролайн»; и то, что страница открывалась некрологом Кэролайн Маккенна, больно царапнуло Джоанну.

Продолжив проглядывать газеты, она поняла, что для «Портленд Ситизен Таймс» единственным заметным событием, случившимся в Клиффсайде за целый год, от июля до июля, была смерть Кэролайн.

Однако в августе появилась короткая статья о планирующемся расширении Клиффсайдской больницы; к ней предполагалось пристроить новое крыло — такова была последняя воля Кэролайн Маккенна. По ее завещанию больнице отходил участок земли для строительства нового крыла и деньги на приобретение оборудования и оплату необходимых специалистов. В новом крыле предполагалось разместить лабораторию с новейшими средствами диагностики, а также кардиологический и травматологический центры.

Эта статья — Джоанна тоже скопировала ее — уже давала некоторые, пусть косвенные, сведения о Кэролайн. У нее, как и предполагала Джоанна, были деньги, и безусловно немалые: проектная стоимость нового крыла больницы составляла что-то около трех миллионов долларов.

Три миллиона долларов.

— Есть между нами одно существенное различие, — пробормотала Джоанна себе под нос.

Кроме того, становилось ясно, Кэролайн была заинтересована в том, чтобы вкладывать деньги в медицину, — или, может быть, просто считала, что нужно улучшить медицинское обслуживание в городе. Упоминаний о других благотворительных распоряжениях не было; оставалось также непонятно, оставила ли Кэролайн какую-то часть своего состояния мужу и ребенку.

На следующий день в обеденный перерыв Джоанна загрузила в компьютер «Клиффсайдскую газету» и нашла там множество интереснейших сведений об этом городке и его жителях — от климата и экономики до хроники браков, крещений и похорон, зарегистрированных в мэрии.

Имелась там и фотография Кэролайн Маккенна с мужем в группе спонсоров местного театра — снимок был сделан год назад.

Ее вполне можно было принять за родную сестру Джоанны.

Только цвет волос потемнее, в остальном Кэролайн была точной копией Джоанны. На экране компьютера были отчетливо видны тонкие черты лица, абрис которого напоминал сердечко, гладкие волосы до плеч, на несколько дюймов короче, чем обычно стригла свои, гораздо более светлые волосы, Джоанна, большие глаза и нежные, почти детские губы. От ее облика веяло хрупкостью и незащищенностью.

Справа стоял ее муж, Скотт Маккенна, привлекательный мужчина лет тридцати пяти. Он был на несколько дюймов выше Кэролайн, несмотря на ее высокие каблуки. Темный костюм придавал ему не то чтобы мрачный вид, но... как-то отделял его от окружающих. Мистер Маккенна улыбался, но облако какой-то необъяснимой обособленности словно окутывало его, и, хотя он стоял рядом с женой, они не касались друг друга.

Глядя на фотографию этой пары, Джоанна почувствовала, что беспокойное томление последних месяцев покидает ее. Впервые после аварии она точно знала, что делать.

Чтобы вновь стать хозяйкой своей жизни, ей необходимо поехать в этот самый Клиффсайд и узнать все о жизни Кэролайн Маккенна — женщины, которая погибла в тот день, когда самой Джоанне судьба подарила избавление от смерти. Джоанна чувствовала, что между ними существует какая-то связь, и пока она не поймет какая, ей не обрести покоя.

Глава 2

Холли Драммонд вышла из кабинета и бросила взгляд на конторку — больше по привычке: проверять Блисс Велдон, сегодняшнюю дневную дежурную, не было необходимости, на нее всегда можно положиться. И действительно, за конторкой было тихо, Блисс работала на компьютере, телефоны молчали, жалоб от клиентов не слышно. Мир и покой — именно то, к чему стремится всякий управляющий отелем.

Холли посмотрела в блокнотик: сегодня должна прибыть только одна гостья, которая забронировала номер на ближайшие две недели «с возможностью дальнейшего проживания», что просто великолепно. В это время года у них немноголюдно — если Холли удается в несезон достичь пятидесятипроцентной заполняемости, это вполне удовлетворяет и ее, и владельца отеля.

Она шла по вестибюлю к выходу на веранду. Ей нравилась атмосфера изящества и комфорта, царившая здесь. Этому отелю, который назывался просто «Гостиница», было больше пятидесяти лет, но когда пять лет назад его перестраивали, то средств явно не жалели: от мраморного пола до обоев на стенах — все было самого лучшего качества; хорошо обученный персонал работал безупречно — «Гостиница» обрела статус четырехзвездочной и твердую репутацию лучшей в округе.

И действительно, она была одной из главных приманок для туристов. Великолепные пейзажи, тишина и покой, а также «Гостиница» привлекали в Клиффсайд приезжих, которые, в свою очередь, обеспечивали приток денег в местную экономику. Словом, все взаимосвязано.

Сквозь распахнутые двери Холли вышла на веранду с видом на море. Шезлонги и столики со стульями заманчиво группировались под крышей и дальше, прямо под ярким и теплым октябрьским солнцем. С десяток гостей читали газеты, пили кофе и беседовали.

Холли кивнула официантке и прошла в дальний конец веранды, где лежал в шезлонге, греясь на солнышке, худой рыжеволосый мужчина. В ногах у него сидела девушка лет восемнадцати и вовсю флиртовала, поощряемая его ленивой улыбкой.

Холли нахмурилась, но усилием воли разгладила морщины на лбу и, подойдя к ним, приветливо сказала:

— Привет, Амбер. А я думала, у тебя на сегодня запланирована автомобильная прогулка.

Стройная светловолосая девушка вскочила на ноги, выражение ее лица стало одновременно виноватым и вызывающим.

— А я сказала родителям, чтобы ехали без меня. Кому охота глазеть на эти пейзажи — милю за милей? Я как раз говорила мистеру... я как раз говорила Кейну, что хочу пройтись по магазинам.

— Прекрасно, — немного сухо отреагировала Холли. В эту минуту она болезненно ощущала каждый год из тех двенадцати, которые составляли разницу в их возрасте.

Амбер сунула руки в карманы очень коротких

шортиков, которые уж месяц как пора бы убрать на зиму, и ослепительно улыбнулась.

— Я тоже так думаю. Кейн, а вы... вы не хотите пойти со мной?

Кейн Барлоу кашлянул и неторопливо — голос его совершенно соответствовал ленивой улыбке — ответил:

— Вы слышали последнюю новость из области психологии? Мужчины — охотники, а женщины — собирательницы; вот почему вы любите делать покупки. Вам нравится сам процесс, а нас он только раздражает.

Амбер посмотрела на него, не в силах скрыть горького разочарования.

— Но... а может быть, потом погуляем вдоль обрыва?

— Боюсь, Амбер, что меня придется вычеркнуть из ваших планов. Сегодня я должен ехать в Портленд.

— О! — Амбер хотела презрительно улыбнуться, но улыбка у нее получилась натянутой. — Ну что ж. Тогда как-нибудь в другой раз.

— В другой раз, — безразлично протянул Кейн.

Девушка еще раз с вызовом посмотрела на Холли и через веранду направилась в здание.

— Как ты думаешь, она научилась такой походке по фильмам старушки Мэй Уэст? — насмешливо пробормотал Кейн.

— Я думаю, у нее просто гормоны играют, — ответила Холли весьма недовольным тоном. — Да еще каблуки дюйма на три выше, чем нужно. Не кокетничай с ней, Кейн. В восемнадцать лет сердца так легко разбиваются.

— Я с ней кокетничал? Я сидел и думал о своих делах, ждал, когда ты вернешься, и тут она подходит и чуть ли не прыгает ко мне на колени. Что прикажешь делать? Обидеть клиента — источник твоего благосостояния, — грубо оттолкнув его дочь? — Он хотел коснуться Холли, но она отодвинулась, еле заметно дернув плечом, и глаза Кейна сузились. — Очевидно, ты полагаешь, что я все-таки должен был ее немедленно прогнать.

Вместо того чтобы занять место в ногах у Кейна, которое освободила Амбер, Холли села в соседний шезлонг.

— Я полагаю, ты поощряешь ее, сам того не замечая, — все еще сердясь, сказала она.

— Холли, она же ребенок, совершенный ребенок! Она на двадцать лет моложе меня!

— Это только лишняя причина быть осторожнее. — И Холли, нахмурившись, открыла свой блокнот.

Сплетя длинные пальцы на плоском животе, Кейн с минуту наблюдал за нею. Его лицо было абсолютно непроницаемо и неподвижно, живыми были только блестящие зеленые глаза.

— Ладно. Учту на будущее. А теперь оставим это — мы, помнится, собирались погулять вдоль обрыва, перед тем как зазвонил телефон?

— Я не могу.

— Звонок был от хозяина — я угадал?

Холли посмотрела на него, насупив брови.

— Звонил Скотт. Почему ты всегда говоришь о нем с такой издевкой?

— Потому что он мне не нравится, — ласково произнес Кейн. — А еще мне не нравится, что ты бросаешь все и бежишь к нему, как только он свистнет.

— Это несправедливо. Он — владелец отеля, он мой работодатель. И сейчас ему тяжело, — сказала Холли. — Когда Кэролайн погибла...

— Когда Кэролайн погибла, весь город обрушил море сочувствия и понимания на скорбную главу бедного Скотта, — перебил Кейн с уже откровенным сарказмом. — И этот сукин сын вовсю этим пользуется.

— Ты говоришь ужасные вещи.

— Да? А самое ужасное то, что это правда. Не так ли?

Холли встала, держась за свой блокнотик, как за единственное спасение.

— Послушай, я сейчас должна встретиться со Скоттом в мэрии, чтобы обговорить некоторые детали строительства нового крыла клиники. Это займет что-то около часа. Если ты побудешь здесь...

— Нет. Как я уже сказал крошке Амбер, я поеду в Портленд.

Кейн, не меняя позы, взглянул на нее. Так и сидел, спокойно, расслабленно, и смотрел — Холли не понимала, о чем он думает. Собственно, она никогда ничего не могла прочесть по выражению его лица. А этого достаточно, чтобы свести женщину с ума.

Она преувеличенно равнодушно произнесла:

— Ну что ж, ладно. Ленч был... замечательный.

— Да. Несомненно, он бы еще больше удался, если бы мы закончили его в постели — на десерт, но у тебя, кажется, нет времени — или желания — для сладкого, да, Холли?

— Ты тоже вечно занят, — ответила она, защищаясь. — Сколько раз в последнее время ты уезжал то в Лос-Анджелес, то в Нью-Йорк? И не нужно представлять дело так, как будто я одна виновата в том, что мы почти не видимся! — Услышав в собственном голосе скандальные нотки, она сделала над собой усилие и примирительно добавила: — Послушай, мы оба работаем, и...

— Согласен, несколько месяцев мы оба были изрядно загружены. Но не настолько же, чтобы нельзя было найти времени для встреч, — перебил он посуровевшим голосом. — А дело-то в том, что бедный Скотт стал во всем от тебя зависеть.

— Ты несправедлив, — сказала она, понимая, что повторяется.

— Возможно. Тогда я просто эгоист, как ты обычно утверждаешь. — Он пожал плечами, разом прекращая разговор, угрожавший окончательно перерасти в ссору. Лицо его при этом выражало полное безразличие. — Беги, выручай Скотта, решая его очередную проблему. Я как-нибудь обойдусь. Дорога в Портленд длинна, силы\пригодятся.

Холли сделала два шага по направлению к двери и остановилась. Проклятье, проклятье, проклятье! Ненавидя себя, она обернулась.

— А ты надолго в Портленд? Я имею в виду — завтра я тебя увижу?

— Возможно, я вернусь поздно вечером, — ответил Кейн. Холли немного подождала, но, по всей видимости, он уже сказал все, что хотел. Стараясь сохранить достоинство, она кивнула.

— Счастливо. Веди машину осторожнее.

Его блестящие глаза немного потеплели.

— Ни ты, ни я уже никогда не будем так беспечны, как три месяца назад, мне кажется. Не волнуйся, я буду осторожен.

На этот раз уйти от него было гораздо труднее, но она справилась с собой — и заспешила прочь с веранды. Спиной она чувствовала его взгляд, но не оглянулась и не замедлила шага. В конце концов, она на работе, напомнила она себе. Она работает на Скотта Маккенну, который владеет «Гостиницей» и множеством других предприятий в Клиффсайде, и, если ему нужна ее помощь, она обязана ее оказать.

Но нельзя не замечать, что трещина в отношениях между нею и Кейном все ширится.

Холли была уже в середине тихого вестибюля, когда двери главного входа открылись. До нее донеслись с улицы какие-то уточнения швейцара насчет багажа и парковки, и вошла светловолосая женщина. Холли застыла как вкопанная, открыв рот и недоверчиво уставившись на незнакомку — она не отдавала себе отчета в том, что это неприлично, просто остолбенев от изумления.

Женщина, сделав несколько шагов, неуверенно остановилась. Она была примерно одного роста с Холли, где-то пять футов шесть дюймов, красивые волосы медового цвета просто откинуты назад, слаксы и свитерок обрисовывали стройную тоненькую фигурку. Лицо не овальное, а, скорее, в форме сердечка, необычные большие золотисто-карие глаза опушены темными ресницами, нежный и чувственный рот...

Не успела Холли прийти в себя, как женщина чуть неловко засмеялась и певуче спросила:

— Простите, что-то не так?

Холли поморгала. Как странно, подумала она, видеть это знакомое, слишком знакомое лицо и при этом слышать совершенно чужой голос с сильным южным акцентом.

— О... нет. Боже мой, напротив, это я прошу прощения. Дело в том, что вы очень похожи на одну женщину, которую я когда-то знала.

— Когда-то знали?

— Несколько месяцев назад она погибла.

— О, я очень сожалею...

— Ничего. Мы не были... очень уж близки. — Холли улыбнулась и протянула руку. — Я — Холли Драммонд, менеджер «Гостиницы». Зовите меня просто Холли.

Блондинка крепко пожала протянутую руку.

— Рада познакомиться с вами, Холли. Меня зовут Джоанна. Джоанна Флинн.

— Добро пожаловать в наш славный городок, Джоанна. Если я могу что-нибудь сделать для того, чтобы ваше пребывание здесь было более приятным, дайте мне знать. — Это было традиционное профессиональное приветствие, но Холли всегда вкладывала в несколько затертое выражение первоначальный смысл, и ее искренность чувствовалась.

— Спасибо, непременно, — улыбнулась Джоанна Флинн. — Сейчас я больше всего хочу заселиться, распаковать вещи и дать отдых ногам — они просто одеревенели от долгой езды. Может быть, мы увидимся позже?

— Я почти все время здесь, — ответила Холли, улыбаясь. Проводив глазами Джоанну, она чуть помедлила и направилась в мэрию. Мэрия располагалась недалеко — всего в двух кварталах от «Гостиницы», и Холли решила пройтись пешком — чтобы немного размяться и проветрить голову. Впрочем, необходимо было и подумать, как подготовить Скотта. Ведь встречи не избежать! Проклятье — как подготовить весь город!

Эй, угадай, что случилось? В «Гостиницу» приехала новая гостья — ей бы волосы чуть темнее и голубые контактные линзы — вылитая Кэролайн! Что скажешь?

«Проклятье, — почти вслух прошептала Холли, — что он подумает, когда увидит тебя, Джоанна Флинн? Что он почувствует?»

* * *

Джоанне отвели прекрасный номер на пятом этаже, просторный и удобный: гостиная, спальня, ванная. Несмотря на скромное название, «Гостиница» предлагала полное обслуживание круглосуточно плюс кабельное телевидение, как сообщил словоохотливый швейцар. Если же ей потребуется что-нибудь еще для полного счастья — ей предоставят все, что угодно, пусть только попросит.

Как только швейцар ушел, Джоанна начала устраиваться. Включив телевизор, чтобы в комнате что-то звучало, она быстро распаковала чемоданы и развесила свои вещи. Потом вышла на балкончик в спальне, откуда открывался вид на океан.

Справа внизу виднелась черепичная крыша веранды; прямо под ней простирался широкий зеленый газон, а дальше — вершины скал и, под ними, океан. Швейцар говорил, что во время отлива там остается узкий пляж, выглядевший весьма эффектно. Но тропа, ведущая к нему, довольно труднодоступна, и мало кто из гостей отважился спуститься туда больше одного раза.

Разглядывая продолжение скальной гряды к югу, Джоанна повернула голову налево и застыла, едва дыша. Она стояла, оцепенев, длинное, бесконечно длинное мгновение. Затем тихо скользнула в комнату — как будто двигаться нужно было осторожно, чтобы не случилось что-то ужасное. В гостиной она уселась за маленький столик, положила на него тетрадь, бережно раскрыла ее и погладила чистую страницу.

Джоанна никогда не вела дневника, но ей подумалось, что здесь стоит начать — чтобы приводить мысли в порядок и прояснять для себя происходящее. Задержав дыхание, она взяла гостиничную ручку и поставила на верху страницы число. Она еще не сформулировала фразу окончательно, просто стала писать, не особенно раздумывая.

«Сегодня я приехала в Клиффсайд. Здесь, в «Гостинице», у меня в спальне балкон с видом на океан, и с этого балкона я разглядела дом — точно такой, как в моем сне».

* * *

Даже на расстоянии этот дом производил сильное впечатление.

Джоанна сидела на гладкой верхушке скалы и рассматривала реальное воплощение своих ночных кошмаров. До дома оставалось около мили; деревья заслоняли часть великолепной картины, которой она любовалась еще с балкона «Гостиницы», но ощущение прекрасного не покидало ее.

Дом этот, впервые увиденный ею во сне, был построен в викторианском стиле: множество башенок на крыше, в бесчисленных окошечках — отблески солнца и со стороны океана широкая крытая галерея; без сомнения, вид с нее открывался захватывающий. Впрочем, с того места, где сидела Джоанна, дом мог показаться мрачным: он одиноко высился над скалистым мысом, а далеко внизу в бушующей пене разбивались о скалы волны океана. Но все же он выглядел не мрачным, а скорее величественным. Хотя Джоанна воспринимала этот дом сквозь призму измучившего ее за долгие месяцы сна, ей он казался зловещим и темным, что было вполне понятно. Она почти боялась его.

Джоанна обняла руками колени, ежась от прохладного океанского бриза и слушая, как гудят высокие волны прилива. Солнце садилось в океан; окна далекого дома отсвечивали красным, отражая цвета заката. Джоанну била мелкая дрожь, причем отнюдь не от холода.

Это дом Кэролайн! Джоанна не знала, почему она так уверена, что смотрит на дом, где жила Кэролайн, но она нисколько не сомневалась в этом. И следовательно, здесь живут ее муж и дочь.

Со дня смерти Кэролайн прошло уже три месяца, наверное, они начали уже примиряться с потерей. Джоанна понимала, что ее появление может причинить им страдание. Даже швейцар и дежурная в «Гостинице» были растеряны, если не сказать напуганы таким сходством, а Холли Драммонд, эта симпатичная брюнетка, была просто в шоке.

Занятая приготовлениями, Джоанна не слишком задумывалась над своим внезапным решением приехать сюда, но сейчас, сидя на скале и глядя на дом Кэролайн, вдруг испугалась. Чего она надеется достичь своим приездом? Не вызовет ли и впрямь ее появление здесь призрак Кэролайн Маккенна из ее сна?

Ей вдруг пришла в голову нелепая мысль, что с ее появлением в Клиффсайде начнется такое, что неминуемо выйдет из-под ее контроля. У нее появилось сильное искушение как можно скорее вернуться в гостиницу, собрать вещи и первым же самолетом лететь в Атланту, домой. Но не успела она окончательно поддаться страху, как ее внимание привлек чей-то голос.

— Прошу прощения, но не следует...

Джоанна быстро повернула голову, на сей раз почти не удивившись, когда бесшумно приблизившийся к ней человек вдруг запнулся на полуслове и, потрясенный, уставился на нее. Высокий, широкоплечий, атлетически сложенный мужчина с очень темными волосами и почти черными выразительными глазами продолжал молча смотреть на нее. И хотя его лицо, худощавое и несколько грубоватое, не соответствовало общепринятым представлениям о красоте, в нем было что-то необычайно притягательное.

Чуть выше, на опушке леса, на узкой грязной дороге, которой она вначале не заметила, Джоанна увидела припаркованный «Блейзер», и хотя на таком расстоянии ясно различить надпись на борту машины было невозможно, все же буквы были достаточно крупные.

— Вы полицейский? — спросила она, удивившись, что он не в форме. Пришедший был в обычных джинсах и легкой нейлоновой ветровке поверх темной футболки.

Он кивнул утвердительно и сделал еще несколько шагов к ней, так что их разделяло всего несколько футов. Ошеломление почти исчезло с его лица, он лишь слегка хмурился.

— Шериф. Гриффин Кавано.

Голос оказался глубоким, чуть хрипловатым — но, возможно, легкая хрипотца появилась от эмоционального потрясения при виде двойника погибшей Кэролайн, которую он, без сомнения, должен был знать.

— Понятно. Я совершила что-то противозаконное, шериф?

Он ответил не сразу, глядя на нее своими темными глазами так пристально, что она, казалось, чувствовала прикосновение его взгляда. Помедлив, сказал бесцветным голосом:

— Не следует сидеть так близко к краю. Это опасно. Полгода назад с этого самого места упал человек.

Джоанна никогда не боялась высоты, и сейчас она сидела так близко к краю обрыва, что вытяни она правую ногу — и нога повисла бы над пропастью. Его слова заставили ее посмотреть на зубчатые, обточенные прибоем скалы далеко внизу — она содрогнулась и потихоньку отползла от края, встав рядом с ним.

— Тот, кто упал... разбился насмерть? — тихо спросила она.

Шериф Гриффин Кавано кивнул.

— Такое случается постоянно, примерно раз в пять лет, — глухо сказал он. — Туристы вечно лезут на рожон...

Джоанна тут же обиделась за всех туристов, к которым причисляла и себя.

— Но ведь здесь нет предупреждающего знака.

Если место так опасно, то почему это никак не обозначено, шериф?

Он слегка прищурился.

— Потому что каждый раз, как я его ставлю, его или уносит ветром, или ломает какой-нибудь вандал. Вы ведь из «Гостиницы», да?

— Да, я остановилась в «Гостинице».

— Тогда вы, должно быть, читали правила — они висят на дверях, с внутренней стороны. Гостям рекомендуется гулять на территории отеля, там, где есть перила. А вы, кстати, вообще сейчас в частном владении.

Джоанна невольно бросила взгляд на далекий дом.

— Да, это его земля, — сказал шериф, проследив направление. — Хотя здесь и нет предостерегающих надписей, но заходить сюда строго воспрещается. Это место может быть очень коварным, мисс..?

— Флинн. Джоанна Флинн.

Он кивнул.

— Мисс Флинн. Лучше бы вам ограничить свои прогулки местностью, принадлежащей отелю. Для вашей же безопасности.

— Я поняла. — Больше она ничего не хотела говорить, но, видя, что он собирается уходить, неожиданно произнесла: — Шериф, здесь на меня реагируют несколько неожиданно — все, в том числе и вы.

— Вы напоминаете одну женщину, которая жила здесь.

— Мне так и объяснили. Холли Драммонд сказала, что эта женщина, похожая на меня, погибла.

— Да. Три месяца назад. — Как бы Гриффин Кавано ни относился к этому факту, он оставил свои чувства при себе: лицо спокойное и непроницаемое, голос вполне безразличный.

— Простите, а как ее звали? И как она погибла? — Джоанна сделала вид, что ничего не знает о Кэролайн, хотя, убей бог, не смогла бы объяснить зачем. Конечно, ей не хотелось, чтобы в Клиффсайде знали об этой странной истории — ведь она проехала тысячи миль, чтобы просто выяснить, какая смутная связь существует между нею и этой женщиной. Ну кому же такое придет в голову? Просто она отдыхает.

— Почему вы хотите это знать? — как-то излишне резко спросил он.

— Просто любопытно. — Джоанна равнодушно пожала плечами. — Говорят, мы похожи, как близнецы.

— Ее звали Кэролайн Маккенна. Она погибла в автомобильной катастрофе: шоссе было мокрое, а она ехала с большой скоростью и потеряла управление. Что еще вы хотите знать? — Это прозвучало почти грубо, но Джоанну не остановил его резкий тон.

— Я действительно так на нее похожа?

Он медленно и вдумчиво осмотрел ее с ног до головы.

— Если сделать волосы немного темнее и изменить цвет глаз, вас просто не различить.

Она не поняла, боль или гнев сквозили в его голосе, но зато почувствовала, что зашла слишком далеко.

— Спасибо, шериф, — и за предостережение, и за эти сведения, — произнесла она спокойно, решив пока оставить свои расспросы.

— Не стоит. — Поверх ее головы Гриффин Кавано смотрел на заходящее солнце. — Скоро стемнеет. В это время года дни уже коротки. Вам, пожалуй, пора возвращаться.

Джоанна решила послушаться. В конце концов, она пробудет здесь еще по крайней мере две недели, времени у нее будет много. Но как только она направилась к отелю, он остановил ее вопросом.

— Зачем вы приехали сюда, мисс Флинн?

— В отпуск.

— В октябре?

— Я люблю отдыхать осенью.

Он нахмурился.

— Вы ведь с Юга, не так ли.

— Вы не любите южан? — шутливо спросила она.

Но шериф, очевидно, не был расположен шутить.

— Джорджия, по-моему, — решительно продолжил он свой допрос.

Джоанна ответила и на это.

— Да, Джорджия. Точнее, Атланта. Но мы в последнее время не пытаемся отделиться, так что у вас не должно быть проблем из-за моего пребывания здесь.

На его суровых губах наконец мелькнула улыбка, или, вернее, ее подобие, но через мгновение он вновь стал серьезным.

— Вы проделали столь долгий путь, чтобы провести отпуск именно в этом месте, но ведь здесь нет ничего, кроме пейзажей.

— А вот это уже мое дело, шериф, — произнесла Джоанна с некоторым раздражением. — Но если вы так хотите знать, я каждый год провожу свой отпуск в разных штатах. По-моему, это лучший способ узнать свою страну. И для первого знакомства с Западным побережьем я выбрала Орегон.

— И непременно Клиффсайд?

Джоанна не могла сказать с уверенностью, верит он ей или нет.

— Торговая палата рекомендует Клиффсайд как весьма живописное место, — пожала плечами она. — А я как раз искала нечто такое на берегу океана, где можно спокойно отдохнуть. Так почему не здесь? Достаточно?

— Пока да, — сухо сказал он. — До свидания, мисс Флинн.

— До свидания, шериф.

И Джоанна направилась к отелю, стараясь, чтобы ее походка выглядела непринужденной. Сначала она отнесла этот пристальный интерес шерифа на счет подозрительности, присущей жителям маленьких провинциальных городков, тем более работающим в полиции. Но такое объяснение не выдерживало критики, ведь туризм играл заметную роль в местной экономике — стало быть, дружелюбие и гостеприимство. Более вероятным было другое объяснение: шериф счел, что внезапное появление в городе женщины, как две капли воды похожей на погибшую Кэролайн Маккенна, не могло быть случайным.

Ей пришло в голову, что, без сомнения, многие в Клиффсайде будут думать точно так же.

Джоанна ступила на аккуратно подстриженный газон «Гостиницы» и оглянулась. Шериф стоял на том же месте, но смотрел отнюдь не на нее, а на одинокий дом вдалеке.

* * *

Впервые за последние месяцы Джоанна проспала всю ночь спокойно. Проснулась она в восемь утра с тяжелой головой, словно вновь видела тот же сон. На этот раз ряд образов прервался, но она определенно помнила карусельную лошадку и бумажный самолетик, и еще, кажется, лепестки роз, дождем сыпавшиеся на землю.

Она еще долго лежала в постели, глядя в потолок, слушала низкий рокот океана и вспоминала вчерашний день, стараясь суммировать свои впечатления от Клиффсайда и людей, с которыми здесь познакомилась. Судя по тому, как на нее реагировали, очевидно, многие знали Кэролайн, то есть у нее будет достаточно источников информации.

Знать бы только, о чем их спрашивать.

Наконец она встала, приняла душ и заказала завтрак в номер. Последнюю утреннюю чашечку кофе Джоанна допивала, стоя у открытой балконной двери и не сводя глаз с дома Кэролайн. Тяжелое чувство по-прежнему не оставляло ее, но тем не менее она продолжала разглядывать окрестности, выбирая дорогу, чтобы быстрее добраться до этого места.

Проникновение в частное владение строго запрещается, так, кажется, говорил шериф Кавано. Хорошо, но он также сказал, что предупреждающих об этом знаков там не стоит. Таким образом, юридически она не нарушит никаких законов, если пойдет по скальной гряде в этом направлении. Конечно, добрый шериф может возразить, что ему лучше знать — но только если ее поймает.

Немного посмеявшись в душе над своим намерением нарушить закон, Джоанна вышла из номера и спустилась на лифте в холл.

У конторки стояла Холли Драммонд. Она дружески поздоровалась.

— Доброе утро, Джоанна.

Чувствовалось, что Холли смотрит на нее оценивающе — возможно, даже и не отдавая себе в этом отчета. Наверняка причиной являлось сходство с Кэролайн, но Джоанне все же было неуютно. Однако она смолчала, напомнив себе, что к этому придется привыкнуть.

— Привет, Холли. Послушайте, у меня вопрос. Где можно получить сведения о Клиффсайде и его окрестностях?

— Можно у меня или у любого дежурного за конторкой, — сказала Холли. — Большинство персонала действительно хорошо знает эти места, и любой из нас будет рад помочь. Что вам хотелось бы узнать?

Хороший вопрос.

— О... ничего определенного, по крайней мере сейчас. — Видя, что Холли полна любопытства, Джоанна рассмеялась как можно беззаботней. — Я работаю в библиотеке, так что это у меня, наверное, профессиональное заболевание — исследовать те места, где провожу отпуск. Как бы я ни хотела отдохнуть, всегда почему-то заканчиваю тем, что оказываюсь в местной библиотеке и читаю все, что можно, о данном городе. Глупо, конечно, я понимаю.

Холли улыбнулась.

— Не знаю, мне во всяком случае это кажется более приятным времяпрепровождением, чем игра в гольф или покупка всякой ненужной дребедени, чем, собственно, и занимается большинство туристов.

— А мои друзья говорят: прекрати работать, когда тебе за это не платят!

— Знакомо. — Холли взглянула на свой неизменный блокнот. — Я тоже вечно при исполнении. Но — ха! — кто обещал нам, что жизнь будет легка и прекрасна?

— Моя тетушка, — серьезно ответила Джоанна.

— В самом деле?

— Да. Тетя Сара, которая воспитала меня, до последнего дня своей жизни свято верила, что от жизни получаешь то, чего достоин. Будь добр к окружающим, и они будут добры к тебе. Знаете, однажды я видела, как она поймала вора и стала заботливо его расспрашивать, зачем же он губит свою жизнь, грабя добрых людей. Так он целый квартал шел за ней, пытаясь объяснить причины, которые вынуждают его делать это.

Холли рассмеялась.

— Судя по вашему рассказу, она была настоящая леди.

— Да, — улыбнулась Джоанна. Потом сказала: — Пожалуй, пройдусь, посмотрю на океан.

— Конечно, и лучше сейчас, чем потом, — отозвалась Холли. — Если только вы не любите прогуливаться под холодным дождем. Прогноз погоды обещает днем дождь.

— Спасибо, что предупредили. — Джоанна помахала рукой и направилась к веранде.

— Джоанна!

— Да?

— Библиотека в трех кварталах отсюда, — с улыбкой сообщила Холли. — Сразу за зданием суда. Неспешная прогулка или пять минут на машине. На всякий случай.

Джоанна поблагодарила ее улыбкой. Выйдя на улицу, она задумалась, убедительное ли объяснение придумано ею для столь откровенного любопытства? Она не была в этом так уж уверена, но ничего лучшего придумать не могла. Ну что ж, по крайней мере хоть какая-то причина, почему она проводит время в библиотеке Клиффсайда и задает вопросы. Так ей казалось.

Темные низкие тучи обещали, что прогноз погоды сбудется, резкие порывы ветра с океана оставляли на губах привкус соли. Джоанна решила не медлить — не больше пяти минут постояла она у перил, на территории гостиницы, оглянулась и направилась к скалам.

Дойдя до конца газона, она опять незаметно оглянулась, нервно и почему-то виновато. Но тем не менее быстро пошла вперед, убедившись, что ее никто не видит. На сей раз она старалась держаться подальше от края пропасти, но, углубляясь в лес, не упускала океан из поля зрения.

Ее план, если это можно так назвать, состоял в том, чтобы лесом подобраться поближе к дому Кэролайн. Что делать дальше, Джоанна не знала. Разумеется, она не собиралась стучаться в двери и даже не хотела, чтобы ее заметили, если этого можно было избежать. Она не в силах была объяснить, чего, собственно, хочет. Но чем дальше она шла, тем сильнее была уверена, что, именно приблизившись к этому дому, найдет то, что ей нужно найти.

Она не представляла себе, что это будет за находка, но, вдруг оказавшись на опушке футах в пятидесяти от газона дома Кэролайн, увидела над обрывом прелестную беседку, напоминающую небольшую пагоду. А в беседке, яркая, словно ее только что выкрасили, стояла карусельная лошадка, та самая, которую она видела во сне.

Джоанна подошла к беседке, поднялась на две ступеньки и, медленно пройдя несколько шагов по крепкому настилу, нерешительно дотронулась до раскрашенной гривы, будто боясь, что это призрак. Но насколько она могла судить, это была настоящая деревянная лошадка с карусели; она надежно крепилась на штыре между полом и потолком беседки.

— Теперь мне не хватает только бумажного самолетика, — пробормотала Джоанна.

— Это было наше место. — Неожиданный возглас пригвоздил ее к месту.

Джоанна повернула голову — и трудно сказать, кто больше испугался. Маленькая девочка, с расширенными голубыми глазами, и без того огромными, побелевшая, как лист бумаги, отступила на шаг.

— Не бойся, — поспешно сказала Джоанна и застыла, боясь напугать ребенка еще сильнее. — Я не хочу тебя обидеть.

— Вы похожи на мою маму.

Джоанна не предвидела даже возможности такой встречи и потому была в полной растерянности. Она видела перед собой девочку лет восьми-девяти и знала, что эта девочка три месяца назад потеряла мать. Ясно как день — бедный ребенок потрясен, увидев точную копию матери в том месте, которое они, очевидно, любили.

— Меня зовут Джоанна. — Она инстинктивно находила, что сказать. — Я вчера приехала в Клиффсайд, и мне сказали, что я похожа на одну женщину, которая... жила здесь. Ее звали Кэролайн. Это была твоя мама?

Не сводя немигающих глаз с лица Джоанны, девочка медленно кивнула.

— Я так тебе сочувствую, — вновь заговорила Джоанна. — Я тоже потеряла маму, когда мне было столько лет, сколько тебе сейчас. И папу.

— В... в автокатастрофе? — помедлив, спросила дочь Кэролайн.

— Нет. Мой папа любил кататься на лодке, и однажды они поплыли на ней вдвоем, и начался шторм.

— И лодка утонула?

Джоанна кивнула. Девочка чуть нахмурилась и на миг отвела глаза.

— И вы теперь боитесь океана?

— Наверное, если бы я была с ними, то стала бы бояться. Но меня с ними не было. И потом, прошло уже так много лет.

— А я боюсь автомобилей. Я даже не могу в них садиться.

— Я понимаю, — произнесла Джоанна, всем сердцем жалея эту печальную маленькую девочку.

— Меня зовут Риген. Первое «и», — несколько обиженно добавила она и тут же объяснила: — А то все говорят два «е» — Реген.

— Мне тоже больше нравится с одним «и» и одним «е». Рада познакомиться с тобой, Риген.

— А говорите вы совсем не так, как мама. — Риген слегка наклонила темноволосую головку. — Так здесь никто не говорит.

— Это потому, что я живу в другом конце страны, — объяснила Джоанна. — В Атланте, штат Джорджия.

— Ой, а я знаю! У вас там есть классная бейс-больная команда — «Смельчаки», да?

Джоанна улыбнулась.

— Да, там, где «Смельчаки». А ты, значит, любишь бейсбол?

— Угу. Мама тоже любит... любила. — Риген сунула руки в карманы джинсов и подняла плечи, вся как-то нахохлившись. — А папа не любит. Он ничего не любит, кроме своей работы.

Расслышав в последних двух фразах нечто большее, чем было сказано, Джоанна заметила, как бы между прочим:

— Бывает, когда взрослые теряют того, кого очень любили, они заглушают горе работой, чтобы не так страдать.

Риген посмотрела на нее по-взрослому понимающе и печально.

— Он и до катастрофы все время работал.

«Вот тебе урок, — подумала Джоанна, — не сюсюкай с бедным ребенком».

— Понятно. Бывают такие люди, — сказала она уже вслух.

Казалось, Риген вполне удовлетворена этим простым утверждением; она почти улыбнулась.

— Вот и моя учительница так говорит.

— Учительница? Скажи, а почему ты сегодня не в школе?

— Я занимаюсь дома, — объяснила Риген. — Школа на другом конце города, идти до нее слишком далеко, надо ехать на автобусе или машине. Я слышала, как врач сказал папе, что мне пока нельзя ездить в машине и в автобусе. Теперь у меня домашняя учительница. Ее зовут миссис Портер.

— Она тебе нравится?

Риген опять подняла плечи.

— Ничего. Она любит одно ток-шоу по телевизору, и поэтому у меня перерыв всегда в это время — чтобы она могла его посмотреть.

— И в перерыв ты приходишь сюда? — спросила Джоанна.

— Нет, не всегда. — Риген помолчала, а потом вдруг заговорила торопливо и резко: — Моя мама очень любила эту беседку. Когда я была маленькая, мама взяла меня на ярмарку. Там я каталась на карусели, и мне это так понравилось, что она долго искала и наконец нашла карусельную лошадку, которую можно было купить, и поставила ее здесь. Чтобы ее любимое место стало и моим любимым тоже.

— Похоже, у тебя была замечательная мама.

Лицо у Риган стало морщиться, но она с усилием овладела собой.

— Угу.

Джоанна притворилась, что ничего не заметила.

— Риген, ты не возражаешь, если я иногда буду приходить сюда. Если ты скажешь «нет», я не буду.

— Приходите. Можете даже сесть на лошадку, если хотите. Мама садилась.

— Спасибо, может быть. — Больше Джоанна не успела сказать ничего — до них донесся отдаленный звон колокольчика.

— Миссис Портер звонит, — сказала Риген. — Это значит, что шоу закончилось и мне пора идти домой.

— Ну хорошо, — улыбнулась Джоанна. — Приятно было с тобой познакомиться, Риген. Я думаю, мы еще увидимся.

— Вы долго пробудете в Клиффсайде?

— По крайней мере две недели.

Риген собралась было уходить, но вдруг заколебалась — казалось, она хочет спросить о чем-то, но не решается.

— Джоанна? А как узнать, когда взрослые боятся?

— Я думаю, у всех по-разному, — ответила Джоанна осторожно. — Например, когда я чего-то боюсь, я сижу очень тихо и жду, чтобы то, чего я боюсь, исчезло.

— А когда я боюсь, мне снятся дурные сны, — сказала Риген. — И маме тоже. Летом ей часто снились дурные сны, перед аварией.

— Риген...

Снова зазвонил колокольчик, и Риген быстро сказала:

— Я должна идти. До свидания, Джоанна.

— До свидания...

Джоанна, стоя в беседке Кэролайн и держась за карусельную лошадку, смотрела, как Риген бежит к дому.

Глава 3

Гриффин Кавано сидел за столом и смотрел в окно. На другой стороне улицы располагалась городская библиотека, с его места была хорошо видна ее входная дверь. Он посмотрел на часы и нахмурился.

Она там уже целых три часа. Конечно, нет ничего необычного в том, чтобы скоротать дождливый будничный день в библиотеке, но туристам обычно несвойственно развлекаться таким образом. К тому же он сильно сомневался, что Джоанна Флинн, не проведя и суток в этом городе, так заскучала, что ей показалось заманчивым провести три часа, листая, к примеру, старые подшивки «Нэйшнл джиогрэфик».

Так что же она там делает?

На всякий случай он запомнил номер ее машины, но машину она арендовала в Портленде, и вряд ли в городском автомобильном агентстве есть какая-либо полезная информация о ней — конечно, если бы ему в самом деле нужна была информация для работы, если бы у него был хоть какой-нибудь официальный повод для запроса. Но не было.

Разумеется, это его не остановило. Первое, что он сделал утром, — позвонил в Атланту и, пользуясь личным знакомством с офицерами местной полиции, без протокола задал им несколько вопросов о Джоанне Флинн. И получил вполне однозначные и определенные ответы. «Не привлекалась» — даже за парковку в неположенном месте. Один раз, летом, попала в аварию, машина разбилась, но сама владелица, сидевшая за рулем, не пострадала, поэтому дела не заводили. Работает в Атланте, в частной библиотеке, снимает квартиру, в которой живет уже несколько лет, вовремя платит налоги и оплачивает счета. Родилась в Чарльстоне, родители утонули в море двадцать лет назад, воспитана теткой. Подростком имела заграничный паспорт и каждое лето вместе с опекуншей странствовала по свету. Вот и все, что было известно о Джоанне Флинн департаменту полиции города Атланты.

— Эй, Грифф!

— Да? — Увидев, что в кабинет входит его помощник, он не стал делать вид, что погружен в бумаги. В жизни маленьких городков есть свои преимущества, как, например, спокойное отношение к бумажной работе. Все равно в ней нет необходимости. — Что тебе нужно, Марк?

— Только что звонил Ральф Томпсон, хлопочет насчет расширения парковки у его универмага; что об этом думает городской голова?

— Запретил даже упоминать. Сказал, что она захватит тридцать футов парка.

— Ну так и передай Томпсону это для начала. — Марк Беллер тяжело вздохнул и закатил глаза. — Если ты не против, пусть лучше не я принесу ему официальный ответ. С тех пор, как в прошлом месяце я предписал ему заблокировать задний выход, он смотрит на меня так, словно я отравил его собаку или еще хуже.

Гриффин опять посмотрел в окно; ее машина по-прежнему стояла перед библиотекой.

— Сейчас пойду и сам доведу это до его сведения, — сказал он. — Собственной персоной, чтобы показать ему свою крайнюю заинтересованность. Он это оценит. А мне как раз что-то хочется размять ноги.

— Знаешь ли, там льет как из ведра.

— Не растаю, — отмахнулся шериф.

Он отодвинул стул, поднялся и потянулся за своей ветровкой. Даже на работе он был в темных слаксах и бледно-голубой рубашке, без галстука. Хотя его подчиненные и носили форму, Гриффин Кавано, шериф Клиффсайда, упорствовал в своем пристрастии к гражданской одежде, что было явным нарушением правил; но на это закрывали глаза, поскольку он как никто разбирался во всех проблемах городка и умел поддержать в нем порядок. Начальство тяжело вздыхало при встрече с ним, но пока никто не осмеливался возражать против того, как Гриффин одевается на работе.

— Ты, наверное, слышал о Джоанне Флинн, — сказал Марк.

— Что именно? — с деланным безразличием спросил Гриффин.

— Ну, что она появилась в нашем городе. И что если перекрасить ей волосы, то будет вылитая миссис Маккенна.

Гриффин никому не рассказывал о своей встрече с Джоанной Флинн, но не слишком удивился принесенным вестям. Слухи в Клиффсайде распространялись быстро.

— Да, знаю.

— Народ удивляется, — невинно произнес Марк.

— Чему удивляется? — недовольно поинтересовался Гриффин.

— Всему. Судят-рядят, знаешь ли. В Сити-холле склоняются к идее реинкарнации — насколько я слышал, вполне серьезно. На электростанции более популярна версия о двух близнецах, разлученных при рождении. А Дженни сообщила, что все дамы в ее салоне абсолютно уверены, что миссис Маккенна непонятным образом лично восстала из мертвых, вернулась в Клиффсайд и будет теперь кого-нибудь преследовать, но Тед из банка считает, что последнее маловероятно.

— Реинкарнация более реальна? — с усмешкой уточнил шериф.

— Я просто рассказываю, чем дышит город, — уловив в его тоне иронию, оправдывался Марк.

— Они что, по факсу тебе все это передали? — вовсю веселился Гриффин.

Марк тоже засмеялся.

— Почти. Ты не представляешь, сколько звонков было утром на эту тему. И что я должен им отвечать, босс?

Гриффин застегнул на ветровке молнию и расправил плечи.

— Отвечай, что мы не занимаемся ни в чем не повинными туристами, на кого бы они ни были похожи. Так и передай, Марк. Я не хочу, чтобы еще и в моем кабинете раздували эти сплетни.

— В этом, собственно, нет никакой нужды, — сказал Марк.

«Это уж точно», — думал Гриффин, выходя из вестибюля на улицу. Сплетничали в Клиффсайде в общем беззлобно, но если что-то вызывало интерес, то слухи распространялись быстро и версии множились на глазах.

Джоанна Флинн определенно возбуждала всеобщее любопытство.

Гриффин не отрицал и собственной заинтересованности — себе он лгать не привык. Не отрицал и своих дурных предчувствий. В последнее время за внешним спокойствием Клиффсайда он чувствовал некую скрытую напряженность, которой еще год назад не было. Он справедливо опасался, что появление сверхъестественно точной копии Кэролайн Маккенна — особенно сейчас, вскоре после ее смерти, — может только ухудшить положение.

Он не мог внятно объяснить, на чем основываются его предчувствия, но инстинкт полицейского подсказывал, что если люди молчат, в то время как раньше говорили много и охотно, и поглядывают искоса, стараясь, чтобы никто этого не заметил, то, значит, что-то не так. Надо сказать, что все шло по-прежнему, по крайней мере, на первый взгляд. Жители города улыбались, здороваясь друг с другом, никаких ссор или скандалов не возникало. В общем, явных причин для беспокойства не было. Но он чувствовал, что после смерти Кэролайн Маккенна город неуловимо изменился, и не мог понять, так ли это на самом деле или ему только кажется.

Когда Гриффин вышел на улицу, дождь приутих, и до библиотеки удалось добраться почти не вымокнув. Здание, хотя и четырехэтажное, было невелико; на первом этаже за конторкой сидела библиотекарша, миловидная женщина средних лет.

— Здравствуйте, шериф, — сказала она неожиданно громко и весело, что никак не вязалось с традиционными представлениями о тех, кто постоянно работает в тишине библиотек. И тут же строго добавила: — Вы наш должник.

Гриффин вспомнил, что недели две назад он взял несколько книг.

— Простите, миссис Чандлер. Завтра же принесу, обещаю вам.

— Вы их прочли?

— Нет, — несмело признал он.

Она страдальчески прикрыла глаза.

— Ради бога, не нужно возвращать их непрочитанными. Если они кому-нибудь понадобятся, я вам позвоню — только вы их сначала прочтите, а уж потом приносите назад!

— Да, мэм.

— Кротость вам не к лицу, — заключила миссис Чандлер.

— Я стараюсь работать над собой, — улыбнулся он. — Кстати, Джоанна Флинн здесь?

— Да, — ответила она, не притворяясь, что не знает, о ком идет речь. — Она наверху, читает микрофильмы. Похоже, умеет пользоваться библиотекой.

— И что она читает?

— Историю города, так она сказала. Спрашивала об основателях города и какие семьи родом отсюда. Сказала, что окрестности очень живописны, интересовалась, кто ими владеет. Пересняла несколько карт и планов. Обрадовалась, что мы держим книгу регистрации рождений, смертей и браков здесь, а не в мэрии. И, конечно, газетный архив. — Миссис Чандлер помолчала и неуверенно добавила: — Правда, странно, до чего она похожа на Кэролайн? Если бы не цвет волос и голос...

— Да.

Поскольку у Гриффина не было никакого официального предлога для беседы с Джоанной, он и не стал делать вид, что есть. Он просто кивнул суровой библиотекарше и отправился по лестнице на третий этаж, где хранилась большая часть городских архивов.

Старые ступени и перила громко скрипели под его шагами, но Джоанна, увлекшись микрофильмами, была настолько погружена в свои занятия, что явно не слышала его приближения. Гриффин остановился поодаль и рассматривал ее, стараясь сохранять объективность. Это оказалось неожиданно трудно. Даже при лампах дневного света ее волосы отливали золотом, и даже несмотря на сосредоточенную нахмуренность, она была прелестна. В профиль ее сходство с Кэролайн было удивительным. Разлученные близнецы? Глядя на нее, невольно хочется в это поверить.

Он бы и сам склонился к этому предположению, если бы не знал совершенно точно, что у Кэролайн никогда не было сестры.

Гриффин перевел дыхание и подошел к ней в тот самый момент, когда она наконец поняла, что уже не одна. Оглянувшись и увидев его, она вздрогнула и сделала непроизвольный жест рукой — то ли от неожиданности, то ли просто желая заслонить от него то, что так сосредоточенно читала.

Он счел, что последнее будет вернее.

— Здравствуйте, шериф. Рада видеть вас здесь.

— Здравствуйте, мисс Флинн.

Он сел на стул рядом с ней и уловил слабый запах ее духов. Аромат был приятный, и он долго не мог понять, почему же ему от этого так не по себе. Потом понял. Он подсознательно ожидал привычного запаха сигаретного дыма.

— Пожалуйста, шериф, зовите меня просто Джоанна, — сказала она скорее сухо, чем сердечно. — Раз уж мы обречены каждый день встречаться в самых разных местах.

Гриффин сдержался, не позволяя себе ответить на ее сарказм. Во всяком случае, пока.

— Я не слежу за вами, если вы об этом, — сказал он. — Просто окна моего кабинета выходят на эту улицу, и я видел, как вы сюда входили. Вы заметили, что вы здесь уже около трех часов?

— Так что же? — спросила она несколько вызывающе.

— Я просто подумал, может быть, вы захотите сделать перерыв. Что, если я угощу вас чашечкой кофе?

Она растерянно посмотрела на него.

— Это ловушка?

Он невольно засмеялся.

— Да нет. Послушайте, я действительно решил, что мне пора отвлечься от дел, и подумал, что, наверное, и вам тоже. На этой улице есть одно кафе, где варят прекрасный кофе. Что скажете?

Она пожала плечами.

— Конечно, почему бы и нет. Подождите минутку, я приведу все в первоначальное состояние.

— Чтобы уже не возвращаться?

— Думаю, хватит. Провести в библиотеке больше трех часов во время отпуска, даже и в дождливый день, это уже слишком, так ведь?

— Это зависит от того, что вы ищете.

Джоанна спокойно убрала микрофильм на место и, помолчав, медленно произнесла:

— Представьте себе, шериф, что вы приехали в отпуск в тихий маленький городок и вдруг оказалось, что вы страшно похожи на одного недавно погибшего человека. Что бы вы стали делать?

— Я думаю, то же самое, что и вы, — ответил он так же медленно. — Постарался бы узнать об этом человеке как можно больше, хотя бы просто из любопытства.

— Тогда почему же мне кажется, что вы этого не одобряете?

— Не то чтобы не одобряю. Я скорее беспокоюсь. Для многих здесь гибель Кэролайн Маккенна — еще не зажившая рана.

— Я это хорошо понимаю. Любая смерть в небольшом, тесно связанном обществе затрагивает многих. Почему, как вы думаете, я читаю старые подшивки газет, а не просто задаю вопросы? Потому

что не хочу никому случайно сделать больно. Довольно и того, что я на нее так похожа. — Она перевела
дыхание. — Сегодня утром у меня была неожиданная встреча. С дочерью Кэролайн. И больше я не хочу подобных неожиданностей, шериф. С меня хватит.

Он смотрел, как ловко ее пальцы управлялись с
микрофильмом. У нее красивые руки, подумал он.
И не спеша ответил:

— Наверное, вам было тяжело.

— Я думаю, еще тяжелее было бедной девочке,
но, если бы я только могла предвидеть такую возможность, я бы держалась совершенно иначе.

— Я вас понимаю.

— Вы согласны?

Она сложила бумаги — вероятно, копии каких-
то страниц микрофильмов, а также карты и планы, о
которых говорила миссис Чандлер, — и положила
их в свой рюкзачок.

— Я понимаю, почему вы стараетесь узнать о Кэролайн как можно больше.

Он заметил, что назвал Кэролайн просто по имени, лишь поймав на себе внимательный взгляд Джоанны.

— Вы хорошо ее знали?

«Какого черта я должен отвечать на этот вопрос», — подумал он, однако ответил:

— Достаточно хорошо. Это небольшой городок,
а я живу здесь уже больше девяти лет.

Ничего не сказав, Джоанна взяла свой рюкзачок,
явно собираясь идти. Гриффин мрачно улыбнулся и
поднялся со стула, демонстрируя готовность сопро-
вождать ее. Что ж, мотивы понятны, но почему она

так трепетно и вдумчиво к этому относится? Столь любопытные люди редко бывают тактичными.

Они молча спустились по лестнице. Некоторая неловкость не оставляла Джоанну, это было незаметно, но Гриффин это чувствовал. И его настораживало то, что он так чувствует ее состояние. Может быть, ощущение, что он давно и хорошо знает Джоанну, возникло просто потому, что она так похожа на Кэролайн, а Кэролайн в такой ситуации было бы неловко?

— Вы нашли все, что хотели, Джоанна? — спросила миссис Чандлер, когда они спустились вниз.

— Нет, но очень многое, — кивнула Джоанна. — Может быть, я еще вернусь, особенно если дождь не кончится. Кажется, у вас хороший подбор художественной прозы?

— Неплохой, если мне позволено похвалить саму себя. Приходите в любое время. Я буду здесь, — ответила библиотекарша.

Когда они вышли на улицу, дождь перестал, хотя влажность еще наполняла воздух, а низкие тучи обещали скорое продолжение. Джоанна вдруг остановилась и, посмотрев на свою машину, сказала:

— Ой, я же в зоне одночасовой парковки!

— Я заметил, — усмехнулся Гриффин.

— А я нет. Будете меня штрафовать?

— Не буду. — Она искоса взглянула на него, он равнодушно пожал плечами. — Мы здесь обращаем внимание на эти зоны только в самый разгар туристского сезона, когда с парковкой проблемы. А сейчас, как вы можете убедиться, никто не ждет очереди и не кружит по всему кварталу, выискивая свободное местечко.

Она оглядела почти совершенно пустую улицу.

— Понятно. Значит, вы не подвергнете меня штрафу, если машина останется здесь, пока мы не попьем кофе?

— У меня обеденный перерыв, — сказал он. — И я его прерву, только если кто-нибудь начнет грабить банк.

Джоанна послушно повернула за ним, и они пешком направились к кафе, которое располагалось кварталах в двух от библиотеки.

— Шериф в маленьком городке — это в общем спокойная работа? — спросила она.

— В общем. — Ему показалось, что ее это действительно интересует, и он добавил: — У нас здесь народ скорее склонен к спорам, чем к преступлениям; необходимость в судье возникает так редко, что он работает всего два дня в неделю. В межсезонье, разумеется. Летом становится более оживленно, но все равно — по большей части я слежу за выполнением местных постановлений и правил да смотрю, чтобы детишки из старших классов не шатались ночью по улицам.

Она с любопытством посмотрела на него.

— Вы сказали, что живете здесь уже около девяти лет, но что-то вы не очень похожи на жителя маленького городка. Вы родились в Орегоне?

Он покачал головой и подумал: «Интересно, это действительно так заметно или она просто попала пальцем в небо?»

— В Неваде. Отец служил в армии, так что в детстве я объездил всю страну.

Джоанна кивнула, но не успела ничего сказать — мимо них прошла пожилая дама. Она вежливо поздоровалась с Гриффином, не сводя при этом глаз с Джоанны.

— Совершенно не удивлена, но явно заинтересована, — грустно заметила Джоанна, понижая голос. — Готова поспорить, она уже знает, как меня зовут, если не больше. Мне не пришлось представляться ни на заправке, ни в библиотеке. Скажите, шериф, в этом городе уже все знают мое имя?

— Если кто и не знает, — сказал он, открывая перед ней дверь кафе, — то, безусловно, узнает еще до наступления ночи. А меня зовут Гриффин.

Она мягко улыбнулась в ответ, и Гриффин едва поборол искушение дотронуться до нее. Поймав себя на этом желании, он немного растерялся.

Молодой официантке тоже не нужно было представлять Джоанну: она не скрывала своего любопытства, провожая их к угловому столику, и отошла, чтобы принести кофе, с явной неохотой.

— Это из-за меня или потому, что со мною вы? — спросила его Джоанна.

— Это из-за нее, — ответил он. — Лиз патологически любопытна.

— Понятно. — Джоанна оглядела десяток посетителей кафе и добавила: — Похоже, этим недугом страдает тут у вас весь городок, шериф. То есть — Гриффин.

— Боюсь, что так. — Он и не оглядываясь знал, что на них смотрят все, причем совершенно открыто. — По крайней мере, еще несколько дней вы будете предметом самого горячего интереса.

Она изучала его так внимательно, что ему стало не по себе, и он подумал — а понимает ли она, как странно им всем на нее смотреть? Светло-карие глаза вместо голубых, золотистые волосы вместо темных — но совершенно те же черты лица. Господи, даже манера задумчиво наклонять голову такая же, как у Кэролайн. Но и различий, смущающих зрение и слух, вполне достаточно.

— Я полагаю, они скоро ко мне привыкнут? — с надеждой спросила Джоанна.

— Придется, — сказал он первое, что пришло в голову. И, не удержавшись, добавил: — Не верится, что вы и Кэролайн не сестры-близнецы.

Она приподняла бровь.

— Честно говоря, я и сама так подумала, что такое может быть. Поэтому в библиотеке я чуть ли не в первую очередь нашла ее свидетельство о рождении. Она родилась здесь, в Клиффсайде, и ее предки жили здесь практически со дня основания города. Я, со своей стороны, родилась тремя днями позже нее в Чарльстоне, штат Южная Каролина, и у моей семьи там не менее глубокие корни. Так что, если не заниматься фантастическими построениями, я не вижу, каким образом мы, рожденные в двух разных городах за много тысяч миль друг от друга, можем быть в родстве.

— Конечно, нет, — сказал он. — Но две женщины так похожи друг на друга и при этом не связаны родством... это так странно.

Джоанна, казалось, размышляла.

— Не знаю. Но есть такая теория, согласно которой у каждого из нас где-то на земле есть двойник...

— Пожалуйста, мы же договорились — без фантастики, пусть даже и научной.

Лиз принесла им кофе, и Джоанна не стала отвечать на его замечание, дожидаясь, пока официантка уйдет. Потом заговорила.

— Вчера — научная фантастика, а завтра — научный факт. Или вы так не думаете?

Он неохотно ответил:

— Я думаю, Джоанна, что ответы на самые необычные вопросы чаще всего заурядны и почти всегда просты. Этому меня научили несколько лет работы полицейским в городе побольше, чем Клиффсайд.

— Так вы что — твердолобый реалист?

— Если хотите, назовите это так. — Ее предположение нисколько не задело шерифа. — Люди в целом легко предсказуемы, и мотивы их поступков редко бывают сложными. Обычно что видишь, то и есть. Это сильно облегчает работу.

— И что же вы видите, когда смотрите на меня? — серьезно спросила она.

— Я вижу... Джоанну Флинн.

Она улыбнулась.

— Гриффин, вы не умеете врать.

— Я не вру. — Он старался, чтобы голос звучал ровно. — Кэролайн Маккенна мертва. В отличие от большинства жителей этого города, я видел ее труп, и потому мне никак не удастся убедить себя в том, что вы — это она. Даже если бы я очень этого хотел.

Улыбка сползла с лица Джоанны. Нахмурившись, она уставилась в свою чашку.

— Простите. Я не хотела напоминать вам...

— О тяжелом и неприятном? Джоанна, я почти пять лет прослужил в полиции Чикаго; я видел такое количество трупов, что и в страшном сне не привидится. Я могу говорить о ней — и о том, что от нее осталось, — не падая в обморок, уверяю вас.

Она посмотрела на него уже совсем серьезно.

— Не сомневаюсь, что можете, учитывая вашу

профессию. Но когда я сказала, что вы не умеете врать, я вовсе не имела в виду, что вы, глядя на меня, видите Кэролайн.

— Тогда что же вы имели в виду?

Он понимал, что не в силах скрыть волнения, что говорит хрипло, несмотря на все свои усилия. Более того, он понимал — утверждение, что он не испытывает боли по поводу смерти Кэролайн, прозвучало абсолютно неправдоподобно.

— Я имела в виду, что Кэролайн для вас еще не отошла в прошлое. И когда вы смотрите на меня — когда кто угодно в этом городе смотрит на меня — все неизбежно видят лицо Кэролайн. Никого не интересую я, никто не задумывается о том, кто такая Джоанна Флинн. Меня просто никто не видит!

Немного подумав, Гриффин кивнул.

— Да, пожалуй. Это... неприятно, я согласен.

«И кроме того, это неплохо объясняет мое собственное смятение, — подумал он. — Мозг пытается совместить образы двух женщин, внешне похожих, хотя совершенно ясно, что во всех остальных отношениях они различны. Вот и все».

— Как вы думаете, каково это мне? Люди смотрят на меня так, словно они меня знают. Когда я зашла в аптеку, продавщица автоматически взяла пачку сигарет и положила передо мной на прилавок...

— Кэролайн курила, — услышал Гриффин собственный голос.

— Да, когда продавщица осознала, что сделала, она стала оправдываться. «Миссис Маккенна курила, — сказала она, — вот я и решила...» — Джоанна вздохнула. — Бедняжка просто не знала, куда девать глаза, и я тоже. Чувствуешь себя несколько странно, позвольте вам заметить.

— Значит ли это, что вы собираетесь сократить свой отпуск? — помедлив, спросил Гриффин.

Не сводя с него больших золотистых глаз, она отпила кофе, поставила чашку на стол и лишь потом ответила.

— Нет.

— Но если мы причиняем вам столько неудобств... Джоанна отмахнулась почти беспечно.

— Если станет совсем плохо, я в любой момент смогу уехать. А пока Клиффсайд предлагает мне обещанное Торговой палатой — прекрасные пейзажи, тишину и покой.

— А если окружающие продолжат вести себя так, что вы будете чувствовать себя несколько странно?

— Тогда останется только любоваться пейзажами или мирно читать на веранде «Гостиницы».

Он подумал, что, наверное, никогда не сможет привыкнуть к ее голосу и этому тягучему южному акценту. Сам по себе акцент даже приятен, но каждый раз, как она заговаривала, он вздрагивал.

— А дома, в Атланте, у вас жизнь суматошная и напряженная?

В ее глазах неожиданно вспыхнуло веселье, а губы изогнулись в быстрой улыбке — теперь она совсем уж не походила на Кэролайн.

— Честно говоря, моя жизнь течет достаточно размеренно. Я работаю в библиотеке.

Он кивнул, делая вид, что не знал этого раньше.

— Тогда почему вы так стремитесь к тишине и покою?

— Ну... тут ведь еще и смена обстановки. И по-

том, в большом городе все равно шумно. — Она
привычно пожала плечами, как будто это могло что-
то объяснить.

Гриффин очень хотел бы ей верить, но неизмен-
ное чутье полицейского, отточенное долгими годами работы, подсказывало, что Джоанна вряд ли оказалась здесь только ради смены обстановки — это
было бы слишком просто. Он не мог утверждать ничего конкретного, не было никаких явных признаков того, что она что-то скрывает, но он был уверен,
что это так. Несмотря на то, что по всем получен-
ным данным ее жизнь была безупречна, он не сомневался, что в Клиффсайд Джоанна приехала не
случайно. У нее, несомненно, была веская причина
приехать сюда, и он мрачно подумал, что эта причина ему скорее всего не понравится, когда он ее обнаружит.

— Вы так пристально на меня смотрите, — тихо
сказала она.

Он отвел глаза и посмотрел на свой кофе — и
только сейчас понял, что даже не попробовал его.

— Простите.

— Расскажите мне о Кэролайн.

Это предложение застало его врасплох. Он быстро взглянул на Джоанну и понял, что именно этого она и добивалась.

— Разве в библиотеке вы не все о ней узнали? —
сухо спросил он.

— Кое-что. Она входила в состав множества комитетов. Ее очень уважали в этом городе. Много сил
она отдавала улучшению работы местной медицины. Кроме того, была хорошей матерью и много по-
могала школе, где учится ее дочь.

— И вам этого мало?

Джоанна едва заметно, но вполне утвердительно кивнула.

— Все это на самом деле ничего не говорит мне о настоящей Кэролайн. У меня по-прежнему много вопросов. Что она делала, чем жила, кроме участия в работе комитетов и создания декораций для школьных спектаклей? Или это заполняло ее жизнь целиком? Интересовалась ли она чем-нибудь, какое у нее было хобби? Может быть, она любила животных? Или музыку? Живопись? Наконец, любила ли она мужа, была ли счастлива?

Гриффин перевел дыхание.

— Почему вы спрашиваете меня?

— Потому что вы можете говорить о ней, не падая в обморок, — тихо ответила Джоанна. — Вы же сами сказали.

Проклятье!

— Я не могу ответить на ваши вопросы, — сказал он.

— Не можете или не хотите? — Он не успел еще придумать ответ, как она, вздохнув, произнесла: — Простите, я, наверное, не должна настаивать. А то получится, что в вашем городе прибавилась еще одна слишком любопытная особа.

Гриффин мрачно посмотрел на нее.

— Джоанна, я, пожалуй, повторю еще раз то, что уже сказал в библиотеке. Не ходите по городу с расспросами о Кэролайн. Слишком многим вы можете сделать больно.

— Это приказ шерифа?

Он не мог быть совершенно уверен, но ему показалось, что она раздосадована.

— Нет, это моя личная просьба.

Она слегка наклонила голову.

— Учту. А теперь я, пожалуй, пойду в отель. Спасибо за кофе.

— Не за что, — ответил он.

Джоанна не протянула ему руки, когда они вышли из кафе и пришла пора прощаться; она просто сказала: «Увидимся» — и направилась вниз по улице, к библиотеке, туда, где стояла ее машина.

Гриффин минуту постоял, глядя ей вслед, и вдруг почувствовал, что все, кто сидит в кафе, включая Лиз, наблюдают, как он смотрит вслед Джоанне. Ему нестерпимо захотелось обернуться и взглянуть в глаза каждому из них, но в итоге он просто пошел в другую сторону — сообщить Ральфу Томпсону, что тот не получит дополнительного места для парковки.

Через четверть часа, терпеливо выслушав гневную речь Томпсона о чрезвычайной самонадеянности и глобальном невежестве городского совета, Гриффин вернулся на свое рабочее место. Знакомая машина уже не стояла перед библиотекой, из чего он заключил, что Джоанна отправилась в отель.

Не сказав никому ни слова, он вошел в свой кабинет и закрыл за собой дверь, едва поборов желание запереть ее на ключ, снял куртку, сел за стол и выдвинул верхний ящик. В ящике было несколько секретных папок, но не они его интересовали. Он вытащил сложенный вдвое листок бледно-голубой бумаги. От частого перечитывания тот изрядно потерся на сгибе. Шериф развернул этот листок и прочел слова, написанные круглым, почти детским почерком, которые давно уже заучил наизусть:

«Гриффин, мне нужно с тобой увидеться. Встретимся в полдень у старой конюшни. Кэролайн».

Он сложил записку, спрятал ее на прежнее место, в ящик, и, откинувшись на спинку стула, стал смотреть в окно.

Снова пошел дождь.

* * *

— Черт побери этот дождь, — сказал Скотт Маккенна.

— Ты живешь в Орегоне, — напомнила Холли, — здесь часто портится погода.

— Слишком часто. Мне нужно вернуться в Сан-Франциско.

— Дождей там, конечно, нет совсем. Но зато случаются землетрясения. Кроме того, ты прожил здесь уже двенадцать лет. Твои корни здесь.

— Так ли?

Холли оторвала взгляд от клавиатуры и внимательно посмотрела на него. Скотт стоял у окна, красивый, темноволосый, прикрыв свои серые глаза. В его позе была какая-то отрешенность. Она подумала, что он всегда один — даже среди толпы; она заметила это с первого дня их знакомства.

— Ну, так или иначе, здесь большая часть твоих денег, — уточнила она. — Ты должен вести дела.

Он повернул голову и в упор посмотрел на нее — тем оценивающим взглядом, который раньше заставлял ее нервничать.

— Ты в состоянии справиться с большинством из них и без меня, — заявил он.

— Ты имеешь в виду магазины, оранжерею, лесопилку и еще новое крыло клиники, не говоря уже о гостинице? Информация для вас, босс, — я совершенно не хочу со всем этим справляться.

Скотт чуть улыбнулся.

— Я знаю. Но ты смогла бы.

— Ладно, оставим. — Она ввела последнюю цифру из своего блокнота в компьютер. — Кажется, это все. Расчеты с ценами, списки материалов плюс список медицинского оборудования. Стоимость земляных работ и даже планировки парка.

— Спасибо, Холли.

— Пожалуйста. Не за что, Скотт, в самом деле. — Она хотела сказать больше, но тут дверь открылась, и в нее заглянула дочь Скотта. Риген, как всегда в последнее время, была печальна, ее большие темно-голубые глаза непроницаемы.

— Что такое, Риген? — немного резко спросил Скотт.

— Миссис Эймс сказала, что, если ты разрешишь, я могу вечером посмотреть фильм до конца и лечь спать попозже. — Она говорила ровным, лишенным выражения голосом.

Скотт, не поинтересовавшись даже, что за фильм, равнодушно кивнул:

— Хорошо.

Без лишних слов Риген исчезла — так же внезапно, как появилась. Холли снова села за стол и посмотрела на своего работодателя. Скотт все так же отрешенно смотрел в окно, и она отважилась спросить:

— А что, когда миссис Портер уходит домой, за Риген присматривает экономка?

— За ней нет нужды присматривать, — холодно ответил Скотт. — Она очень независимый ребенок, ты же знаешь.

— Конечно, независимый. Но три месяца назад

она потеряла мать. Ты вообще разговариваешь с ней?

— Что я могу ей сказать?

Холли беспомощно пожала плечами, но он так и не взглянул на нее.

— Этого я не знаю. Но я точно знаю, что она обожала Кэролайн — и в то же время не оплакивала мать. Ни в тот день, когда произошла трагедия, ни на похоронах, ни после. Она вообще-то плакала?

Скотт долго не отвечал, потом наконец сказал:

— Не знаю.

— Скотт...

— Холли, я не могу изменить свою натуру только потому, что вдруг овдовел. Риген и Кэролайн были очень близки, но мы с Риген — никогда. Я сделаю для своего ребенка все, что могу, но я никогда не смогу заменить ей Кэролайн.

Они были знакомы уже восемь лет, но сейчас Холли смотрела на него и не могла понять, что он чувствует — и чувствует ли? Он всегда был несколько холодноват с дочерью, но не больше, пожалуй, чем со всеми остальными; возможно, действительно, такова его натура.

— Я понимаю, это не мое дело, Скотт, но я не в силах не думать об этом. Если ты сейчас не достучишься до Риген, не поможешь ей пережить смерть Кэролайн, мне кажется, ты будешь сожалеть об этом всю жизнь. — Она поднялась со стула и быстро добавила: — На сегодня все, больше вмешиваться не буду. Ухожу домой.

— Осторожнее веди машину.

— Да, непременно. — Она дошла до двери, остановилась и посмотрела на него. — Доброй ночи, Скотт.

По-прежнему глядя в окно, Скотт спросил:

— Этот твой надменный художник хоть понимает, как ему повезло?

— Не знаю.

Он кивнул, словно ее ответ не удивил его.

— Доброй ночи, Холли.

Она вышла и тихо прикрыла за собой дверь, оставив Скотта одного.

* * *

Джоанна вложила в папку со сведениями о Кэролайн последний лист и, нахмурившись, откинулась на подушки. Информации по-прежнему мало, едва хватит на краткий очерк жизни. Ни колорита, ни фактуры. «Ну что ж, — подумала Джоанна, — пока я действительно не добралась до понимания личности Кэролайн».

За три часа, проведенных в библиотеке, Джоанна тщательно просмотрела годовую подписку еженедельной «Клиффсайдской газеты»; теперь она знала больше, чем когда приехала, но все же так и не поняла, какой была Кэролайн на самом деле, — так что шерифу она сказала чистую правду.

Состоятельная женщина, да — она имела собственные деньги и вышла замуж за состоятельного человека. Женщина, которая поддерживала множество благотворительных акций, по большей части в области медицины, — возможно, потому, что ее младший брат умер от неизлечимой болезни, когда она была еще подростком. Женщина, которая легко говорила на публику. Женщина, которая славилась своим вкусом и предпочитала брюкам платья — во всяком случае, в обществе.

Факты... никак не желающие составлять единое и неповторимое целое.

На самом деле Джоанна гораздо больше узнала о характере Кэролайн из случайных разговоров, чем из чтения газеты. К примеру, продавщица в аптеке рассказала ей, что Кэролайн много курила, оттого что была очень нервной, и по этой же причине «даже грызла ногти, бедняжка».

Длинные, отлично наманикюренные ногти явно были предметом гордости продавщицы, и жалость в ее голосе было легко понять. Джоанна подняла руки и стала рассматривать собственные ногти — аккуратные, средней длины, и только ноготь большого пальца был немного обгрызан. Тетушка Сара имела строго определенное мнение о том, как должна выглядеть юная леди — сюда входили и ухоженные ногти, и отсутствие привычек, изобличающих нервозность.

Вот и еще различие. Совершенно очевидно, Кэролайн была нервной, Джоанна — никогда. За исключением того единственного раза, когда она с удивлением поймала себя на том, что впервые в жизни вдруг начала грызть ногти. Это случилось еще в Атланте, в разгар поисков Клиффсайда и Кэролайн. Что это? Странное совпадение? Или нечто куда более жуткое?

Она бессознательно вздрогнула и опустила руки. «Возможно ли, — спросила она себя, — чтобы тебе, вот так за здорово живешь, передались привычки другого человека? Человека, которого ты ни разу не видела? Нет, конечно же нет! Так же, как невозможно установление психической связи с другим человеком только потому, что вы оба «умерли» в один день. Это вызов логике и здравому смыслу».

Но ведь это так!

Она тряхнула головой, заставляя себя думать не о вещах сверхъестественных, а сосредоточиться на фактах.

Парень на заправочной станции, когда немного оправился от изумления, сообщил, что миссис Маккенна была весьма осторожным водителем, это всем известно. Когда выяснилось, что она погибла оттого, что ехала на большой скорости, все были просто в шоке. Некоторые говорили, что, должно быть, в машине была какая-то неисправность, но он-то точно знает, что машина была в полном порядке. Его хозяин и шериф буквально с лупой просмотрели все, что осталось от машины после аварии, и не нашли никакой неисправности, ничего. Так что, должно быть, она просто потеряла управление, это случается и с очень хорошими водителями. И как не стыдно всему городу подозревать...

А девушка из сувенирного киоска «Гостиницы» в середине долгого и подробного рассказа о последнем посещении городской больницы упомянула о том, что миссис Маккенна страдала тяжелой аллергией и часто ходила к врачу, особенно весной и в начале лета. Разумеется, она всегда шла мимо очереди, но никто, собственно, и не возражал, ведь она была такая милая. Кроме того, именно она заставила своего мужа открыть по соседству аптеку с низкими ценами, так что все от этого только выиграли...

Вот и выходит: не нужно задавать лишних вопросов, лучше просто поговорить с людьми. Так узнаешь гораздо больше, да и осложнений не будет.

Этому Джоанну научила тетя Сара: уметь извлекать урок из всего, что преподносит тебе обыденная жизнь. Она твердо верила, что, наблюдая и делая выводы, можно научиться тому, чему не учат ни в каких школах, и убедила в этом Джоанну.

Итак... У Кэролайн было как минимум две привычки, свидетельствующие о нервной натуре: она курила и грызла ногти. Будучи осторожным водителем, она разбилась в очевидно исправной машине, проносясь на высокой скорости по скользкому шоссе. Еще она страдала от аллергии, причем настолько серьезно, что лекарства, отпускаемые без рецепта, ей не помогали.

Что-то потихоньку вырисовывается. Немного, но все-таки.

К этому Джоанна могла добавить некоторые интуитивные предположения, которые появились у нее уже в Клиффсайде. Кэролайн наверняка была хорошей матерью, раз она не поленилась отыскать и поставить в одном из самых любимых своих мест карусельную лошадку для удовольствия дочки. И если прислушаться к замечаниям Риген, становится очевидным, что из двух родителей более заботливой и любящей была именно Кэролайн.

Риген... Джоанна очень тревожилась за нее. Видно, что девочке отчаянно не хватает матери. И хотя Риген, казалось, признала, что Джоанна почти во всем от матери отлична, внешнего сходства может оказаться достаточно, чтобы возникла привязанность. И если сейчас такая привязанность способна поддержать Риген, то, когда Джоанна уедет, это вызовет новую боль.

С одной стороны, Джоанна хотела именно по этой причине избегать ребенка. Но с другой — Риген ведь еще не примирилась со смертью матери. Эта маленькая печальная девочка внушала странное беспокойство, неодолимо влекущее к ней Джоанну. Хотелось обнять этого ребенка, приласкать, защитить...

Защитить?!.

«Как узнать, когда взрослые боятся?»

— Кэролайн погибла в автомобильной катастрофе, — произнесла Джоанна вслух твердо и размеренно. — Машина была исправна. Это была просто авария.

«Когда я боюсь, мне снятся дурные сны. Я думаю, маме тоже. Летом ей часто снились дурные сны. Перед аварией».

— А Риген — просто несчастная девочка, которая пытается понять, почему она лишилась матери. Пытается найти логическую причину того, что случилось, найти смысл в том, что заведомо лишено смысла.

«...шериф буквально с лупой просмотрел все, что осталось от машины после аварии...»

— Он просто исполнял свой долг, вот и все. Хотел точно выяснить, почему Кэролайн потеряла управление автомобилем, ибо твердо знал, как она осторожна. И делал он это вовсе не потому, что подозревал чью-то злую волю. А если я буду продолжать разговаривать сама с собой вслух, особенно так громко, то меня изолируют от общества.

«Возможно, это сделает именно шериф. Он был бы счастлив», — подумала она.

Более чем счастлив. То ли потому, что он просто не верил ей, то ли по другой причине — она не поняла, — но он определенно не хотел, чтобы она бродила по городу, расспрашивая о Кэролайн.

Почему? То ли он оберегает чувства жителей города, то ли просто боится, что она что-то обнаружит? Вдруг это «что-то», ужасное и чудовищное, действительно существует? В конце концов, он шериф; он должен лучше, чем кто бы то ни было, знать все подробности «аварии». Может быть, в смерти Кэролайн действительно было нечто подозрительное, с очевидностью показывающее, что дело нечисто? Может быть, это явное преднамеренное убийство? И шериф молчит об этом, потому что... А почему? С чего бы шерифу маленького прибрежного городка скрывать преднамеренное убийство? Потому что он сам в нем замешан? Потому что он покрывает кого-то еще?

Джоанна села в постели и тихо застонала. Господи, это же смешно! Проехать три тысячи миль, чтобы узнать побольше о женщине, которой нет в живых, и теперь сводить себя с ума, воображая, что авария была подстроена, исходя из какого-то смутного намека... Ничего смешного, все гораздо хуже — это безумие!

Джоанна не имела привычки судить скоропалительно, но почему-то к этому городку и всем его жителям она относилась с явным подозрением. Но почему? Потому что ее долго мучил повторяющийся кошмар, связанный именно с этой точкой на карте? Потому что вопреки всем доводам рассудка она была убеждена, что неспокойная душа Кэролайн каким-то образом добралась до нее, чтобы просить о помощи? Потому что Риген со своим страшным всепоглощающим горем напомнила Джоанне ту девочку, какой была она сама в тот жаркий июньский вечер, навсегда изменивший ее жизнь?

Она устало закрыла глаза. Ложиться спать в десять часов слишком рано, но прожитый день казался таким длинным, он вместил в себя так много непривычно тягостных чувств. И нерадостных встреч. С Риген. С Гриффином. С девочкой, застывшей от горя, и с сильным мужчиной, у которого самые темные в мире глаза. Какого они цвета? Она не могла сказать.

Джоанна понимала, что, глядя на нее, он видит Кэролайн, как и все остальные. Но, может быть, не только? Может быть, подумала она, он немножко видит и ее, Джоанну...

Она шла вдоль обрыва к беседке, стараясь держаться подальше от зарослей, потому что знала — в зарослях небезопасно. У нее за спиной слышался настойчивый крик чайки — она оглянулась через плечо и увидела девушку с длинными светлыми волосами, которая легко прыгала со скалы на скалу, словно пытаясь взлететь. Она хотела закричать, но было уже поздно — девушка взлетела и камнем устремилась вниз... вниз... А на обрыве, где только что была девушка, спиной к ней стоял какой-то мужчина; он стал медленно поворачиваться, и она ощутила леденящий ужас...

Джоанна проснулась — задыхаясь, с колотящимся сердцем. На часах было около полуночи; за окнами завывал ветер. «Дождя нет, — подумала она, — но прогноз погоды обещал ночью шторм, вот он, похоже, и начинается».

Она села в постели, обхватив голову руками. Перед ее мысленным взором живо стоял только что оборвавшийся сон, который внушил ей еще более тягостное чувство, чем даже тот, заставивший ее проехать через всю страну в поисках тех мест, где жила погибшая женщина.

— Боже мой, Кэролайн, — прошептала она, — так вот в чем дело! Тебе снилось, что бедную девочку сталкивают со скал. Ты этого боишься?

Ответа не было — только рев ветра.

Глава 4

Сначала Холли думала, что это сон. Она мирно дремала под вой ветра, полубессознательно ожидая, когда начнется шторм. Она любила шторма; в такие ночи под рев океана ей особенно крепко спалось. Вдруг кровать под ней тяжело осела, и с недовольным мычанием Холли повернулась на спину.

Губы ощутили нежное прикосновение — теплое, упругое, слабо пахнущее кофе. Издав краткий нечленораздельный звук, несомненно выражающий удовольствие, она решила, что этот сон ей нравится. Ее целовали, легко касаясь губами, и это было ужасно приятно. Это возбуждало, увлекало, соблазняло. Ей стало жарко; медленная пульсация желания просыпалась в сокровенных глубинах ее тела. Ее рот терзали и мучили, нежно покусывали нижнюю губу, проникали искусным языком все глубже — пока она не высвободила руки из-под одеяла, ища источник своих наслаждений.

Ее запястья тотчас были нежно схвачены, соединены и накрепко пригвождены к подушке — Холли хотела протестовать, но у нее не хватало дыхания: завладев ее губами, их так и не отпустили; ей казалось, что она сгорит — или взорвется — или расплавится — от разгоравшегося все сильнее и сильнее неистового, уже совершенно нестерпимого желания.

Наконец чья-то рука достигла ее груди и медленно описала круг, скользя по шелку ночной рубашки. Холли судорожно втянула в себя воздух, всем существом своим ожидая продолжения. Неспешно, словно впереди у них целая вечность, призрак ее сна целовал ее губы и ласкал грудь. Она выгнула спину, стремясь сильнее прижаться к этой томительно медлящей руке; дразня ее, рука отпрянула, и, не в силах справиться с собой, Холли выдохнула:

— Кейн...

— Я рад, что ты меня узнала, — прошептал он, сжав ее грудь ладонью и медленно большим пальцем водя по напрягшемуся соску. — А то я уже начал думать, что ты не проснешься. Открой глаза, Холли.

Она открыла глаза и окунулась в темное мерцание его взгляда. Сделав еще одну слабую попытку освободить руки из нежного плена, она попыталась вернуться к действительности.

— Ты в моей комнате, — запоздало сообразила она.

— Ты забыла запереть дверь на террасу. Это никуда не годится, малыш, даже в маленьком городке.

Ничего сказать в свое оправдание она не успела — он снова стал целовать ее, и Холли с жадностью отвечала на его поцелуи. Ей казалось, что это длится уже целую вечность, и не было сил бороться со всепоглощающим желанием, охватившим ее.

Тем не менее она проворчала:

— Черт возьми, нельзя же врываться в мою комнату, когда тебе в голову взбредет!

— Хочешь, я уйду? — кротко спросил он, слегка сжимая ее сосок большим и указательным пальцами.

Поскольку Холли была уверена, что он действительно на это способен — пусть и в ущерб себе, — она не пыталась даже пошутить на эту тему.

— Если ты сейчас уйдешь, я никогда тебе этого не прощу! — яростно сказала она, и это была правда.

Он поцеловал ее уже всерьез, не дразня, и отпустил ее руки на волю. Но она не успела его обнять. Он привстал и, откинув одеяло, застыл, любуясь ею в сумраке спальни. Из холла, где она обычно оставляла горящую лампу, просачивался слабый свет — его вполне хватало, чтобы видеть друг друга.

Но ей хотелось, чтобы света было больше, ей хотелось на него смотреть. Но память дорисовывала то, чего она сейчас не видела, а могла лишь осязать, обняв его наконец, — твердые рельефные мышцы, гладкая упругая кожа; она гладила его руки, плечи, грудь...

Холли знала его тело наизусть, как свое, но каждый раз, когда она к нему прикасалась, это было открытие, словно за время их разлуки он становился немножко другим.

— Я так рада, что ты пришел, — прошептала она.

— Правда? — Он опустил узкую бретельку ночной рубашки и прижался губами к ее плечу. — Я хотел, чтобы ты пришла ко мне, но...

— Но?

Он опустил и вторую бретельку, теплый шелк рубашки заскользил к ее талии, и она почти забыла, о чем спрашивала, когда он медленно провел пальцами по ее ключице, потом по впадинке между грудями, спускаясь все ниже и ниже, к животу.

— Но я понял, что ты уже не придешь, а ждать больше не мог. Я просто с ума сходил, понимаешь? —

Его голос стал низким и хриплым; вдруг заторопившись, он рывком стащил с нее рубашку и отбросил прочь.

Холли хотела что-то объяснить или по крайней мере спросить, отчего он сходил с ума, но он уже снова целовал ее губы, шею, грудь — и единственный звук, который она смогла исторгнуть из себя, был стон нескрываемого наслаждения.

Желание волнами накатывало на нее, нарастая от волны к волне, — и когда наконец их тела слились воедино, ей показалось, что она жаждала этого целую вечность. Она раскрылась ему навстречу, повторяя упоительный ритм его движений. До встречи с Кейном Холли и не представляла себе, на какие восторги способно ее тело, — интересно, знает ли он об этом? И имеет ли это для него значение?

Она всегда удивлялась, почему Кейн так внимательно и отрешенно смотрит на нее, что он хочет отыскать в ее глазах в сокровенный миг наивысшего наслаждения и беспомощного блаженства.

И этот миг настал, и она забыла обо всем, кроме слепого, глухого и немого восторга тела. С самообладанием, сводившим ее с ума, Кейн оставлял собственные желания на потом, выжидая, когда она придет в себя, и лишь после этого позволил себе испустить хриплый ликующий стон.

Некоторое время они лежали без движения, потом Кейн перекатился на спину, и Холли оказалась сверху. Он поступал так в тех редких случаях, когда они проводили вместе всю ночь. Холли отнюдь не противилась — ей тоже это нравилось. Она уютно устроилась у него на груди, подложив руки под голову.

— Останешься? — спросила она.

— Хотелось бы. Слышишь, какой там шторм?

И только когда он это сказал, она услышала раскаты грома и шелест дождя по крыше. Этот звук всегда успокаивал ее и усыплял, но сейчас, хотя она была расслабленно спокойна, спать не хотелось.

— Если бы шторма не было, я все равно бы тебя не отпустила.

— Да?

— Да. — Она улыбалась. — Но впредь я буду запирать дверь террасы, имей в виду.

— Чтобы я ждал, пока пригласят? — усмехнулся он.

— Я должна заботиться о своей репутации, — мрачно заявила Холли. — В том, что я живу в отеле, есть свои недостатки. Кстати, один из них тот, что я постоянно у всех на глазах.

Кейн играл ее волосами, разбрасывая шелковистые пряди по ее плечам и спине.

— Ты действительно думаешь, что в Клиффсайде найдется хоть один человек старше двенадцати лет, который не был бы уверен, что мы любовники?

— Может и так. Но я не собираюсь подтверждать их подозрений.

— И утром я снова уйду, как вор? — гневно спросил он.

— Ну... ты вполне можешь незаметно пройти через террасу, и мы встретимся за завтраком. Все подумают, что ты пришел из дома. Кстати, ты пришел из дома?

— Да.

Она помолчала.

— Мне показалось, — поколебавшись, добавила Холли, — вчера мне показалось... у меня было такое чувство, что тебе что-то не нравится...

Вспышка молнии на секунду осветила комнату и отразилась в его блестящих, как у кошки, глазах.

— Не нравится, — ответил он чуть сухо. — Я же сказал, ты сводишь меня с ума.

— Тем, что должна зарабатывать себе на жизнь?

— Нет. Потому что Скотт Маккенна заслонил для тебя весь свет.

Холли вздохнула.

— Что ты несешь, Кейн? Что плохого ты видишь в наших отношениях со Скоттом? В чем же дело?

— Он потребитель, Холли. Всегда таким был и всегда будет.

— Потребитель? Не понимаю, что ты имеешь в виду. — Холли, переменив позу, легла рядом с Кейном, удобно устроившись под одеялом.

Кейн, повернувшись на бок, подпер голову рукой, чтобы лучше ее видеть.

— Не понимаешь? Ты не заметила, что Скотт тщательнейшим образом устроил свою жизнь так, чтобы почти ни о чем не беспокоиться самому? Ты занимаешься «Гостиницей», Дилан Йорк и Лисса Мейтленд другими предприятиями — и если их нет в городе, то ты, очертя голову и все бросив, мчишься помогать бедному Скотту.

— Кейн, это наша работа...

— Ты всегда у него под рукой, он может позвонить в любое время суток с какой угодно проблемой. Экономка, прислуга и садовники занимаются его домом. И если ты думаешь, что у его ребенка было двое родителей, а не одна только Кэролайн, подумай еще раз. Теперь ее нет, и что же? Риген стала бояться машин и даже школьного автобуса — он хотя бы попытался помочь ей? Он хоть раз ее обнял, он взял ее за руку хоть раз с тех пор, как похоронили ее мать? Нет. Он нанимает человека, на сей раз учительницу, чтобы она или экономка раскрыли объятия бедной малышке.

Холли была слишком честна, чтобы полностью отрицать его правоту, но и соглашаться ей было не очень приятно.

— Пусть так — и он именно тот, кем ты его назвал. Но, Кейн, я тем не менее работаю на этого человека. И мне... неприятно, что ты так враждебно настроен по отношению к нему.

Помолчав минуту, Кейн погладил ее по щеке.

— Меня беспокоишь ты, малыш. Если бы ты просто, как это принято, выполняла свои обязанности, я бы слова дурного о нем не сказал.

— Но мои обязанности...

— Ты — управляющая «Гостиницей», в этом и состоит твоя работа. В твои обязанности вовсе не входят ни пререкания с поставщиками материалов для нового крыла больницы, ни поливка рассады в питомнике, ни проблемы лесопилки. Тебя наняли управлять отелем, вот и управляй им. И в следующий раз, когда бедный Скотт попросит тебя ввести в его компьютер очередные данные, потому что он не умеет нажимать на клавиши, посоветуй ему нанять кого-нибудь специально для этой цели. Или пусть заведет секретаршу на полный рабочий день, похоже, ему это необходимо, тем более что он вполне может себе это позволить.

Холли закусила нижнюю губу.

— Через несколько дней Лисса и Дилан должны вернуться, и тогда станет полегче...

— Не в этом дело, Холли.

— Черт возьми, ты загоняешь меня в угол!

Кейн покачал головой.

— Господи, как же ты упряма! Послушай, я ведь прошу совсем немногого. Сейчас дело обстоит так, что мы с тобой видимся от силы раз в неделю. Согласись, что это ненормально. А если ты ограничишься только своей работой, не хватаясь за все сразу, мы могли бы проводить вместе немножко больше времени. Разве не так?

— Я тоже этого хочу, но...

— Но что? Следующая выставка у меня будет весной; в основном я пишу свои картины днем, когда ты работаешь в отеле, и, значит, все вечера и уик-энды — наши, если, конечно, ты согласна. — Он спокойно посмотрел на нее. — Разве мы этого не заслужили?

Разумеется, Холли была согласна; впервые за восемь месяцев их связи Кейн столь явно выказал желание расширить рамки их отношений, не ограничиваясь время от времени проводимыми вместе ночами и совместными ленчами, — и она даже не пыталась притвориться, что это для нее не имеет значения.

— А, Холли?

Она кивнула.

— Ладно. С этого момента обещаю, что постараюсь выполнять только ту работу, для которой Скотт меня нанял, и не кидаться на каждый его зов. Хорошо?

В ответ он поцеловал ее и, устроившись на подушках, заключил в свои объятия.

— Заметь, я отнюдь не торжествую победу, — сказал он.

— И это мудро, — ответила она, поудобнее пристраиваясь к нему под бок. — Нет ничего хуже мужчины, который еще и торжествует, когда ему удается сделать по-своему.

Кейн засмеялся.

Она закрыла глаза, слушая, как под ухом бьется его сердце, и начала было засыпать. Но как только он заговорил вновь, лениво и без особого интереса, сон как рукой сняло.

— Ты ничего не рассказала мне о Джоанне Флинн. Она действительно так похожа на Кэролайн, как мне твердят сегодня целый день?

Холли приложила некоторые усилия, стараясь, чтобы голос звучал безразлично.

— Поразительно похожа. Если не считать светлых волос, желтоватых глаз и южного акцента, просто-таки двойник Кэролайн.

— М-м. Наверняка столкнусь с ней где-нибудь. Такое удивительное совпадение.

— Я думаю. — Холли помолчала и неожиданно спросила: — Кейн, а почему ты не написал мой портрет?

Кейн ответил немедленно, не задумываясь, словно давно ждал этого вопроса:

— Я еще недостаточно хорошо тебя знаю, малыш.

— А. — Больше Холли ничего не сказала, но долго еще после того, как Кейн уснул, она лежала и слушала, как за окном бушует шторм. И такие мысли теснились у нее в голове, что хотелось заплакать в голос, чтобы хоть как-то ослабить внутреннее напряжение.

Ей хотелось верить, что враждебность Кейна по отношению к Скотту происходит, как он сказал, от того, что она зависит от этого человека. Ей очень хотелось верить в это. Но она не переставала бояться, что это неправда. Она боялась, что женщина, которую не поделили эти двое мужчин, вовсе не она, а Кэролайн.

Кейн не знал о том, что как-то через неделю после гибели Кэролайн Холли пришла к нему; его не было дома, но через окно она увидела в его студии портрет Кэролайн — один-единственный раз, потом картина куда-то исчезла.

По-видимому, Кэролайн он знал достаточно хорошо.

* * *

К утру четверга шторм утих. Позавтракав в своем номере, Джоанна вышла на веранду. Солнце сияло вовсю. Она стояла на краю веранды, вдыхая свежий ветерок и любуясь океаном за грядою скал. Вид был прекрасный, и погода прекрасная, но она никак не могла заставить себя искренне этим наслаждаться.

Она плохо спала этой ночью, а когда наконец заснула, ей опять приснился сон — но не женщина, которую сталкивали со скал, — ей приснился прежний сон, тот, что привел ее в этот городок, сон с домом над обрывом и карусельной лошадкой, с розами и картиной, сон, в котором тикали часы и жалобно всхлипывал ребенок. Отсутствовал только указатель, но Джоанна рассудила, что в этом есть смысл: в конце концов, она уже здесь, стало быть, и указатель ей не нужен.

Как всегда, сон оставил после себя беспокойство и нервозность, так что ей этот солнечный день казался вполне пасмурным, и шум прибоя, доносящийся из-за скал, мучительно отдавался в ушах. Ей хотелось стряхнуть с себя раздражение и отгородиться чем-нибудь от навязчивых мыслей об этих полных опасностей скалах. Нужно было срочно придумать, чем заняться.

Она испытывала большое искушение вернуться в библиотеку и закончить просматривать подшивку местной газеты. Как раз когда она нашла интересный, на ее взгляд, материал о том, как Скотт Маккенна положил начало местной оранжерее, потому что его жена очень любила цветы, пришел этот славный шериф, и она не успела ничего больше скопировать. И еще ей хотелось поднять газеты — когда, Гриффин сказал, это было, пять-шесть месяцев назад? — значит, полугодовой давности, и узнать все, что можно, о той бедной женщине, что упала (или ее, прямо как во сне, столкнули?) со скал.

Но если она пойдет в библиотеку, то ее обязательно увидит Гриффин, ему достаточно только выглянуть из окна своего кабинета. Одно дело — коротать в библиотеке дождливый день, и совсем другое — торчать там в такую ясную солнечную погоду, как сегодня. Это будет выглядеть очень даже подозрительно.

Поразмышляв еще некоторое время, Джоанна наконец пришла к приемлемому решению. Конечно, нужно пройтись по магазинам. Все туристы этим занимаются. Так что она будет просто бродить по городу и заходить в каждый магазин. И, конечно, разговаривать с людьми.

Не стоит обращать внимание на предостережения Гриффина — почему вдруг он решил, что она будет лезть к кому-то в душу в грязных калошах? Джоанна никого не собиралась прямо расспрашивать о Кэролайн — другое дело, если ее собеседник сам поднимет эту тему. Большинство наверняка так и сделают, судя по опыту прошлых дней. Опять-таки, маловероятно, что она больно заденет кого-то, поддерживая беседу на тему, им же и предложенную.

— Послушай, тебе пора...

Джоанна удивленно оглянулась и встретила взгляд Холли, та смутилась.

— Ах, простите. Понимаете, Джоанна, неловко говорить вам это опять, но вы похожи не только на Кэролайн лицом, но и на Амбер — фигурой. Вы еще стояли в такой характерной для нее позе.

— Амбер? Вы имеете в виду эту девушку, что бегает здесь в шортиках?

— Да, ее. Я как раз хотела ей сказать, что пора уже убирать шорты на зиму, — но это оказались вы.

— Она же лет на десять моложе меня, — запротестовала Джоанна. — И неужели вы считаете, что у меня такая же немыслимая походка? Пожалуйста, скажите, что это не так!

Холли засмеялась.

— Нет, нет. Просто у вас волосы одного цвета и одной длины и совершенно одинаковые фигуры. Правда, она дюйма на два ниже, но на каблуках этого незаметно.

Джоанна вздохнула.

— Все время меня с кем-то путают. Есть здесь поблизости парикмахерская? Может быть, покрасить волосы в ярко-рыжий цвет?

Холли снова засмеялась.

— Не делайте столь опрометчивых шагов.

— Что ж, не буду. Я вообще-то женщина скромная и к экстравагантным выходкам не склонна.

(Если не считать того, что пролетела три тысячи миль, чтобы узнать, как жила женщина, которой уже нет в живых...)

— Этому тоже научила вас тетушка Сара? — с любопытством спросила Холли.

Теперь засмеялась Джоанна.

— Да, и этому тоже. Всегда обдумывай свои действия — и сиди прямо, не ставя локти на стол.

Холли задумчиво произнесла:

— Я бы сказала, что тетушка Сара давала вам весьма ценные советы.

— Поверьте, я их ценю, — улыбнулась Джоанна. — А еще она учила меня ходить по магазинам — неутомимо и расчетливо. Как в вашем городе с магазинами?

— Вам понравится, — ответила Холли. — Честное слово, в магазине «На углу» первоклассная одежда; управляющий получает ее из Лос-Анджелеса и Сан-Франциско, и даже из Нью-Йорка, Атланты, Нового Орлеана. А если одежда вас не интересует, зайдите в «Еще одну штучку» — это маленький антикварный магазинчик, и там порой можно отыскать действительно потрясающие вещи. Оба эти магазина на Главной улице, как и вообще большинство магазинов города.

— Заманчиво. Большое спасибо.

— Должна предупредить, что магазин «На углу» принадлежит владельцу этой «Гостиницы», — чуть виновато добавила Холли. — Но клянусь, я не беру комиссионных за то, что направляю туда покупателей.

— Похоже, вы страдаете излишней честностью в ущерб себе.

— Просто сильно развитое чувство вины, — вздохнула Холли.

— Не берите в голову. Мне все равно нужен новый свитер, особенно если не потеплеет, и, кажется, именно в магазине вашего босса его и следует покупать.

— Да, там есть хорошие, — улыбнулась Холли. — И если вы захотите, покупки доставят оттуда в отель.

— Потрясающе. Тогда я пойду пешком, машина мне не нужна. Большое спасибо, Холли.

— Не за что. Счастливо, Джоанна.

Помахав рукой, Джоанна сходила в свой номер за сумочкой и отправилась за покупками. Энергично шагая по направлению к городу, она думала о том, что, вероятно, те мужчина и женщина, которые в Атланте приняли ее за Кэролайн, и были управляющими здешних магазинов.

Все же это было очень странное совпадение.

Джоанна определенно опасалась встретить здесь, в Клиффсайде, этих двоих. Потому что если это произойдет, то по городу тотчас разнесется новость, что ее сходство с Кэролайн выяснилось еще в Атланте — что может дать дополнительный стимул для подозрений. Но ничего не поделаешь — оставалось лишь надеяться, что эти двое все еще в отъезде и вернутся не раньше, чем через неделю-другую.

Минут через десять, не встретив ни одной живой души, она дошла до города — прелестного, с чистыми мостовыми и тротуарами, с заманчивыми витринами магазинов. И тотчас увидела указатель к магазину «На углу», до которого оставалось еще два квартала.

Но она забыла о свитере у первой же витрины —

она застыла, стоя на тротуаре, словно с разбегу уперлась в стену. Сам по себе магазин был не особенно интересен — в нем торговали плетеными вещами, от корзинок до мебельных гарнитуров. Но в витрине на желтом мольберте стояла картина из ее сна.

* * *

— Конечно, мы во что бы то ни стало должны были ее иметь, — говорила Джоанне Келли Хейс, вместе с нею любуясь картиной. — Маленькая девочка с корзинкой на коленях среди поля цветов — идеально для нашего магазина. Но мистер Барлоу ни за что не хотел ее продавать, но в конце концов удалось уговорить его хотя бы выставить работу в витрине. Разумеется, ему не приходится продавать все, что он пишет, — эти художники столько денег выручают на больших выставках в Сан-Франциско или в Нью-Йорке! — и он тогда еще сказал, что эта картина его любимая и не продается ни за какие деньги.

— Я никогда не слышала этого имени, но я вообще не знаю современных художников, — сказала Джоанна. — Он что, знаменит?

«Это, несомненно, важно, — подумала она. — Картина, написанная местным художником, должна что-то означать, иначе почему же она — часть моего сна? Какое отношение она имеет к Кэролайн?»

— Да, он очень знаменит. И знаете, что странно, живя на побережье, он совсем не пишет морских пейзажей. А знаменит он своими портретами, его приглашают работать люди со всех концов страны. А такие картины, как эта, он пишет, конечно, для собственного удовольствия. Я слышала, он время от времени даже набирает студентов и обучает их, хотя здесь я у него никого не видела. Но все равно, его имя можно найти во многих журналах по искусству. Говорят, он даже вошел в число художников, чьи кандидатуры рассматривались, чтобы писать портрет президента. Представляете? Конечно, ему на это наплевать...

— Наплевать?

— Да, я так думаю. Он очаровательный человек, этот мистер Барлоу, и красивый, но иногда он так на тебя смотрит, словно бы внутренне смеется над тобой. Не то чтобы зло, а так, словно все на свете сделано очень забавно. Просто такая хорошая шутка — эта жизнь.

— Вы говорите так, словно очень хорошо его знаете. Он что, долго жил здесь? — Джоанна старалась, чтобы голос не выдал ее волнения.

— Погодите, когда он купил этот домик? — Келли нахмурилась, глядя на картину. — Должно быть, года четыре или пять назад, по меньшей мере. Сначала он только проводил здесь лето, а потом, где-то год назад, ну...

Джоанна, решив подвигнуть собеседницу на дальнейшие откровения, спросила:

— Что-то изменилось?

Надо сказать, что обычно она легко могла «вычислить» человека, обладая интуитивным пониманием людской психологии, и сейчас эта способность очень ей пригодилась. Едва сказав «здравствуйте», она уже знала, что Келли будет счастлива рассказать о чем угодно и о ком угодно; что она прирожденная сплетница и совершенно очевидно обладает всей полнотой информации насчет чужого грязного белья.

Келли засмеялась.

— Ну, я думаю, это не секрет. Ясно, что как-то летом мистер Барлоу приметил Холли Драммонд — вы уже познакомились с ней, Джоанна? Она управляет «Гостиницей» — и когда наступила осень, ну, он остался. Они прекрасная пара, хотя злые языки говорят, что он никогда на ней не женится и она зря теряет время. Я лично думаю, что раз он здесь задержался, а она такая умная и красивая девушка... — Болтушка сделала многозначительную паузу.

— Должно быть, вы правы, — ответила Джоанна. — Э... а еще где-нибудь в вашем городе выставляются картины мистера Барлоу?

— О нет, дорогая, он говорит, что не хочет быть местной знаменитостью для праздного любопытства туристов. Но если вам так интересно, я думаю, у Сэма что-нибудь найдется. Сэм держит книжный магазин через два дома отсюда, понимаете, и наверняка у него есть какая-нибудь книга с репродукциями картин мистера Барлоу, — заулыбалась Келли.

Джоанна купила корзинку.

* * *

— Должен сказать, вы ужасно похожи на миссис Маккенна, — качая головой, с ходу заявил Сэм Атертон. Он держался немного настороженно, но, явно заинтересовавшись столь сильным сходством, не мог оторвать глаз от Джоанны. — Она была красивая женщина — и наш постоянный покупатель, всегда покупала книги здесь, в основном для Риген. Малышка любит читать. А какое у нее живое воображение! Вы знаете, однажды она сказала мне, что под скалами живут феи.

— А по-моему, гномы, — задумчиво произнесла Джоанна, следуя за ним к дальней стене заставленного книгами магазинчика. — Около дома, в котором я жила, был мост, и я свято верила, что под ним живут гномы.

Сэм улыбнулся одними губами.

— Похоже, вы поладите с малышкой Риген. А у меня воображение начисто отсутствует. А вот и эта книга, в ней много о Кейне Барлоу.

— Хорошо, это именно то, что я искала, — сказала она и взяла у него из рук весьма увесистый том. — А есть у вас что-нибудь по истории края?

— Конечно, — сказал он, как ей показалось, после легкого колебания. — Вон там. — Он направился в другой конец магазина, продолжая болтать и рассматривать Джоанну. — Наверное, вам надоело уже слушать о том, как вы похожи на миссис Маккенна, но невозможно удержаться, сходство и в самом деле удивительное. Весь город только об этом и говорит.

— Но вы же понимаете, и я не могла ею не заинтересоваться, — сказала Джоанна.

— Наверняка заинтересовались, вполне естественно. Не могу сказать, что я хорошо ее знал, хотя она и была много лет моим постоянным покупателем. Миссис Маккенна была неизменно мила, но не особенно любила говорить о себе.

«Он старается быть беспристрастным, — подумала Джоанна, — но у него это плохо получается. Или он знает о Кэролайн больше, чем хочет сказать, или она ему просто не нравилась, и он боится показать это».

Так или иначе, Джоанне было ясно, что владелец магазина отнюдь не такой открытый и простой человек, каким хочет казаться. У нее сложилось отчетливое впечатление, что он тщательно взвешивает каждое слово своей якобы необязательной болтовни и не сообщает ничего такого, чего, как он считает, ей не следует знать.

Но почему, собственно? И чего такого ей не следует знать?

— А мистер Маккенна? — спросила она, подхватив тон необязательной болтовни.

Суровое лицо Сэма не изменило своего выражения, только глаза сузились, и ответил он явно холодно.

— Ну, о нем я вообще ничего не могу сказать. Мистер Маккенна почти не читает книг. Он, конечно, заходит сюда время от времени, но нечасто. Всегда очень вежлив, но... холодноват, я бы сказал.

Явно не любит Скотта Маккенну и не боится, что я это замечу.

— Он владеет множеством предприятий в этом городе, не так ли?

— Да. Лесопильный завод милях в десяти от города. Некоторое количество земли. «На углу» и еще парочка магазинов. «Гостиница» и несколько коттеджей, которые сдаются на лето. И еще оранжерея. — Сэм нахмурился, на мгновение прищурив настороженные глаза. — Вы знаете, мне в голову только что пришла забавная мысль. Сколько у него здесь разных предприятий, но оранжерея — единственное, которое Скотт Маккенна назвал своим именем. Он поискал на полке и вытащил книгу. — Пожалуйста, Джоанна, — вот лучшая история края, что у меня есть.

— Спасибо, Сэм. — Джоанна вслед за ним прошла к прилавку, чтобы расплатиться за книги, про-

должая болтать ни о чем. Сэм не единственный, решила она, кто делает вид, что спокоен и беззаботен. Она это тоже умеет. Но в глубине души ей все же было немного не по себе. Может быть, у нее просто разыгралось воображение, и не стоило искать тайного смысла в том, что вполне могло быть всего-навсего естественной скованностью перед чужаком. Но ведь у Сэма вряд ли есть причины ее опасаться... Или все-таки есть?

Через несколько минут она уже стояла на тротуаре с двумя книгами в корзинке и смотрела на дверь следующего магазинчика. Что ж, подведем итоги: нашла одну сплетницу, которая, без сомнения, рада поговорить хоть со стенкой, и одного книгопродавца, который беседовал вполне охотно, но не сказал при этом ничего. Что-то ждет ее в этой старой аптеке, кроме фонтанчика с содовой?

* * *

— Ваша тетушка Сара очень похожа на мою тетушку Элис, — сказала Мэвис, усердно вытирая и без того чистую стойку перед стаканом кока-колы, поданным Джоанне. — На каждый случай жизни — пословица или поговорка. Ведь это сильно упрощает жизнь, правда? Ведь есть готовый ответ почти на каждый вопрос.

— Это дает правила, которым нужно следовать в жизни, — согласилась Джоанна.

— Я постоянно твержу своему дружку Дэнни, что люди, которые жили до нас, кое-что понимали, и почему бы их не послушать? Он-то думает, что довольно с нас и десяти заповедей. Но вот моя тетушка Элис пережила депрессию и несколько войн и — ну, я думаю, она заслужила право на то, чтобы ее послушали.

— Да, я согласна с вами. Тетушка Сара ни разу не дала мне плохого совета, ни разу.

— Тетушка Элис тоже. — Мэвис улыбнулась Джоанне прямо-таки с сестринской нежностью. — Наверное, им обеим было бы приятно, услышь они, как мы их вспоминаем.

— Конечно, — кивнула Джоанна. — Тетушка Сара любила говорить, что слава измеряется количеством людей, которые помнят тебя после смерти.

— И разве это не правда? — Мэвис вздохнула, потом вдруг встрепенулась. — О господи, Джоанна, вы действительно на нее ужасно похожи!

— На Кэролайн? Я постоянно это слышу.

— Но вы совсем иначе говорите, не так, как она, и вы такая спокойная и открытая, а она была немного скованной, застенчивой, так мне казалось...

— Застенчивой? Но я где-то читала, что она много выступала, и даже перед большим количеством людей.

— Да, выступала, и очень часто. Как член благотворительных комитетов и все такое. Но один на один, так, как мы сейчас, в неофициальной обстановке, она все-таки была застенчивой. Такая тихая, почти не разговаривала. Почти не улыбалась. Она была красивая — ну, то есть, посмотрите в зеркало — но, как бы это сказать... тускловатая, что ли. В ней отсутствовала искорка, понимаете?

— Кажется, да, — медленно произнесла Джоанна.

— Но, конечно, только тогда, когда с ней не было Риген. Она очень любила малышку, это несомненно.

— Все так говорят. (*Так почему же Кэролайн хотела, чтобы я оказалась здесь? Потому что Риген угрожает опасность? Но какая?*) Я видела Риген, и мне показалось, что она... как бы заледенела. Чувствуется, что девочка очень одинока. Но я, конечно, напомнила себе, что у нее остался отец.

Мэвис, перестав улыбаться, отвела глаза — но не от настороженности, а потому, что ей явно было неловко об этом говорить.

— Да, остался. Но судя по всему, что я видела и слышала, это равносильно тому, что бедное дитя оказалось круглой сиротой. Я не знаю мужчины, который меньше интересовался бы собственным ребенком.

Она тоже не любит Скотта.

— Вы хотите сказать, после гибели Кэролайн? Или...

— Нет, он был таким всю ее жизнь. Я думаю, некоторым мужчинам нельзя становиться отцами. Все понимали, что Кэролайн хотела ребенка, а он просто осуществил ее идею, так же, как он осуществлял все ее остальные идеи.

— Кэролайн... обладала таким даром убеждения? — медленно, подбирая слова, спросила Джоанна.

— Даром убеждения мужчин. — Мэвис посмотрела на Джоанну и издала звук, призванный означать невольное восхищение. — Она поступала... ну как бы вам это объяснить? Внешне — полная беспомощность, и мужчинам казалось, что они непременно должны сделать для нее то одно, то другое. Что вы, даже шериф был ей более или менее послушен.

— Они были близки? — Сделав усилие, Джоанна

заставила свой голос звучать не слишком заинтересованно.

Мэвис немного подумала, прежде чем ответить.

— Ну, однажды был какой-то разговор о том, что они были очень близки — вы понимаете, конечно, о чем речь. Но никаких подтверждений этому я не заметила; сказать по чести, это кажется мне просто сплетней. Но я точно знаю, что шериф всегда находил время помочь ей, если она просила. Правда, то же самое можно сказать и о большинстве жителей Клиффсайда. У нас отличный шериф, Джоанна. Понимаете, он все может распутать. То есть у нас здесь криминала немного, но шериф Кавано быстро доходит до самой сути происходящего. Мой Дэнни говорит, что, когда шериф что-то расследует, он просто как терьер, догоняющий крысу.

Прекрасно. Просто прекрасно. И он меня в чем-то подозревает!

— Похоже, этот человек на своем месте, — коротко заметила Джоанна.

— Да, да. Нам с ним повезло.

Джоанна согласно кивнула. Она думала о том, что сравнение с терьером, преследующим крысу, хорошо в том случае, если человек с таким рвением докапывается до истины. Но ведь наружу выплыла связь этого человека с жертвой якобы случившейся аварии. В этом случае, даже если предположить, что он не имел отношения к причинам этой аварии, насколько глубоко он захочет копать?

— Еще кока-колы, Джоанна? Может быть, съедите что-нибудь? Близится время ленча.

— Я не голодна. — Джоанна изобразила беззаботную улыбку. — Пойду продолжать поход по магазинам.

— У нас очень хорошие магазины для такого маленького городка, — с гордостью отметила Мэвис.

— Да, — согласилась Джоанна. — Что есть, то есть.

* * *

Где-то после двух часов, когда Джоанна вышла из магазина «На углу», то сразу увидела Гриффина, который явно ожидал ее, опираясь на кованые перила. В руках у нее ничего не было, все свои покупки она оставила в магазине, чтобы их отправили в отель, в голове беспорядочно громоздились крупицы и блоки информации, накопленной за утро.

Кроме того, она старалась понять: та настороженность, которую она порой чувствовала по отношению к себе сегодня, существовала действительно или это лишь игра ее воображения? И если действительно — то каковы ее причины? Неужели ее инстинктивно опасаются, видя перед собой двойника Кэролайн и не умея этого объяснить? Или дело в том, что она задает вопросы? А может быть, в этом славном маленьком городке произошла отнюдь не авария со смертельным исходом, а нечто другое?

Единственное, что она четко осознавала, — ей тоже нужно быть настороже, особенно с этим человеком. Она не считала себя хорошей актрисой, но в данных обстоятельствах вынуждена была играть роль простой туристки, приехавшей на отдых. Поэтому, перехватывая инициативу, она немедленно заговорила:

— Мы не должны встречаться так часто, шериф. Люди начнут судачить.

— А они разве еще не начали? — Не дожидаясь

ответа, он спросил: — Как прошлись по магазинам, Джоанна? Удачно?

— Чрезвычайно! — Она постаралась изобразить полученное удовольствие как можно более достоверно. — Накупила множество замечательных вещей.

— Мне любопытно, — поинтересовался Гриффин, — что вы намерены делать с корзинкой? А также с часами в форме клиффсайдской мэрии?

— Вы что, следили за мной? — спросила она, недовольно хмурясь.

— Вовсе нет, я просто совершал ежедневный обход, дабы убедиться, что славные граждане Клиффсайда пребывают в покое и безопасности.

Джоанна огляделась. В этот солнечный день на улице было довольно-таки многолюдно, и она ничуть не удивилась, поймав несколько украдкой брошенных на нее и шерифа взглядов. Но то, что раньше она воспринимала просто как естественный интерес к женщине, поразительно похожей на Кэролайн, теперь начинало казаться ей зловещим. Она чувствовала себя так, словно все, кроме нее, знают какую-то темную тайну, которую всячески от нее скрывают.

Это все мои глупые фантазии. Право, я боюсь теперь собственной тени.

— Мне они понравились, — солгала она.

— Я — человек на своем месте.

У Джоанны еще не было случая оценить его чувство юмора. Что ж, весьма своеобразно. Тем более, сейчас он отнюдь не улыбался, и его темные глаза были совершенно непроницаемы. Ей не удалось понять, насколько серьезно его любопытство. То ли ее действия и впрямь показались ему подозрительными, то ли он просто типичный шериф маленького городка со всеми недостатками, присущими подобной личности?

— Корзинке я всегда найду применение, — пожав плечами, наконец соблаговолила ответить она. — Кто угодно найдет применение корзинке. А часы — это просто на память о Клиффсайде.

— Я полагал, что на память о Клиффсайде вы купили у Мертона пресс-папье.

— Учтите на будущее: не следует делать скоропалительных предположений. Совершенно очевидно, что пресс-папье в виде «Гостиницы» — это в память о «Гостинице», в которой я здесь жила.

Он серьезно кивнул.

— А подушечка для иголок? Как я понял, на ней изображено еще одно чудо архитектуры — наш маленький местный театр.

— Ручная вышивка, — быстро нашлась Джоанна. — Это очень изысканно.

— Угу. Можно спросить, отчего вы так неравнодушны к разным зданиям?

Ни проблеска улыбки. С таким лицом хорошо играть в покер. Джоанна закашлялась.

— Послушайте, мне просто понравились эти вещи, и я их купила, вот и все. Кажется, это не преступление.

— Разумеется. Просто меня это удивляет. Я бы голову дал на отсечение, что вы не из тех женщин, которые покупают ширпотребные сувениры для туристов.

— Ну, и очевидно, что вы ошиблись.

— Возможно. Но я соглашусь, что ошибся, если вы объясните мне, что заставило вас купить шкатулочку, усыпанную ракушками?

— Э... это — подарки друзьям, — в очередной раз вывернулась она из расставленных силков.

— А эта шкатулочка — другу или подруге?

— Подруге. А что?

— Она играет в покер?

Джоанна удивленно заморгала.

— Она не отличает туза от девятки. А почему вдруг это вас заинтересовало?

— Вы не полюбопытствовали открыть шкатулочку и посмотреть, что внутри?

— Ну...

— Джоанна, если бы вы это сделали, то нашли бы там колоду карт... э... для взрослых.

— Так вот почему Тони переспросил, действительно ли я хочу это купить, — пробормотала Джоанна, вспомнив непонятное смущение продавца.

— Вашей подруге понравится такой подарок? — кротко спросил Гриффин.

Джоанна вздохнула.

— Что ж, впредь мне стоит быть внимательнее.

— Кроме того, совершенно не обязательно покупать что-нибудь в каждом магазине только потому, что вы туда вошли.

— Почему вы думаете...

— Потому что в скобяной лавке вы купили коробку гвоздей! Это меня добило. Мне кажется, в Атланте гвозди свободно продаются, не так ли? И может быть, даже не слишком отличные от здешних.

Джоанна изо всех сил старалась сохранить лицо, но тут он улыбнулся, и она, не выдержав, начала хохотать. Причем она неожиданно почувствовала, что смех этот готов был перейти в истерику. Но Гриффин, казалось, не заметил этого. Что ж, все к лучшему — по крайней мере таким образом ее напряжение разрядилось. Когда, отсмеявшись, она схватилась за перила, пытаясь восстановить дыхание, он с усмешкой протянул ей свой носовой платок.

— Не подумайте, это не затем, чтобы вы заплакали.

Она вытерла слезы и глубоко вздохнула, стараясь проглотить последнее «ха-ха-ха». Явная истерика.

— О господи, не смешите меня снова. Так нечестно, знаете ли.

— Нет, сначала объясните мне эти гвозди, — настаивал он. — Например, в вашей комнате в «Гостинице» от пола отвалилась доска. Я не виноват, что вы не можете ничего придумать.

— Так не настаивайте, по крайней мере. Вы решили меня совсем уничтожить? С совершенно бесстрастным лицом заставляете объяснять абсурдные вещи! (*Сведи все к шутке. Сделай вид, что за этим ничего не стоит.*)

Гриффин взял у нее носовой платок и с некоторым сожалением сказал:

— Я был почти уверен, что вы и гвозди сумеете объяснить. Я несколько разочарован. Скажите, вы прослушали курс лекций о том, как добывать информацию, или сами все придумали?

Она вздохнула.

— Клянусь вам, Гриффин, я ни к кому не приставала с вопросами. Разве я виновата, что они тотчас сами начинают говорить о Кэролайн? Что же мне, бежать, заслышав ее имя?

— Не старайтесь меня убедить, что все это выходит случайно, — сказал он. — Вы обработали этот город очень грамотно.

— Перестаньте издеваться, шериф.

— Вам кажется, что я смеюсь? — спросил он.

Она внимательно посмотрела на него.

— Ну, немножко есть — в уголках глаз.

Он на мгновение закрыл глаза и вздохнул.

— Нам нужно об этом поговорить. Послушайте, почему бы мне не угостить вас ленчем? Я знаю, что вы еще не поели, а я...

— А вы следили за мной и таким образом тоже пропустили ленч, — договорила она, успешно заполнив паузу.

— Примерно так, — согласился Гриффин, ничуть не смутившись. — Вам нравится итальянская кухня?

— Я как-то не заметила в городе ни одного итальянского ресторана, — удивилась она, оглядываясь. — Он где-то рядом?

— Милях в пятнадцати по прибрежному шоссе в направлении Портленда. Что скажете? Согласны оставить другую сторону улицы на завтра?

— А что подумают все, если мы вдруг вместе с вами отправимся в ресторан?

— Подумают, что мы проголодались, — сухо сказал он. — Я, к вашему сведению, должен сообщить на работу, где меня искать. Вы же не думаете, что эта информация не пойдет дальше Отдела шерифа, в самом деле.

После всех этих разговоров у нее за спиной Джоанна прекрасно понимала, что он имеет в виду.

— Нет. Конечно, нет. Кажется, в этом городе ничто не может остаться в тайне. (*Кроме?..*)

— Вот именно. — Он взял ее за руку и повел по тротуару к Отделу шерифа. — Кстати, хотел бы я удостоиться чести познакомиться с вашей тетушкой Сарой. Похоже, она настоящая леди.

***

Милях в десяти от Клиффсайда Гриффин вдруг остановился у обочины и выключил двигатель. Джоанна огляделась. Впереди — извилистое шоссе, которое скоро начнет карабкаться вверх, слева — скалы и под ними океан, справа — лес.

— Почему мы остановились? — спросила она несколько настороженно.

— Я подумал, вы захотите увидеть... Это не займет много времени. — Он выбрался из машины и перешел шоссе, остановившись у узкой обочины, обнесенной со стороны обрыва низкими перилами — единственным барьером заграждения.

Джоанна медленно, неохотно пошла за ним. Она поняла, что он намерен ей показать, и отнюдь не была уверена, что хочет это видеть. И, догнав его, она не смотрела вокруг — только на него. Ветер с океана ерошил его темные волосы, темные глаза посуровели.

Чем она была для тебя, Гриффин? Вы были любовниками?

— Вот здесь ее машина перевернулась, — сказал он. — Она ехала по направлению к городу и, очевидно, потеряла управление на этом последнем повороте. Машина неслась на такой скорости, что барьер был просто снесен.

Что в твоем голосе — боль или гнев?

Джоанна взглянула на длинный отрезок более новых перил, сглотнула ком в горле и все же нашла в себе силы посмотреть вниз, на скалы.

Обрыв здесь был еще выше, чем за «Гостиницей», и под этой крутизной громоздились невероятно изломанные скалы, вздымая жуткие острые вершины. Если машина упала на них, то разбилась вдребезги.

Голова у Джоанны закружилась, сердце забилось учащенно. (*Для чего я здесь, Кэролайн? Чтобы доказать, что ты погибла от чьей-то руки?*) Неожиданно она и в самом деле почувствовала уверенность, что Кэролайн Маккенна была убита.

Она на мгновение закрыла глаза и, полуобернувшись, взглянула на Гриффина. Его лицо было мрачно.

— Почему вы подумали, что я захочу это увидеть? — спросила она. Голос звучал на удивление нормально — она даже и не ожидала от себя такой сдержанности.

— Вы так интересуетесь Кэролайн, — чуть резче, чем обычно, произнес он. Суровый голос, каменное лицо, темные глаза. — Здесь она погибла. От машины мало что осталось, от нее еще меньше, но мы собрали все, что можно, — достаточно, чтобы идентифицировать ее и понять, что произошло с машиной.

— Вы уверены, что это был несчастный случай? — не удержавшись, спросила она.

Гриффин нахмурился.

— Кэролайн не пыталась покончить самоубийством, если вы об этом. Сейчас уже не видно, но здесь были отчетливые следы шин от середины того поворота до этого самого места. Она изо всех сил старалась остановить машину — просто не смогла.

— А вы не думаете... — Джоанна на секунду прикусила губу, но решила договорить: — Возможно ли, что кто-то столкнул ее с дороги? Что кто-то другой был причиной аварии?

— Вы имеете в виду, какая-то другая машина с пьяным или сумасшедшим водителем?

Поколебавшись, Джоанна все же решила уточнить:

— Это возможно?

— Все возможно, Джоанна. Но не похоже. Не обнаружено никаких следов чего-то подобного.

— Вы искали?

— Конечно, искал — что же я иначе за полицейский? Ведь именно я должен объяснить, что случилось, множеству людей, и в том числе ее мужу. Мне платят за то, чтобы я знал, что произошло и каким образом.

— Я хотела сказать...

— Послушайте, машину никто не сталкивал. Никаких повреждений, кроме тех, что нанесены перилами и падением на скалы, нет — ни частичек краски другого автомобиля, ни проколов шин, ничего. Шел дождь. Дорога была мокрая, она ехала слишком быстро и потеряла управление. Конец рапорта, мисс Флинн! Конец!

— Простите, — сказала она, бессознательно касаясь его руки. — Я вовсе не ставлю под сомнение вашу профессиональную компетентность. Просто все говорят, что она была очень осторожным водителем, и...

— И однажды ошиблась. Такое бывает.

— Наверное, вы правы. — Джоанна замолчала. Молча вернулась с ним к машине и села на свое место. Потом сказала: — Как вы были правы, предостерегая меня от этих скал. Сначала та женщина, потом Кэролайн.

— Какая женщина? — Гриффин удивленно посмотрел на нее и включил двигатель.

— Вы же сказали, что кто-то упал со скал четыре-пять месяцев назад.

— Да, — сказал Гриффин, въезжая с обочины на шоссе и нажимая на газ. — Но это была не женщина. Несчастье произошло с мужчиной.

Глава 5

После такого потрясения есть Джоанне не хотелось. Она говорила себе, что скорее всего сон был следствием состояния ее собственного здоровья. Кэролайн погибла, разбившись о скалы, и Джоанна убеждала себя, что ее последний сон о женщине — светловолосой женщине, падающей со скал, есть прямое следствие гибели Кэролайн.

Все просто. «Очевидно, — повторяла себе Джоанна, — сон — порождение исключительно моего сознания и никоим образом не является неким сообщением от Кэролайн. Да и вообще, сон — это просто сон и ничего больше. Ночной кошмар, возникший из подавленных страхов и непосильного напряжения — как и большинство кошмаров. В конце концов, мне всю жизнь снились ничего не значащие сны, и нельзя же считать их все необыкновенными из-за одного-единственного, который привел меня сюда».

Как она ни старалась, все построения оказались неубедительными, на этот раз Джоанне помогло умение сосредоточиваться на том, что происходит здесь и сейчас. Поскольку настроение Гриффина явно изменилось, она, войдя в ресторан, заставила себя по крайней мере выглядеть спокойной и беззаботной.

— Тетушка Сара сказала бы, что, если коп угощает тебя ленчем, это значит, он хочет снять твои отпечатки пальцев, — заявила она, когда официантка, принеся им меню, удалилась. В ресторане Донателли они были практически одни — время ленча кончилось, а до обеденного наплыва народа оставалось еще часа два.

— Итак, очередной урок из серии «не ставить локти на стол»? — занудным голосом протянул Гриффин.

— Именно. А кроме того, она научила меня готовить, шить, водить машину, танцевать, плавать на лодке и скакать верхом.

Брови Гриффина поползли вверх.

— Знаете, у меня сложилось впечатление, что ваша тетушка Сара эдакая типичная старая дева — кукиш на голове, очки на носу, хлопчатобумажные чулочки, — но, похоже, я ошибся.

— Чудовищно ошиблись! — Джоанна не смогла удержаться от улыбки. — Во-первых, она не была старой девой; тетушка на своем веку похоронила четырех мужей. И умерла четыре года назад в возрасте шестидесяти лет. У нее были ярко-рыжие волосы, она обожала короткие юбки и высокие каблуки; а поскольку ее второй муж был полицейским, я думаю, она знала, что говорила.

— Вы полагаете, она специально предостерегала вас в отношении копов?

— Не то чтобы предостерегала; но я помню, как она говорила, что подозрительность — это естественное состояние полицейского. Так что если вы сразу отсюда повезете меня снимать отпечатки пальцев...

— Я мог бы сделать это и раньше, если бы возникла необходимость, — ответил Гриффин, слегка улыбаясь. — Но я ее не вижу. Что-то мне подсказывает, что у вас нет богатого криминального прошлого.

— Интуиция копа?

— Возможно. Я ошибаюсь?

— Нет. Меня даже за парковку ни разу не штрафовали. — Джоанна вздохнула. — Боже, какая я скучная.

— Не скучная, а законопослушная. Выношу вам благодарность от имени всех полицейских мира.

Джоанна засмеялась и раскрыла меню.

— Что вы посоветуете?

— Здесь все вкусно, но особенно хороши моллюски и сыр.

Через несколько минут подошла официантка принять заказ, а когда она удалилась, Джоанна решила, что пора выяснить отношения с клиффсайдским шерифом. Ей не хотелось признаваться, что она приехала в Орегон специально, чтобы познакомиться с обстоятельствами жизни и смерти Кэролайн, но в то же время скрытое недоверие Гриффина ей не нравилось. Будучи шерифом, он мог весьма осложнить ее жизнь, а еще... ну, просто не нравилось. Что-то в его темных глазах, устремленных на нее, волновало и притягивало — причем гораздо больше, чем она склонна была признать, даже себе самой.

Неплохо было бы определить, что ему можно говорить, а чего не стоит, чтобы не вызвать дальнейших подозрений.

— Скажите, — начала она, — а почему вас так беспокоит то, что люди рассказывают мне о Кэролайн?

— Меня это не так уж сильно волнует, — ответил

он, — а почему мне это не нравится, я вам уже сказал. Вы можете задеть чувства людей...

— Гриффин, прошу вас, поверьте, я не совсем лишена чувства такта. Я беседую только с теми, кто охотно заговаривает со мной сам, и никогда не затрагиваю темы Кэролайн первая.

— Учитывая ваше сходство, было бы странно, если бы кто-то о ней не заговорил. Вы ведь сами это сказали.

— Да, но что в этом дурного? Какой вред от того, что Сэм Атертон рассказал мне, как Кэролайн покупала книжки для Риген, а Мэвис — что один на один Кэролайн была застенчива? Или Джули вспомнила, что любимые цвета Кэролайн были синий и зеленый и всем тканям она предпочитала шелк? Чьи чувства это может задеть?

— Ничьи, — с видимой неохотой согласился он. — Но...

— Но что?! — Джоанна сделала паузу, но потом продолжила натиск: — Вы меня в чем-то подозреваете? Но в чем? Гриффин, какую, по-вашему, гнусную цель могу я преследовать, расспрашивая о Кэролайн?

Он со вздохом откинулся на спинку стула и слегка улыбнулся — одними губами, темные глаза оставались по-прежнему непроницаемыми.

— Не могу придумать, как ни стараюсь.

— Тогда о чем вы беспокоитесь? — настаивала она.

Помолчав минуту, он признался:

— Не знаю, Джоанна. Но чутье мне подсказывает, что вы что-то не договариваете.

Стараясь не показать, как задело ее это замечание, Джоанна твердо стояла на своем:

— Единственная причина моего интереса к Кэ-ролайн — то, что мы похожи, как сестры. Может быть, я и впредь буду говорить о ней с людьми, но, клянусь вам, я абсолютно безвредна. О'кей?

— О'кей, — помедлив, кивнул он.

— Вот и хорошо. — Она увидела, что официантка несет салаты. — Так что теперь мы свободно можем поговорить о чем-нибудь другом.

— Да. — Почти видимым пожатием плеч отодвинув свои подозрения, Гриффин перешел на тон легкой застольной болтовни. — Расскажите мне еще про тетушку Сару.

— Что ж... Подростком она сбежала из дому с цирком. Я была единственным ребенком в Чарльстоне, у которого тетушка умела жонглировать апельсинами и скакать на лошади стоя. Я снискала жуткую популярность своими рассказами о ней.

Он засмеялся.

— Охотно верю. Это она вас воспитывала?

— С девяти лет. Мои родители погибли — утонули, катаясь на лодке в шторм. — Джоанна кивком поблагодарила официантку и взяла вилку. — К счастью для меня, тетя Сара, которая всегда была частью моей жизни, стала моим официальным опекуном.

— Однако в девять лет потерять родителей — это слишком рано. Должно быть, вам было нелегко, — заметил Гриффин.

Джоанна немного помолчала. Она задумалась о том, что после аварии боль от этой старой раны обострилась и терзала ее почти как в тот день, когда она впервые поняла, что родители ушли навсегда. Как будто не прошло двадцати лет. Ребенком она не сразу осознала всю безвозвратность смерти. Даже при том, что рядом была тетя Сара, дарящая ей свою неиссякаемую любовь, Джоанне часто хотелось рассказать что-то маме, и только маме, или показать что-то папе, и каждый раз она испытывала шок оттого, что это невозможно.

Кэролайн погибла три месяца назад; осознала ли Риген безвозвратность ее ухода? Поддержал ли ее отец — или кто-нибудь еще, — утешил ли, когда она плакала в горе и растерянности? Или она плачет ночами в подушку — и просыпается опустошенная, потому что ей приснились счастливые времена?

— Джоанна?

Она подняла глаза и не сразу вспомнила, о чем он спрашивал. Пауза затянулась, но Джоанна сумела собраться.

— О... да, нелегко. Всегда тяжело терять тех, кого любишь.

На мгновение его глаза перестали быть непроницаемыми, Джоанна увидела в них настоящую боль. Она не так уж редко встречала сочувствие и понимание и сама всегда умела понять и посочувствовать, но никогда раньше, взглянув человеку в глаза, она не ощущала его боль так остро, что хотелось закричать.

По-видимому, это отразилось у нее на лице, потому что Гриффин вдруг уставился в свою тарелку. А когда поднял глаза, они снова были непроницаемы.

— Да, — сказал он почти спокойно, — вы правы. Я часто сталкиваюсь с этим по работе, это всегда тяжело.

Джоанна не смогла сразу поддержать этот деланно-бесстрастный тон. Она машинально жевала, не чувствуя вкуса. «Кэролайн? — думала она. — Он любил Кэролайн, и ее смерть — причина страшной муки, которую он старается скрыть? Или его чувства сложнее, чем просто горе?» Джоанна хотела спросить его, но почему-то не могла облечь вопрос в слова.

Но молчание не затянулось вновь, Джоанна быстро овладела собой и уже совсем спокойно продолжила беседу:

— Тетя Сара очень помогла мне. В ней не был силен материнский инстинкт, но она относилась к жизни как к увлекательному приключению, как к авантюре, и если я чему-то у нее научилась — надеюсь, что именно такому отношению.

— Вы в одиночку проделали три тысячи миль, просто чтобы провести отпуск, — это ли не авантюра?

Чтобы у него не сложилось впечатления, что для нее это что-то необычное, она сочла нужным подчеркнуть:

— Это еще ничего. По случаю окончания школы тетя Сара подарила мне путешествие в Египет. Я путешествовала одна, имея только список мест, которые следует посетить, и людей, с которыми следует познакомиться. У нее было там много друзей, так что недостатка в гидах я не испытывала, но большинство достопримечательностей я смотрела самостоятельно.

Гриффин слушал ее горделивую тираду с улыбкой.

— Явная авантюра.

Джоанна вдруг — впервые — задалась вопросом, что сказала бы тетя Сара об этой ситуации, и быстро нашла ответ. Она, безусловно, посоветовала бы племяннице ни в коем случае не останавливаться перед тем, чтобы ехать на другой конец страны, поскольку надо же выяснить, что скрывается за мучительными снами, портящими ей жизнь. Но в то же время призывала бы к осторожности, ибо Джоанну окружают чужие. Чужие ей, все они знали Кэролайн.

И, конечно, к особой осторожности вот с этим — с чужаком, который чем-то необъяснимо ее волнует и который слишком хорошо хранит свои тайны.

Джоанна улыбнулась шерифу в ответ и все время, пока они ели и ехали назад, твердо удерживала разговор в рамках этой темы.

— Тетушка Сара была по натуре своей настоящей авантюристкой. Вы знаете, она проделала путешествие по Индии на слоне. Она — единственная из известных мне людей, кто побывал на Северном полюсе. И на Мадагаскаре. И еще бог знает где. У вас есть знакомые, которые бывали на Мадагаскаре? Если бы где-нибудь на краю земли водились какие-нибудь драконы, она и до них бы добралась...

* * *

Утром в пятницу, ненадолго зайдя в библиотеку, Джоанна решила «проработать» другую сторону Главной улицы. Чувство томительного беспокойства, которое привело ее в Клиффсайд, ничуть не ослабело; с каждым днем оно разрасталось и все больше угнетало ее. Нужно было что-то предпринять, чтобы ослабить растущее напряжение, — и она не могла придумать ничего другого, кроме как постараться узнать о Кэролайн как можно больше — особенно о ее гибели. Ее убийстве. Про себя она только так и говорила об этом. Джоанна чувствовала, что ответ где-то близко. Ответ на тот вопрос, что привел ее сюда.

И она должна найти этот ответ как можно быстрее.

На необследованной ею стороне улицы находились два ювелирных магазина, две лавки для туристов, торгующих сувенирами и тому подобным, и еще несколько бутиков с одеждой.

Джоанна думала, что урожай сведений о Кэролайн будет столь же богатым, как и вчера, но ее надежды не оправдались. Она начала с бутика. Молодая продавщица по имени Сью (как значилось на ее нагрудной карточке) с профессиональной вежливостью спросила, не помочь ли ей, и, услышав в ответ, что Джоанна хочет «просто посмотреть», немедленно отошла. И в течение следующей четверти часа Джоанна всей кожей ощущала, что за ней следят.

Не рассматривают, не глазеют. Следят!

Выйдя из магазина, она вздохнула с облегчением и поспешила прочь от его окон, чтобы избавиться от этого очень неприятного чувства.

Просто я похожа на Кэролайн. Вот и все.

Расправив плечи, с приветливой улыбкой Джоанна вошла в следующую дверь — дверь сувенирной лавки. Одинокий продавец сидел у кассового аппарата и читал газету под тихое бормотание радио, настроенного на волну музыки ретро.

Джоанну так уязвило это вызывающее отсутствие интереса к ней, что она наугад взяла какой-то сувенир — это оказался тяжелый кованый бобер, предназначенный для того, чтобы хвостом удерживать дверь в открытом состоянии. Ей пришло в голову, что, может быть, откровенная нелепость такого выбора сломает лед.

Она подошла к кассе и поздоровалась с продавцом, предъявив покупку.

— Это все, мэм? — Продавец, мужчина средних лет, говорил вежливо, но абсолютно незаинтересованно.

— Да, благодарю вас. — И, глядя, как он завора-
чивает покупку, добавила: — Какие у вас здесь заме-
чательные вещи.

— Спасибо, мэм. С вас тридцать восемь пятьде-
сят, мэм.

Она протянула две двадцатки и попробовала еще
один заход.

— Меня зовут Джоанна.

Его выцветшие голубые глазки по-прежнему не
выражали ничего. Отсчитав сдачу и положив бобра в
прочный пакет, он сказал:

— Да, мэм. Спасибо за покупку.

Есть в этой незаинтересованности, подумала
Джоанна, что-то нарочитое — она словно бы хорошо отрепетирована. То безразличие, с которым он
опять уткнулся в газету, как бы совершенно не замечая единственного покупателя в магазине, было
явно неестественным.

Выйдя на улицу, Джоанна с тяжелым и громозд-
ким свертком под мышкой поискала глазами следующий магазин. Так — ювелирный. Джоанна чуть
нахмурилась. Что ждет ее там?

Там ее ждал мистер Ландерс; он был очень мил,
рассказал прелестную историю о том, как Риген купила своей маме ожерелье. Но когда Джоанна попыталась ненавязчиво выяснить, что он, собственно,
думает о Кэролайн, его любезная улыбка потускне-
ла, а в глазах появилась настороженность. Красивая
была женщина — вот все, что он сказал. А при упо-
минании имени Скотта мистер Ландерс вдруг сообщил, что его, знаете ли, ждут дела, — так чем я могу
вам помочь?

На сей раз Джоанна ничего не купила. Все это

было очень... странно. Не может же быть, что Главная улица делит Клиффсайд по принципу дружелюбного и не очень отношения к Джоанне. Стало быть, остается предположить, что со вчерашнего дня что-то изменилось, и люди начали ее опасаться. Может быть, Гриффин, вернувшись с ленча, тихонько отдал указание, чтобы на ее вопросы о Кэролайн больше не отвечали?

Но почему? Чем опасны ее вопросы?

А если дело не в распоряжениях шерифа, то почему сегодня она столкнулась с такой глухой стеной недоверия? То ли в маленьких городках вообще не любят, когда задают вопросы, и ее интерес к Кэролайн и ее семье сочли чрезмерным, то ли это своего рода вежливое предупреждение. Или в сомкнутых рядах горожан Клиффсайда таится нечто куда более зловещее?

В несколько подавленном настроении Джоанна вошла в следующий магазин. Это был еще один бутик с одеждой. Здесь ее встретили приветливой улыбкой: юная продавщица представилась (ее звали Линн) и не замедлила сообщить, что знает Джоанну.

— Я думаю, вам это уже не в диковинку, — сказала она. — И неудивительно, ведь вы так похожи на миссис Маккенна. Вы ищете что-то конкретное, Джоанна?

— Пожалуй, нет. Впрочем, неплохо бы приобрести свитер. Здесь оказалось прохладнее, чем я ожидала.

Линн предложила ей несколько свитеров. Она была энергична и дружелюбна, строго в рамках своих обязанностей, и совершенно не расположена к болтовне. Как только Джоанна коснулась темы Кэролайн, Линн, ответив ей туманно-вежливо, извинилась и отошла к другой продавщице.

Джоанна выбрала свитер и, оплачивая покупку, уже нисколько не удивлялась, что глаза у мило улыбающейся Линн холодновато-настороженные. Тем не менее все это так дурно подействовало на Джоанну, что она не стала продолжать обход магазинов, а повернула назад, к «Гостинице».

По дороге она старалась сосредоточиться на том, что услышала и узнала — по большей части вчера, хотя сегодняшний визит в библиотеку тоже оказался небесполезным.

Упавшего со скал туриста звали Роберт Батлер, он был бизнесмен из Сан-Франциско. По-видимому, он подошел слишком близко к краю обрыва, закружилась голова и он не удержался. Других объяснений и предположений не было. Несчастный случай. Для опознания тела прибыла сестра. Все.

Кроме того, она узнала, что те мужчина и женщина, которые в Атланте приняли ее за Кэролайн, вероятнее всего, были Дилан Йорк и Лисса Мейтленд — они работали у Скотта Маккенны. Сейчас они в командировке, по смутным слухам, где-то на востоке. Но скоро должны вернуться.

Очень скоро.

Еще Джоанна узнала, что примерно за неделю до смерти Кэролайн купила в «Еще одной штучке» маленькую старинную шкатулку. Насколько это важно? Кто знает. Просто еще один фрагмент изощренной головоломки, еще один факт — в добавление к остальным.

Удастся ли когда-нибудь сложить все это вместе и увидеть таинственную картину в целом?

* * *

В пятницу Джоанна познакомилась с Кейном Барлоу.

После ленча, который она заказала в номер, ей захотелось отыскать местечко потише и подставить разгоряченный лоб морскому ветру, чтобы в мыслях появилась какая-то ясность. Но, удобно устроившись с газетой на прохладной веранде, она поймала себя на том, что не в силах сосредоточиться на новостях дня — почему-то здесь новости дня казались неважными, во всяком случае, в этот день.

Внутреннее беспокойство согнало ее с веранды. Было около четырех часов дня, до темноты оставалось больше двух часов — заблудиться она не боялась. Она направилась к обрыву и повернула на север, твердо решив не приближаться к дому Маккенна. Пока. Пока не разобралась в новых подробностях жизни Кэролайн.

Между скалами и городом оставалось некоторое пространство, застроенное просторными коттеджами, причем, несомненно, по индивидуальным проектам, что создавало впечатление разнообразия и оригинальности. Большинство домиков было в частном владении горожан; впрочем, ей сказали, что гулять там разрешается.

Джоанна пошла по узкой тропе, вьющейся вдоль неровной линии берега на безопасном расстоянии от обрыва. Миновав несколько коттеджей, она уже хотела повернуть назад, к «Гостинице», когда вдруг увидела за деревьями еще один — и рядом его хозяина.

Человек стоял к ней спиной, и внимание его было полностью приковано к картине на мольберте.

Не особенно задумываясь о том, стоит ли так поступать, Джоанна направилась к нему со словами:

— А я думала, вы не пишете морских пейзажей.

Он резко обернулся — блестящие зеленые глаза расширились, остановившись на ее лице. Он был красивый мужчина — высокий, хорошо сложенный; рыжие волосы аккуратно подстрижены — даже слишком аккуратно для художника.

— Черт! — воскликнул он приятным низким голосом.

— Прошу прощения, я не хотела вас напугать, — сказала она. — Меня зовут...

— Джоанна Флинн, — уверенно закончил он.

Она обреченно вздохнула.

— Мне уже не нужно и представляться. — И, взглянув на него, не удержавшись, заявила: — А вы, конечно, Кейн Барлоу, местный художник.

Чувство юмора у него, по крайней мере, было; улыбаясь одними глазами, он вежливо ответил:

— Именно так, мисс Флинн.

— О, зовите меня просто Джоанной. Как все остальные.

— Хорошо, но тогда я Кейн. — Не сводя глаз с ее лица, он недоверчиво покачал головой. — Простите, что я вас так рассматриваю, но для художника это и в самом деле... даже не знаю, как сказать... мы ведь видим все не совсем так, как другие.

— Для меня это тоже не так, как для других, — сказала она. — Оказаться столь похожей на другого человека и само по себе странно, но когда тебя окружают люди, которые знали именно этого другого человека... опыт, скажу я вам, уникальный.

— Представляю себе.

Она посмотрела на его картину.

— Я помешала вам? Ухожу!

Кейн покачал головой.

— На сегодня я закончил. Уже темнеет.

— Мне говорили, что вы не пишете пейзажей, — повторила Джоанна свою первую реплику, на всякий случай убедившись в том, что перед ней действительно пейзаж. Написан он был красочно и живо. В отличие от других известных ей морских пейзажей на этом волны океана, бьющиеся о скалы, были не темные — серые или синие, а выполненные сочными мазками, неожиданно останавливали взгляд яркими, теплыми тонами.

— Действительно, почти не пишу, — сказал Кейн. — Море не слишком меня вдохновляет.

— Если вы так работаете при отсутствии вдохновения, то я хотела бы увидеть то, что вы делаете, когда оно вас посещает.

— Вы разбираетесь в искусстве? — сухо поинтересовался он, как бы следуя осточертевшей традиции.

Она засмеялась.

— Не волнуйтесь, я не буду бесить вас банальностями типа «в искусстве я не разбираюсь, но отлично знаю, что мне нравится и что не нравится».

— Что ж, для большей части человечества это достаточно честное заявление.

— Я, пожалуй, тоже отношусь к этой части, но оставим пустые разговоры. — Она снова посмотрела на мольберт. — Просто... я чувствую все это. И так же было с той вашей картиной, что висит в магазине плетенья. Словно эти живые краски вот-вот разорвут рамки холста и заполнят собою мир.

— Я рад, что вам нравится, Джоанна. — Слушая ее, он не спеша вытирал кисточки.

Услышав в его голосе холодноватую сдержанность, она подумала, что, вполне возможно, ему неприятно, когда при нем говорят о его работах. То немногое, что ей удалось прочесть, свидетельствовало, что Кейн Барлоу был одним из тех немногих редкостно одаренных художников, которые пишут картины, чтобы унять снедающую их жажду творчества; ему не было дела до коммерческого успеха — лишь бы хватало на жизнь. А еще о нем писали, что художественные критики уважают его за то, что он прислушивается к их мнению.

Так что, с другой стороны, может быть, ему интересно и еще чье-то мнение.

Джоанна перевела взгляд с картины на Кейна, напомнив себе, что именно его работу видела во сне, который, собственно, и привел ее в этот город. Так какое отношение этот человек имеет к Кэролайн?

— Почему вы так на меня смотрите? — прервал он ее размышления.

— Простите. Мне вдруг пришло в голову... На той картине, ну, что в магазине плетенья... девочка — это Риген?

— Вы ее знаете?

— Я встретила ее позавчера, и это было потрясением для нас обеих. Так это она?

— Она не позировала мне, — ответил Кейн. — Но однажды я увидел ее на поляне, она собирала цветы для мамы, и это подсказало мне идею картины.

— Наверное, вы хорошо знали Кэролайн.

— Ее все знали. Наверняка вы уже успели убедиться в этом. — Неторопливыми, методичными движениями он стал собирать кисти и складывать их в ящик. — Во-первых, городок маленький, а кроме того, семья Кэролайн — в числе его основателей. А здесь такие вещи имеют значение.

Джоанна, соглашаясь, кивнула.

— У меня тоже сложилось такое впечатление. Но что интересно, многие говорят, что не знали ее по-настоящему. Она действительно была настолько замкнутой и застенчивой?

— Застенчивой? Нет. Я бы сказал, скорее скованной. Она вышла замуж сразу после окончания школы, и у нее было не слишком много возможностей для самовыражения — кроме как в области воспитания Риген.

Джоанна была более чем изумлена — и его словами, и явственно прозвучавшей в них сердитой ноткой. Что это? Следствие просто благожелательного интереса к женщине, которая была ему симпатична, или Кейн Барлоу был с Кэролайн Маккенна в гораздо более близких отношениях, чем полагали клифф-сайдские сплетники?

Но она не успела сформулировать свой следующий вопрос — по тропе от гостиницы спускалась Амбер Уэйд, в своих всегдашних очень коротких шортиках и в туфлях на высоких каблуках. Каблуки были так высоки, что ее походка производила впечатление несколько нетвердой, хотя сама она наверняка рассчитывала на эффект кокетливого покачивания.

— О, — сказала она, обратив к Кейну сияющую улыбку, попутно бросив на Джоанну взгляд, раздосадованный и недобрый. — Я думала, вы один, Кейн.

— Ко мне зашла Джоанна. Вы знакомы?

— Формально нет, — ответила Джоанна. — Но мы обе живем в «Гостинице». Привет, Амбер.

— Привет. Я встречала вас в отеле. — Амбер посмотрела на картину. — О, какая прелесть!

— Спасибо, — еле заметно улыбнувшись, сказал Кейн.

— Я хочу, чтобы вы написали мой портрет. О Кейн, непременно напишите!

Джоанне пришло в голову, что Амбер так часто говорит «О» потому, что при произнесении этой гласной губы складываются так же, как для поцелуя. И еще она подумала, что эта юная леди обложила Кейна, как лесной пожар.

— Я никогда не пишу портреты людей в возрасте от тринадцати до двадцати, — парировал Кейн.

Амбер, казалось, пришла в замешательство.

— Почему?

— Переходный возраст. Человек меняется день ото дня; передать это на холсте — задача невыполнимая.

Амбер была слишком молода, чтобы не показать своих чувств, даже если это — разочарование и непонимание.

— О! Но...

— Милые дамы, позвольте, я провожу вас до отеля — уже темнеет. А мне нужно увидеться там с Холли, — прервал ее реплику Кейн.

Джоанна хотела было сказать, что не собирается пока возвращаться, а пройдет вдоль берега дальше, но короткий взгляд выразительных зеленых глаз Кейна не оставил никаких сомнений, что он просит о помощи. Радуясь в душе, что ее восемнадцать лет давно уже позади, Джоанна вежливо ответила, что ей будет приятно иметь такого попутчика.

— Подождите меня пять минут, я уберу все это.

— Помочь? — спросила Джоанна.

— Нет, спасибо, я справлюсь. — И он исчез в дверях коттеджа с картиной в одной руке и с этюдником в другой.

— Он и Холли — прекрасная пара, не правда ли? — Джоанна решила проверить, знает ли Амбер об их отношениях.

— Она ему не подходит, — вдруг выпалила та.

— Да? — вежливо удивилась Джоанна.

— Конечно. Она вечно занята, и... и она часто на него злится.

Джоанна не стала объяснять, что если Холли и злится, то, без сомнения, именно тогда, когда Амбер вьется вокруг Кейна и льнет к нему слишком откровенно. Вместо этого она просто сказала:

— Ну, в отношениях между мужчиной и женщиной невозможно что-либо понять со стороны.

— Я очень восприимчива, — немедленно заявила Амбер. — Я хорошо понимаю человеческую психологию.

Джоанна с трудом сохранила серьезное лицо.

— И вы считаете, что Кейну нужно... сменить подругу?

Амбер вдруг покраснела — Джоанна не могла сказать с уверенностью, то ли девушка искренне полагала, что ее пылкая любовь осталась тайной для всех, то ли, наоборот, она не ожидала от явно более опытной собеседницы такой вопиющей слепоты.

— Я бы вдохновляла и поддерживала его творчество!

На этот раз не расхохотаться было куда труднее. К счастью, из коттеджа вышел Кейн, избавив Джоанну от необходимости искать ответ. Они направились к отелю. Тропа была узковата для троих, но Амбер была полна решимости идти вплотную к Кейну, а поскольку он поддерживал разговор исключительно с Джоанной, ей пришлось идти с другой стороны, и тоже достаточно близко.

Ни разу не позволив себе ничего даже отдаленно напоминающего грубость или снисходительность, Кейн, тем не менее, тонко давал понять девушке, что орешек ей не по зубам, завязав с Джоанной оживленную беседу о текущем состоянии американской политики. Они разошлись во мнениях по некоторым вопросам, что привело к горячей дискуссии, и к тому моменту, когда все трое наконец добрались до отеля, лицо у Амбер было совершенно измученное и разочарованное.

— До свидания, Амбер. — Кейн простился вежливо, но с явным безразличием. — Джоанна, как вы можете говорить, что необходим новый законопроект...

— Пока, Амбер. Ну разумеется, необходим, Кейн. Штаты не могут договориться насчет него, потому что уже существуют миллионы разных законов, в которых легко запутаться. И без какой-то координации в этой области у нас будет еще больше этих смехотворных судебных процессов, что тянутся годами... — Джоанна оглянулась и сухо сказала: — Она ушла.

Кейн вздохнул, впрочем, с некоторым облегчением.

— Мне и самому противно, но Холли утверждает, что в восемнадцать лет сердца легко разбиваются.

— Да, — согласилась Джоанна. — Но редко — вдребезги, и возрождаются, по-моему, столь же легко. Господи, какой она еще ребенок!

— Даже для своих восемнадцати лет, я бы сказал. Спасибо, Джоанна. Это дитя уже второй раз приходит ко мне. В первый раз я был в доме и просто не открыл дверь, когда она постучала.

Джоанна невольно улыбнулась.

— Рада была помочь. Вы не знаете, как долго она еще пробудет здесь?

— Неделю или около того. Летом здесь по крайней мере было бы еще несколько детишек ее возраста, но сейчас октябрь, она не знает, куда деваться от скуки, вот и результат...

— Да, я понимаю, художник — это такая романтическая фигура, — задушевным голосом закончила Джоанна.

— Вот оно, проклятье нашей профессии, — подыграл Кейн, устремив на нее печальный взор.

— Невыносимо тяжкое бремя, — с глубоким сочувствием согласилась она. — Пожалуй, я оставлю вас нести его в одиночку. Рада знакомству с вами, Кейн.

— Я тоже очень рад, Джоанна.

Помахав на прощание рукой, она пошла к лифту. Неудивительно, что и Холли и Амбер очарованы этим художником; он просто-таки источает обаяние. Но она так и не узнала, почему одна из его картин оказалась в ее сне и в каких отношениях он был с Кэролайн. Друг? Любовник?

* * *

Днем в субботу Гриффин увидел Джоанну в городском парке. Она сидела на скамейке, поставив одну ногу на громадную тыкву, а на коленях у нее мирно спал щенок кокер-спаниеля. Рядом на земле лежали холщовая сумка, бита, запачканный мячик и три бейсбольных рукавицы.

— Только не говорите мне, что вы и его тоже купили, — сказал Гриффин, садясь рядом с ней.

— Нет, меня оставили за ним присмотреть, — серьезно ответила Джоанна. — Дело в том, что Клиффсайдский бейсбольный клуб планировал на сегодня запуск воздушных змеев и выдалбливание тыкв, но вмешалась коммерческая акция. Мистер Вебстер приостановил деятельность клуба, предложив команде пять долларов за уборку своего двора, и предложение было принято. А поскольку Тревис слишком юн, чтобы принять участие, я вызвалась с ним посидеть.

Гриффин кивнул — по ее точному и исчерпывающему описанию он узнал компанию детей, обычно собиравшихся по субботам в этом парке.

— А тыква, значит, не выдолблена? — заметил он.

— Очевидно, они как раз собрались этим заняться, чтобы в Хеллоуин быть во всеоружии, но тут выяснилось, что ни у кого из них нет допуска к ножам: мамы не разрешают. И змея тоже ни у кого нет, отсюда нужда в пяти долларах.

— Ага. А как же вас-то во все это втянули?

— Я остановилась покормить птиц, и меня назначили судьей. Кстати, вы не обращали внимания на подачу Джесона Риордана? У мальчика очень неплохая рука.

— И у меня была бы, знай я Джесонова отца, — шутливо сказал он. — Подачу Джесона не оставят без внимания.

Она улыбалась, глядя на рыжеватого кокера и легонько поглаживая его длинные шелковистые уши.

— Мне нравится этот город, — сказала она не потому, что действительно так думала, а потому, что этого требовал момент.

— Не скучно вам здесь?

— Ну что вы! Я вам говорила, что и в большом городе веду очень спокойную жизнь. Это мне по душе.

— Особенно если покупки удачны. Я слышал, вчера вы обзавелись еще несколькими сувенирами.

— И каждый — просто шедевр! — сказала она с шутливой гордостью, гадая, как он будет реагировать, если она в подробностях опишет вчерашнее нервное утро. Но он, конечно, уже все знает.

— В том числе и бобер? — В его голосе звучал искренний интерес. — Конечно, в каждом приличном доме должна быть такая штука, но мне кажется, что выкованного из железа бобра величиною в фут трудно будет транспортировать самолетом.

— Я отправлю его морем, — не затруднилась она с ответом. (*Да, определенно, он все знает.*)

Гриффин кивнул почти без улыбки.

— Я полагаю, дома, в Атланте, он отлично впишется в ваш интерьер.

— Безусловно.

Он продолжал бы и дальше подшучивать над ней, но тут команда по запуску воздушных змеев и выдалбливанию тыкв вернулась, чтобы забрать свою собственность, и немедленно приступила к обсуждению вопроса, кто понесет тяжелую тыкву к себе домой. В итоге Гриффин прекратил спор, пообещав, что в понедельник утром тыква в целости и сохранности будет доставлена в школу, где ее и выдолбят под руководством учителя.

— Весьма дипломатичное решение, — похвалила Джоанна, когда дети собрали свои вещи, взяли по-прежнему спящего щенка и убежали. — Вы осуществите доставку тыквы лично?

— Наверное, — сказал он.

Джоанна засмеялась, вставая со скамейки и подхватывая холщовую сумку.

— А пока оставите ее здесь?

— Тоже вариант. — Гриффин зашагал рядом с ней в направлении Главной улицы. — А куда это вы собрались, неужели опять по магазинам?

— В общем, да, но не с теми же намерениями, что раньше. Я хочу вернуть ту коробку гвоздей в скобяную лавку.

— Размер не подошел? — очень вежливо спросил он.

— Нет, я просто подумала, что коробка шурупов тоже годится.

— А для чего, собственно?

Она невинно посмотрела на него.

— Для той же цели.

Гриффин не знал, смеяться ему или плакать.

— Джоанна...

— Вы сегодня при исполнении?

— Нет. А почему вы спрашиваете? Нужна помощь в подборе шурупов?

— Нет. Просто любопытно было, работают ли шерифы по выходным.

— Только если это очень уж необходимо. — Гриффин, глядя на нее, думал, что ей очень идут джинсы и свободный свитер, а вот Кэролайн подобный наряд придавал детский вид. Это так странно. И глаза у нее живые, выразительные, а у Кэролайн были темные и неподвижные. Он начинал понимать, что эти женщины не так уж и похожи друг на друга, как кажется на первый взгляд.

— Боже мой, это вы!

Оба удивленно обернулись. К ним спешил мужчина лет тридцати, среднего роста, с приятным лицом и светлыми рыжеватыми волосами. Он не отрывал глаз от Джоанны, очевидно изумленный.

Джоанна бросила на Гриффина быстрый взгляд. Шериф был весь внимание. Взгляд виноватый, она явно узнала этого мужчину.

— Я так и думал, что это вы, — подойдя к ним, сказал Дилан Йорк. — Сегодня утром я вернулся, и все мне о вас рассказывают, что вы приехали с Юга...

— Вы знакомы? — настороженно спросил Гриффин.

— Не вполне, — ответила Джоанна без всякого желания что-либо объяснять.

Дилан протянул руку, представился Джоанне и стал рассказывать:

— Грифф, я видел ее в Атланте. Мы с Лиссой видели ее оба с промежутком в неделю, и оба непроизвольно назвали ее Кэролайн — представляешь, какой это был шок? Конечно, мы быстро пришли в себя, но все же это нас сильно потрясло. Рад видеть вас, Джоанна, поверьте; я почти убедил себя, что вы были игрой моего воображения.

— Что ж, я рада оказаться реальной, — сказала Джоанна с милой улыбкой.

— Не может быть, что вы попали в Клиффсайд случайно, — сказал Дилан, наконец отпуская ее руку. — Можно мне называть вас Джоанной?

— Конечно.

Гриффин заметил, что после того виноватого взгляда она ни разу на него не посмотрела.

— Хорошо, а меня зовите Дилан. Нет, Лисса просто не поверит. Понимаете, мы с ней вместе работаем у Скотта Маккенны.

— Я слышала, — сказала Джоанна. — А что до того, как я оказалась здесь... ну, скажем, я просто любопытна.

Ее собеседник заметно помрачнел.

— Допустим. Но как вы узнали, куда ехать? Ведь ни я, ни Лисса не назвали даже фамилии Кэролайн, не говоря уже о том, что ни разу не упомянули о Клиффсайде. И вы никак не могли знать, кто мы — ведь мы не дали себе труда представиться. Мы оба назвали только имя Кэролайн, больше ничего. Как же вы могли догадаться, что нужно ехать именно в Клиффсайд?

Хороший вопрос — лучший из всех за последнее время.

Гриффин с интересом ждал ее ответа и ничуть не удивился, когда она попыталась увильнуть.

— Вы не верите в судьбу, Дилан? А я начинаю верить. — И она лучезарно улыбнулась.

— Я никогда не думал об этом, но... — Дилан был явно очарован ее улыбкой.

— Порой, попав куда-то случайно, понимаешь, что именно туда и стремился, — продолжала она наводить тень на ясный день. — Один мой друг утверждает, что жизнь сама плетет свои узоры, нужно только уметь их угадывать.

— Хорошо, — не сдавался Дилан, несколько сбитый с толку. — Но как вы...

Хотя Гриффин отнюдь не собирался помогать ей выпутаться, он вдруг неожиданно для себя воскликнул:

— Дилан, это твоя машина вон там? Что с тобой случилось?

— Черт, Грифф, я увидел Джоанну и...

— Джоанна никуда не денется, она пока еще не собирается покидать нас, поговорите позже. Но если мои люди, объезжая город, увидят, где ты припарковался...

— Ладно, ладно. Джоанна, я действительно хотел бы еще поговорить...

— В любое время, — устало сказала она.

Дилан помахал рукой и помчался к машине. Убедившись в этом, Гриффин, не особенно беспокоясь о том, кто что подумает, схватил Джоанну за плечи, повернул лицом к себе и спросил:

— Что это значит, Джоанна?!

Он понимал, что вопрос прозвучал резко, да и выглядит он не лучшим образом, но и это его тоже не волновало. Больше всего он хотел сейчас получить ответ. Немедленно, пока она не успела еще что-нибудь выдумать!

Она покачала головой и жалобно посмотрела на него.

— Приехав сюда, я, разумеется, поняла, что если два человека на улицах Атланты назвали меня Кэролайн, то они должны быть из Клиффсайда — это логично. Они должны жить здесь, раз они ее знают. Ну, по какой-то причине оба оказались в Атланте. Совершенно ясно, рано или поздно они должны вернуться домой. Я просто надеялась, что это случится не так скоро, и, может быть, я успею уехать.

Гриффин потряс ее за плечи, даже не пытаясь быть помягче.

— Черт возьми, Джоанна, я хочу знать, что вы здесь делаете!

— Я сказала вам, что я здесь делаю. У меня отпуск, и я стараюсь узнать как можно больше о Кэролайн. — Она спокойно и прямо смотрела ему в глаза, голос звучал твердо. — Если хотите, позвоните в библиотеку, где я работаю, и убедитесь в том, что я действительно в отпуске. Могу дать координаты моего начальства.

Он не позволил ей сбить себя с толку.

— Вы специально приехали сюда, так ведь? Вы приехали сюда, заранее зная, что похожи на Кэролайн?

Поколебавшись, она кивнула.

— Да, я поняла, что похожа на нее, когда Дилан и Лисса меня с ней спутали. И... я узнала, что она погибла. Это одна из причин того, что я сюда приехала.

Он смотрел на нее, стараясь понять.

— Как вы узнали, кто такая Кэролайн и откуда она? И как вы узнали, что она погибла?

Джоанна оглянулась, словно физически чувствуя тяжесть множества исподволь следящих за ней взглядов, потом вновь посмотрела на него. Она уже не казалась спокойной. Она явно была растеряна.

— Я... я сама это раскопала.

— Как?! Где?!

— В газетах, в официальных актах.

— Джоанна, если вы знали только имя Кэролайн, то как, черт возьми, вы могли раскопать все остальное?

— Вы не поверите, если я скажу, — прошептала она.

— Рискните.

Джоанна вздернула подбородок.

— Ладно. Мне стал сниться сон. Он повторялся снова и снова, наконец в этом сне появился указатель с надписью «Клиффсайд». А когда я вычислила нужный мне Клиффсайд, по очертаниям привидевшегося мне побережья, то в местной газете нашла фотографию и некролог Кэролайн. И решила приехать сюда.

— Почему вы мне сразу не рассказали? — спросил он, не вполне, впрочем, веря всему этому.

— Не рассказала что? Что я пролетела три тысячи миль, чтобы узнать все, что можно, об одной женщине, которой нет в живых, потому что я на нее похожа и потому что...

— Потому что?

Она перевела дыхание.

— Потому что, насколько я понимаю, мы с Кэролайн попали на тот свет одновременно. Но мне повезло, меня вытащили. И сразу же после этого мне в первый раз приснился этот сон.

Глава 6

Она сидела на стуле для посетителей в его кабинете.

— Что подумают люди? Что вы меня арестовали? — спросила она, просто чтобы что-нибудь сказать. На самом деле ее не слишком это волновало, и его, по-видимому, тоже.

— Это просто ближайшее место, где можно спокойно поговорить, — повторил он то, что уже говорил четверть часа назад, ведя ее сюда, и закрыл дверь, чтобы их никто не беспокоил.

— Вы спровоцируете новый тур сплетен, — предупредила она. — А со мной-то уже после этого никто не будет разговаривать. Вид у вас был очень свирепый.

— По-моему, мне было от чего разозлиться, — резко заявил он.

— Я уже сказала — мне очень жаль. Повторяю, мне очень жаль, что я раньше не рассказала вам всего, но я просто не хотела показаться ненормальной. — Задумчиво посмотрев на него, она нахмурилась. — И поскольку, кажется, вы все-таки не вполне мне поверили, я была права.

— Я не знаю, верить или не верить. — Гриффин без улыбки покачал головой. — Никогда не слышал ничего более удивительного. Согласитесь, совершенно невероятное совпадение — чтобы вы и Кэролайн, столь похожие друг на друга, в разных концах страны попали в автомобильную катастрофу примерно в одно и то же время...

— Точно в одно и то же время, — твердо поправила Джоанна. — Вы сказали, врач не смог определить время смерти Кэролайн точнее, чем между полуднем и часом дня. Но когда высоковольтный провод попал в мою машину, мои часы остановились — одновременно с сердцем, — и это было в три тридцать пять. По тихоокеанскому времени это тридцать пять минут первого. — Она хотела продолжать, но, увидев на его лице удивление, запнулась. — Что?

Гриффин кашлянул, выглядел он совершенно ошеломленным.

— У Кэролайн были часы. На них не осталось

следов повреждений, поэтому мы не могли считать это точным временем смерти, но... часы остановились в двенадцать тридцать пять.

Джоанна сплела пальцы на коленях и опустила глаза. Хотя это и не было полной неожиданностью, все же подтверждение догадки ее потрясло. Она и Кэролайн действительно умерли одновременно.

— Я никак не могла этого знать, — осторожно заметила она. — Этого ведь не было ни в одной газете.

— Да, не было.

— Мы с Кэролайн были похожи, мы родились с разницей всего в три дня и через двадцать девять лет после этого в один и тот же день попали в автомобильную катастрофу. Я выжила и вдобавок без единой царапины — но тут случился обрыв высоковольтной линии, провод угодил прямо в мою машину, и в три тридцать пять меня убило током. Весьма вероятно, в тот же момент умерла и Кэролайн. Мне повезло — меня вернули к жизни — рядом была «Скорая помощь». А Кэролайн не повезло.

— И в эту же ночь вам начал сниться сон?

Джоанна уже рассказала ему свой кошмар, сейчас она просто кивнула.

— В ту же ночь. И все время потом повторялся. Через несколько недель я поняла, что с этим надо что-то делать. — Она даже не пыталась рассказать ему о своих странных ощущениях — словно какая-то сила вынуждала ее ехать сюда, о сводящем с ума беспокойном томлении. Гриффин и так, кажется, думал, что она несколько не в себе. Стоит ли усугублять это впечатление? — И когда я искала Клиффсайд, какая-то женщина — я полагаю, Лисса Мейтленд — уже во второй раз в Атланте окликнула меня:

«Кэролайн». А потом я наткнулась на некролог Кэролайн и...

— И решили приехать сюда. Из-за сна.

— Из-за всего этого.

— Вы действительно верите, что Кэролайн обратилась к вам с того света?

В его голосе звучал такой откровенный скепти-
цизм, что Джоанна стиснула зубы — она и сама до
сих пор избегала столь определенных формулиро-
вок.

— Я не знаю, что значит «с того света». Может
быть, ничего. До первого июля я считала, что
смерть — это конец, и не верила, что существует
какой-то там «тот свет», какие-то неизвестные мне
формы жизни после смерти. Может быть, дело вообще не в этом. Может быть, между нами просто возникла какая-то связь вследствие внешнего сходства
или сходства обстоятельств смерти. Может быть,
каждый из нас имеет в этом мире двойника и соеди-
нен со своим двойником каким-то непонятным образом. Я не знаю. Я только знаю, что первого июля я
вернулась с так называемого «того света», а она нет.
И если до того мы никак не были связаны, то в тот
день каким-то образом соприкоснулись. Я не могу
объяснить понятнее, шериф!

Он никак не отреагировал на холодность ее тона.

— Но вы думаете, что она чего-то от вас хотела?

— Я думаю, что ей было страшно. Я думаю, что
она много страдала и задолго до того, как машина
разбилась о скалы. Я думаю, что в вашем милом городке не все так гладко. — Джоанна перевела дыхание. — Но у меня нет никаких доказательств этого.

Гриффин покачал головой и сказал по-прежнему
недоверчиво:

— Предположим, вы правы. Предположим, Кэролайн действительно была запугана и несчастна. Но ее уже нет, Джоанна. И ни вы, ни я — никто не сможет ничего сделать, чтобы вернуть ее. Так чего же вы хотите добиться?

— И все же здесь что-то не так, — настойчиво повторила она. — Я не понимаю, что именно. Я не знаю, кто виноват. Я не знаю, почему я не могу собрать вещички и уехать отсюда восвояси. Но я твердо уверена, что я должна остаться здесь и постараться понять, кто такая Кэролайн и как она жила. У меня просто нет выбора.

— Выбор есть всегда, — резко сказал Гриффин.

— В чем-то есть. Но не в этом. И не сейчас. У меня никогда в жизни не было такого сильного чувства. Простите, что не могу растолковать вам все до тонкости. Я сама не понимаю этого.

— А как я могу понять?! Вы оперируете совершенно субъективными понятиями: чувства, ощущения, представления... Ничего такого, что можно было бы взять в руки и сказать: да, это действительно существует.

Джоанна подалась к нему через стол.

— Я здесь. Я действительно существую. Ну объясните мне это.

Гриффин не мог предложить другого объяснения, кроме ею же построенной цепочки невероятных совпадений. Факт остается фактом — если она приехала сюда не случайно, что-то помогло ей сузить круг поисков Кэролайн. В противном случае как бы она нашла этот богом забытый городок? Он бы охотно не поверил ни одному ее слову, но зачем тогда Джоанне было так стремиться сюда, приносить разного рода жертвы — например, изрядно подмазать управляющего гостиницей, где жили Дилан и Лисса, чтобы узнать, откуда они? Он не мог придумать, как подтвердить — или опровергнуть — все то, что наговорила Джоанна.

— Ладно, — сказал он наконец едва ли не с облегчением. — Я готов принять на веру, что вы приехали сюда, руководствуясь надписью на указателе в вашем сне. Не очень правдоподобно, но бог с ним. Далее: вам казалось, что здесь что-то не так — или было не так. И вот вы здесь, вы много говорили о Кэролайн с людьми; вы заметили хоть что-нибудь определенное, а не существующее лишь в вашем воображении?

Джоанна колебалась, борясь с желанием спросить, не он ли запретил жителям города разговаривать с ней о Кэролайн. Но не спросила — может быть, потому, что не желала услышать подтверждение своих подозрений.

— Нет, ничего определенного. Ничего такого, что можно взять в руки. Риген казалось, что мама чего-то боялась, — но не трудитесь объяснять мне, что бедный ребенок вне себя от горя. Пожалуй, кое-какие высказывания о Кэролайн меня насторожили, но опять-таки — ничего ужасного. Может быть, она была не слишком счастлива в браке, а может быть, просто не слишком сближалась со многими здешними людьми — но у меня сложилось впечатление, что она очень любила свою дочь и что она жила полной жизнью.

— Ну и что?

— Не требуйте от меня логики, — сказала она, стараясь не показать, насколько взволнована. — У меня нет ясного ответа. Но я уверена, что он существует, просто еще не найден. Может быть, потому, что не там искали. — Помолчав, она откинулась на спинку стула и все же проговорила, хотя и с явной неохотой: — И потом, вы.

Он встрепенулся.

— Я? А что я?

— Вы любили Кэролайн? — Джоанна внимательно смотрела на него.

Он не обиделся, не рассердился и даже, кажется, не удивился. Он посмотрел на нее, словно ожидал этого вопроса, и сказал:

— Нет.

Джоанне очень хотелось поверить.

— Тогда должна быть другая причина.

— Причина чего?

— Когда вы говорите о ней, у вас меняется лицо, голос. Гриффин, я не слишком хорошо вас знаю, но мне кажется, вы страдаете. Мне кажется, что-то, связанное с Кэролайн — или с ее смертью, — глубоко задевает вас. — Она не стала задавать прямой вопрос, просто смотрела на него и ждала. Ей казалось, что он не ответит, но он ответил.

— В то утро Кэролайн прислала мне записку, в которой просила встретиться с ней в старой конюшне у прибрежного шоссе. В полдень.

Ровный голос и темные глаза не выдавали его чувств, но Джоанна напряглась и, переведя дыхание, осторожно спросила:

— Как обычно?

— Да нет же, черт возьми. У нас не было связи.

Она все еще ему не верила. Слова говорили одно, а голос и эти темные непроницаемые глаза — совершенно другое.

— Тогда почему же она назначила вам встречу в таком странном месте?

— Не знаю.

— Она не объяснила...

— Я с ней не встретился. — Гриффин замолчал, стараясь взять себя в руки. — Я не видел острой необходимости туда идти. Кроме того, оказаться там я мог только значительно позже двенадцати, и, подумав, что она, конечно, не станет ждать меня так долго, я просто не пошел.

— Если я правильно поняла, — по-прежнему осторожно сказала Джоанна, — вы не придали большого значения записке.

— Вы правильно поняли. — Его рот горько искривился.

— Но ведь вы не знали, о чем она хочет поговорить...

— Место для встречи чрезвычайно странное, но лишь на первый взгляд. Если подумать, то ей это было по пути — когда она ехала в Портленд или куда-то еще. А о чем она хотела поговорить? Ну, боже мой, она состояла в полудюжине разных комитетов и не в первый раз обращалась ко мне по поводу какого-нибудь зонального постановления или чтобы спросить, чье разрешение нужно для организации карнавала.

— Но разве для этого не нужно приходить сюда, в ваш официальный кабинет?

— Пожалуй, что так. Господи, да откуда я знаю, о чем она хотела поговорить?!

Джоанне послышались в его голосе нотки вины.

— Вам кажется, что если бы вы пошли туда, то она не погибла бы?

— Мне кажется... — горько усмехнулся Гриффин. — Я должен был туда пойти! Если бы в двенадцать мы встретились, разве могла бы она слететь с шоссе в половине первого.

— Кто знает.

— Конечно, нет, я уверен в этом.

— А ведь вас волнует что-то еще, — внимательно посмотрев на него и немного поразмыслив, заметила Джоанна. — Что же?

Гриффин вздохнул.

— Если начать вспоминать... Вроде бы в последнюю неделю или две перед этой проклятой аварией Кэролайн нервничала сильнее обыкновенного. Гораздо сильнее.

Джоанна выпрямилась.

— То есть вы согласны со мной — здесь что-то не так?

— Нет, этого я не говорю. Джоанна, оставьте, не было никакого страшного заговора против Кэролайн. Она нервничала — вот все, что я хотел сказать. Должно быть, у нее было о чем со мной поговорить. Может быть, что-то...

— Что-то такое, отчего она как раз и нервничала больше обыкновенного?

— Джоанна, еще раз прошу, прекратите, я не заметил ничего необычного, ничего угрожающего; слышите, никаких признаков чего-либо серьезного. Черт, и не только я — никто ничего не заметил! Все шло как всегда...

— А человек, упавший со скал незадолго до этого? — напомнила она.

— Я уже говорил, раз в несколько лет такое случается. Почему вы связываете его с Кэролайн?

— Это ведь произошло незадолго до ее гибели. Я пытаюсь выстроить сюжет этой драмы. Может быть, именно он подтолкнул события к развязке? — Джоанна вспомнила свой сон о девушке, падающей со скал, и подумала, что, возможно, трактует его неправильно. Возможно, важно не то, что женщина падает со скал, а то, что ее столкнули. — Ничто не указывало на то, что его смерть не была несчастным случаем. Я имею в виду, возможность убийства не рассматривалась? — внезапно спросила она.

Гриффин некоторое время смотрел на нее — в его глазах теперь было куда меньше недоверия, чем несколько часов назад.

— Нет, — ответил он.

— Так спокойнее?

— Но с какой стати? Только потому, что он погиб в Клиффсайде?

— Гриффин...

— Он был турист, жил в «Гостинице»; подошел слишком близко к краю обрыва и упал. Вот и все.

Джоанна слегка помассировала виски — у нее заболела голова. Что неудивительно. Она постаралась сосредоточиться.

— Турист. Он приехал один?

— Да. Что в этом дурного? Вы тоже одна.

Она не позволила себе ответить на его сарказм.

— И вел себя так, как подобает туристам?

— У всех свои привычки. Он, например, не покупал кованых бобров.

— Гриффин!

— А как, на ваш взгляд, подобает вести себя туристам?

— Ну, чем обычно занимается мужчина на отдыхе? Пешие прогулки, рыбная ловля... Были у него удочки?

— Не знаю. Послушайте, насколько я помню, в этом человеке вообще не было ничего необычного. Он ни с кем не вел серьезных разговоров; у него было достаточно документов, удостоверяющих личность, и, когда я позвонил в Сан-Франциско его сестре, она приехала и опознала тело. Никаких тайн.

— Он не был знаком с Кэролайн?

— Он ни с кем здесь... — Гриффин вдруг замолчал на полуслове и нахмурился.

— Что?

Он нахмурился сильнее и забарабанил пальцами по столу. Потом покачал головой.

— Господи, вы заставляете меня усомниться в самых обычных вещах. Но если Скотт что-то сказал этому человеку, за неделю или около того до его смерти, в этом не обязательно кроется дьявольский смысл.

— Скотт Маккенна?

Гриффин с недовольной миной кивнул.

— Они столкнулись в городе, возле какого-то магазина; кажется, обменялись несколькими словами. Я был слишком далеко, чтобы уверенно утверждать это — даже если бы я обратил тогда на это большее внимание.

— Вот, ниточка к Кэролайн, — заметила Джоанна.

— Да?! А если он просто спросил Скотта, который час? Это тоже ниточка?! И именно к Кэролайн?!

— Но вы же не знаете, что он сказал.

— Не знаю, но скорее всего что-нибудь совершенно обыкновенное из того набора, что обычно может спросить турист у местного жителя.

Джоанна собралась было спорить, но вдруг шериф помрачнел.

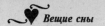

— О чем вы подумали? — не замедлила она с вопросом.

— Батлер был из Сан-Франциско, — пробормотал он. — Бизнесмен из Сан-Франциско. Скотт родом из Сан-Франциско, и у него до сих пор остались там какие-то дела.

Перед Джоанной впервые с тех пор, как она приехала, забрезжил проблеск надежды.

— Ведь этого достаточно, чтобы проверить, не связаны ли они, правда?

Гриффин не успел ответить — зазвонил телефон. По-видимому, ему доложили, что с ним хочет говорить майор.

— Пожалуйста, попросите его минутку подождать, — ответил наконец Гриффин, положил трубку и встал из-за стола. — Джоанна...

Она тоже поднялась.

— Ничего, мне все равно пора идти. Возвращать гвозди, знаете ли. Культивировать паранойю.

— Я вовсе не считаю вас сумасшедшей, — сказал он.

— Нет, конечно, просто у меня мания преследования: мне кажется, что за мной в некотором смысле охотятся, а вы думаете, что мне мерещится — в лучшем случае, а в худшем — что я безумна. Итак, вы выбрали меньшее из зол?

Он положил руки ей на плечи.

— Перестаньте. Обещаю вам отнестись ко всему этому максимально серьезно. Но пока у нас нет ничего, кроме вашего сна и моего чувства вины, Джоанна.

— Понятно. — Она натянуто улыбнулась. — Ладно, может быть, мне повезет, и я вовремя задам нужный вопрос нужному человеку. А сейчас вас ждет разговор с начальством.

— Да. — Он вздохнул и быстро коснулся ее щеки. — Увидимся позже. — Он наконец отпустил ее плечи и проводил Джоанну до дверей.

— Увидимся.

Гриффин медленно подошел к столу. Сняв телефонную трубку, он, вместо того чтобы ответить майору, набрал номер одного из своих помощников.

— Шелли? Подними, пожалуйста, дело туриста, который погиб этим летом... Да, разбился о скалы за «Гостиницей». Посмотри, что там есть о его бизнесе в Сан-Франциско, и выясни, нельзя ли узнать об этом подробнее. И еще. — Он поколебался. — Вытащи все, что у нас есть о Скотте Маккенна, и обрати особое внимание на то, с кем у него деловые контакты в Сан-Франциско... Нет, не срочно. Спасибо.

Он чуть не забыл о звонке начальства.

Начальство осталось недовольно шерифом.

* * *

Если бы Джоанну спросили, почему она вдруг, когда до темноты оставалось чуть больше часа, устремилась в беседку Кэролайн, она не смогла бы ответить внятно. По многим причинам. Потому что ей необходимо было прогуляться, подышать соленым бризом. Потому что она не знала, куда еще идти и о чем еще спрашивать. Потому что образ Риген, беспомощной, подавленной горем, преследовал ее так же настойчиво, как и ее сон, и ей хотелось снова увидеться и поговорить с девочкой.

Потому что шериф Кавано дотронулся до ее щеки.

Она быстро шагала по лесу, держась подальше от края обрыва и стараясь ни о чем не думать. Голова побаливала, несмотря на выпитый в отеле аспирин, — сказывалось напряжение последних дней. Но остановить череду мыслей и вопросов, возникавших в голове, было так же трудно, как легким движением руки удержать уходящий поезд.

Она вошла в беседку и, не отдавая себе в этом отчета, стала задумчиво гладить нарисованную челку карусельной лошадки. «Это у меня нервное, — подумала она, — пока мысли блуждают, руки ищут себе занятие. Интересно, Кэролайн тоже так считала?» И почти не удивилась, немедленно услышав ответ.

— И мама обычно так делала.

— Здравствуй, Риген.

Девочка медленно вошла в беседку, прислонилась к одному из столбиков и посмотрела на Джоанну.

— Вы помните мое имя?

— Конечно, помню. А ты мое?

— Джоанна. Я думала, вы придете раньше, Джоанна.

В ее голосе Джоанне послышался укор.

— Извини, я считала, что тебе будет легче, если я буду держаться подальше, — тихо ответила она.

— Почему?

— Потому что я только похожа на твою маму.

Риген немного подумала, ее большие темно-голубые глаза были печальны. Потом кивнула.

— Не волнуйтесь, Джоанна. Я понимаю, что маму уже не вернуть.

Девочка сунула руки в карманы джинсов и опустила плечи — кажется, это была ее любимая поза.

— Ты тоскуешь по ней, Риген, — это естественно.

— А папа нет, — неожиданно произнесла девочка.

— Некоторые люди просто стесняются показывать свои чувства, — сказала Джоанна. — Но это не значит, что они ничего не чувствуют. Может быть, и твой папа такой.

Риген пожала плечами.

— Может быть. Но я однажды слышала, мама сказала ему, что у него нет сердца. Это как у Железного Дровосека, да? А как же чувствовать без сердца?

— Сердце есть у всех. — Джоанна не боялась говорить банальности, лишь бы разубедить Риген. — Просто некоторые люди не умеют его открыть другим.

— Я думаю, мой папа меня не любит. — Голос Риген вдруг задрожал.

— Разумеется, любит, малышка.

— Откуда вы знаете? — сердито спросила она.

— Папы всегда любят своих дочек. Так же, как и мамы.

— Даже если дочки плохие?

Джоанне захотелось подойти и обнять эту девочку — она с трудом удержала себя от этого.

— На самом деле они совсем не такие плохие, как им кажется, — ласково уговаривала она девочку, поняв, что Риген почему-то винит себя в смерти матери и очевидной холодности отца.

— Я плохая, Джоанна. Я ужасно плохая.

— Милая, да ты просто не в силах сделать ничего настолько плохого, чтобы папа и мама перестали тебя любить. Клянусь тебе!

Правда это или нет, но ты должна в это верить, черт возьми!

Риген слушала, затаив дыхание, лицо ее просветлело, и Джоанна похвалила себя за то, что сказала это. А еще за то, что не стала выяснять, что же такого ужасного совершил бедный ребенок. Скорее всего, ничего серьезного — что можно натворить в восемь лет! — и чем скорее Риген преодолеет это, тем лучше.

Что же до других вопросов, то, как ни сильно было искушение, единственный человек в Клиффсайде, которого Джоанна ни в коем случае не собиралась расспрашивать о Кэролайн, была эта девочка. И Джоанна сменила тему.

— А не слишком ли позднее время для прогулки?

— Иногда я прихожу сюда посмотреть на закат. Красиво, правда?

Отсюда действительно хорошо было видно, как горизонт на западе наливается багровым светом. Джоанна кивнула, соглашаясь.

— Очень! И вода гладкая, как стекло.

— Да. Мама говорила...

— Риген.

Обе вздрогнули, услышав этот голос. Джоанна увидела, что к беседке приближается красивый темноволосый мужчина. Его лицо ничего не выражало, только брови были чуть сдвинуты. Он в упор, изучающе посмотрел на Джоанну — если его и поразило сходство с Кэролайн, то он ничем не выдал этого, — затем перевел спокойный взгляд на Риген.

— Миссис Эймс зовет ужинать, Риген. Пора домой.

Риген посмотрела на этого человека, который не

мог быть не кем иным, как только ее отцом, без тени страха, и это успокоило Джоанну. Девочка была его точной копией, но в женском варианте — только глаза темнее и брови тоньше.

Она больше похожа на него, чем на Кэролайн, — даже выражением лица, не говоря уже о чертах.

— Мне нужно идти, Джоанна. — Риген вдруг улыбнулась ей.

— Тогда до свидания, Риген.

— Ладно. До свидания. — Снова сделавшись серьезной, Риген вышла из беседки и скрылась среди деревьев. Проходя мимо отца, она даже не взглянула в его сторону.

— Удивительное сходство, — наконец отметил Скотт Маккенна.

Джоанна уже заранее составила о нем мнение, и мнение отрицательное. Возможно, предвзятое. Так что когда он снова пристально посмотрел на нее, она впервые после приезда в Клиффсайд почувствовала настоящую враждебность.

— Различий больше, нежели сходства, — сухо сказала она.

Скотт прищурился.

— Да, я вижу.

— В самом деле?

Он кивнул.

— Кэролайн почти всегда была сдержанной и очень редко обнаруживала свои чувства, что о вас никак не скажешь. В ваших глазах отражается все, что вы думаете.

Джоанна решила не уточнять, что же именно видит он в ее глазах, и, предвидя необходимость объяснения, облокотилась о карусельную лошадку.

— Позавчера я познакомилась здесь с Риген. Надеюсь, вы не возражаете против моих вторжений.

— А если возражаю?

— Я учту это. В следующий раз, когда приду сюда.

— Я могу вызвать шерифа.

— Да, конечно. Он уже предупреждал меня, что проникновение в частные владения запрещено.

— Стало быть, — спросил Скотт, — вы пренебрегли его предупреждением?

— Да.

Его лицо осветилось внезапной улыбкой — точь-в-точь как у Риген.

— Я вам не очень нравлюсь, Джоанна, не правда ли? Интересно, почему — ведь мы знакомы от силы десять минут.

— Боюсь, я склонна к поспешным суждениям.

— Ну-ну... — все еще улыбаясь, сказал Скотт. — Постороннему взгляду, знаете ли, трудно проникнуть в суть некоторых вещей — особенно если это касается брака.

Джоанна не могла не согласиться — она и сама недавно говорила кому-то нечто очень похожее. Но спросить-то она могла.

— Разве я пытаюсь во что-то проникнуть?

— По-моему, да. Вы слышали, что Кэролайн была несчастна, ибо я... холоден. Вы видели, что Риген смотрит мимо меня, как будто я не существую. На ваш взгляд, я безразличен к несчастному ребенку. Из всего этого вы и сделали вывод, что я виноват бог знает в чем. Я монстр! Чудовище из сказки.

— А вы не чудовище? — прервала она его довольно темпераментное высказывание.

Улыбка Скотта Маккенны стала еще шире.

— Отчего же? Чудовище. Если все вокруг говорят, что я жестокий негодяй, это ведь не значит, что все говорят неправду.

Едва ли не в первый раз в жизни Джоанна не нашла, что ответить.

Скотт посмотрел на заходящее солнце.

— Скоро стемнеет. В темноте скалы особенно опасны. Вам пора возвращаться в «Гостиницу». Рад был познакомиться. — Он повернулся и ушел.

Воскресенье выдалось ветреным и дождливым, и Джоанне некуда было деться от томительного беспокойства. На улице невозможно было находиться больше десяти минут; комната казалась маленькой и невыносимо тесной, стены давили, нервы были натянуты до предела. Мало этого. Звуки ее сна обретали нестерпимую реальность.

Тик-так. Тик-так. Тик-так. Часы из сна теперь тикали у нее в голове — постоянное напоминание о том, что время уходит. И ей казалось, что они тикают быстрее, чем вчера и позавчера, — призывая ее, заставляя ее... что-то делать.

Непонимание, что именно делать, сводило с ума.

Наконец она вышла из комнаты посмотреть, не играет ли в покер с постояльцами отеля кто-нибудь из незнакомых ей жителей города, как это часто бывало. Это дало бы ей возможность поговорить с новыми людьми, порасспросить о Кэролайн. Наверное, это самое лучшее, что можно сделать в такой ситуации.

Ей не повезло — если иметь в виду новые сведения о Кэролайн. Она выиграла довольно-таки впечатляющую сумму, но чрезвычайно приятные люди, с которыми она заговаривала, так и не сообщили ей нужных сведений. Причем с явной преднамеренностью — они умело обходили тему Кэролайн, как только Джоанна ее затрагивала. Широкие улыбки — и настороженные глаза, и предложение взять еще карту.

Джоанна поймала себя на том, что опять грызет ногти.

* * *

Никогда в жизни еще Амбер не было так скучно. В этом богом забытом месте было совсем нечего делать. Она поерзала в кресле и тяжело вздохнула.

Ее мать оторвалась от книги и терпеливо сказала:

— Радость моя, пойди займись чем-нибудь.

— Чем, например? Утопиться? Если ты заметила, здесь хорошо живется только уткам.

— Амбер, я же не предлагаю тебе пойти прогуляться. Уже восемь, выходить поздновато. Но игровая комната, я думаю, работает, гимнастический зал тоже. Кстати, есть же еще бассейн. Дома ты очень любила плавать.

— Исключительно из-за спасателей, — язвительно заметил отец, не отрываясь от телевизора. — А здесь никто не пялится на ее формы, едва прикрытые этим, с позволения сказать, купальником.

Амбер вспыхнула: он был прав. В закрытом бассейне гостиницы был только один спасатель, лет тридцати-сорока, и он следил за порядком из окошка своего кабинета. Это было отвратительно, дома гораздо лучше: там в бассейне спасателями работают мальчики из колледжа.

— Ну, тогда почему бы не сходить в игровую комнату? — чуть плаксиво настаивала мать. — Там много интересного, Амбер. Паззлы, настольный теннис, компьютерные игры. Можно...

Амбер вскочила, всячески показывая, что пойдет куда угодно, лишь бы не слышать этой изрядно надоевшей ей ноты в материнском голосе.

— О, ладно! Ухожу, ухожу.

И подумала, что разыграла все как по нотам.

— Возвращайся не позже одиннадцати, — напутствовала мать.

Из гостиной их номера с двумя спальнями Амбер прошла в свою и хлопнула дверью. Взяла с туалетного столика ключи и опустила в карман, размышляя, зайдут ли к ней родители, перед тем как ровно в одиннадцать лечь спать.

Да, конечно, мама непременно заглянет.

Выходя из номера, Амбер мечтательно улыбнулась. О'кей, значит, она будет в своей комнате, как велено, к одиннадцати. Чиста, как свежевыпавший снег. Она примет ванну и надушится, чтобы все нужные места хорошо пахли. А когда родители заснут, она наденет прелестное платьице, которое купила вчера, прозрачное, с короткой юбочкой, и незаметно выскользнет в двери террасы. Ее никто не увидит. И она уйдет. И никогда не вернется! Никогда!

А пока она и вправду пошла в игровую комнату. Она пребывала в таком возбуждении, что сама не знала, засмеется или заплачет в следующую секунду. Она была взвинчена до предела. В этот вечер весь мир для нее изменился; она приветливо поздоровалась с несколькими соседями по отелю, забавляясь их удивлением — они не привыкли к подобному дружелюбию с ее стороны.

Они не знают! Никто не знает!

Как замечательно иметь такую сладкую тайну! Она с высокомерной жалостью смотрела на этих скучных, обыкновенных людей — ведь у них никогда, никогда не было таких чувств, как у нее! Что они понимают в жизни, что они знают!

Загрохотал гром. Ей нравилось, что разыгралась непогода, но к полуночи шторм, конечно, утихнет. Должен утихнуть. Это ее ночь, а ее ночь должна быть прекрасна!

Она сыграла в пинг-понг с какой-то женщиной средних лет, причем позволила той обыграть себя. Щедро предложила еще одну игру и опять проиграла. Посидела за столом, где кто-то не закончил складывать паззл. Полчасика поиграла на компьютере. Но ей никак не сиделось на месте.

Она бесцельно слонялась из угла в угол, наблюдала, как за карточными столами играют в покер, часто подходя к двери террасы и вглядываясь в темноту, где ревел и грохотал шторм. Потом взяла коктейль и продолжала бродить, прихлебывая из бокала.

В одиннадцатом часу она наконец отправилась к себе в комнату. Потому что в одиннадцать мама должна увидеть, что она невинно спит в своей постели. Амбер хихикнула про себя.

В вестибюле она оглянулась еще раз на этих невозможно скучных людей — оглянулась с презрением и жалостью к их серой и невзрачной жизни. И попутно увидела нечто незапланированное. Возможно, она бы и не обратила внимания, не будь в этот вечер ее чувства особенно обострены, — но она заметила.

— Интересно, зачем это ему понадобилось? — пробормотала она и, пожав плечами, пошла к своему номеру. Наплевать! Гораздо интереснее было думать о том, которые из трех любимых духов лучше подойдут сегодня.

* * *

Поздно вечером, когда дождь вовсю хлестал в окна, гром грохотал почти непрерывно, а ноготь большого пальца был изгрызен до основания, Джоанна наконец легла спать.

В эту ночь сон немного изменился. Все символы, из которых он состоял, остались, но в преувеличенном и искаженном виде — как в комнате смеха. Отражение большого дома дробилось бушующими волнами океана, с роз облетели лепестки, картина — теперь было окончательно ясно, что это картина Кейна с девочкой среди поля цветов, — покосилась на мольберте. Громко тикали часы, жалобно плакал ребенок. Раскрашенная карусельная лошадка бешено крутилась на штыре, бумажный самолетик промок и упал. А еще в этот раз кричала чайка, кричала громко, надсадно, и этот мучительный звук повторялся снова и снова, как эхо...

Джоанна проснулась. За окном брезжил серенький свет пасмурного утра, но, хотя часы показывали чуть больше семи, она не стала даже пытаться заснуть опять — сна не было ни в одном глазу, и всегдашнее напряжение и беспокойство достигли такой силы, что она поймала себя на том, что подбирается к следующему ногтю. Она потянулась, откинула одеяло и встала. Лучше все, что угодно, чем вот так лежать в постели и чувствовать себя раздавленной.

Пусть она и чувствует себя точно так же, но хотя бы в вертикальном положении.

Она решила не заказывать завтрак в номер, а спуститься пить кофе вниз. Горячий душ никак не повлиял на ее нервозное состояние; она стала сушить волосы феном, решив сегодня оставить их распущенными, в основном потому, что она была слишком издергана, чтобы заниматься еще и прической. В громком гудении фена ей пару раз послышался ночной крик чайки. Вдруг ей пришло в голову, что, возможно, на самом деле это был звук сирены.

В Атланте такой звук был привычен, но здесь эта мысль показалась ей исключительно странной и даже нелепой. Пожар? «Скорая помощь»? «Блейзер» Гриффина?

Выйдя из ванной, она прислушалась, но было тихо. Джоанна все же оделась очень быстро. Джинсы и свитер с высоким воротом, а поверх — свободная фланелевая рубашка; кроссовки, потому что после завтрака она твердо решила пойти гулять, даже если придется гулять под дождем.

Одевшись, она вышла на балкон. Дождь кончился, но небо было пасмурным. С океана дул сильный ветер, пропитанный влагой и солью. И, если не считать всегдашнего яростного грохота прибоя, было по-прежнему странно тихо. На веранде не было ни души, но зато вдалеке зачем-то собралась целая толпа. Кроме того, там стояло множество машин: спасательная, пожарная, «Скорая помощь». «Блейзер» Гриффина!

Ни в коридоре, ни в лифте — никого, и вестибюль тоже был пустынен. Джоанна поспешила на веранду. Там под крышей пили кофе гости отеля и обслуживающий персонал: они встали еще раньше и, вероятно, уже знали, что произошло.

Среди них Джоанна заметила Холли и ее помощницу Дану — обе выглядели подавленными. Собственно, как и все остальные. Одна женщина даже плакала. Джоанна направилась было к ним, но вдруг поймала взгляд Гриффина, устремленный на нее из-за гостиничного газона.

Должно быть, всех уже предупредили, что проход запрещен, но Джоанна, не задумываясь, спустилась с веранды и побежала по мокрой траве газона, прямо к Гриффину. В это утро он был в длинном черном дождевике, с непокрытой головой — в отличие от своих помощников, которые работали ближе к краю обрыва в таких же дождевиках и широкополых покрытых пластиком шляпах. Холодный ветер ерошил его волосы; и только подойдя ближе, Джоанна поняла, насколько он устал.

— Гриффин?

Он обернулся. И хотя его лицо осталось мрачным, при виде Джоанны темные глаза, казалось, чуть просветлели. Он не шагнул к ней навстречу, но крепко взял ее за руку, когда она оказалась рядом.

— Что случилось? — спросила она.

— Джоанна, здесь находиться запрещено, — сказал он как-то вскользь. — Мы просим всех уйти отсюда. — Но при этом руки ее не отпускал.

— Но что...

— Грифф! — От края обрыва к ним шел высокий худощавый мужчина с мокрыми темными волосами; длинные полы дождевика хлопали его по ногам. Джоанна не сразу поняла, что спасатели только что подняли его снизу на тросе.

— Ну что, док? — спросил его Гриффин.

Врач чуть удивленно посмотрел на Джоанну усталыми голубыми глазами и потряс головой.

— Ты видел то же, что и я. Что я должен тебе сказать?

— Не была ли она пьяна?

«Она»? Джоанна похолодела.

— Грифф, ты же понимаешь, ее нашли в воде. Она настолько вымокла, что, выпей она до этого хоть галлон, запаха все равно бы не осталось. Я не могу ответить без лабораторных анализов.

— От чего она умерла?

Врач снова посмотрел на Джоанну и сухо сказал:

— От падения с такой высоты — если только потом я не найду чего-нибудь неожиданного, что маловероятно. Господи, Грифф, она летела с высоты сто тридцать футов!

— Ее столкнули? — спросил Гриффин почти равнодушно.

— Не знаю, — ответил врач. — Даже если и так, будет трудно это доказать. Но я посмотрю, может, удастся что-нибудь обнаружить.

— Спасибо, док.

Высокий мужчина прощально поднял руку и снова направился к краю обрыва, где спасатели в очередной раз поднимали трос.

— Гриффин, кто это? — спросила Джоанна.

— Сначала я подумал, что это вы, — ответил он тем же лишенным выражения голосом и чуть сильнее стиснул ее руку. — Но это оказалась Амбер Уэйд.

Джоанна потрясенно оглянулась на обрыв — в этот самый момент наверх вытащили спасательную корзину с телом. Тело было завернуто в ярко-оранжевое одеяло, из-под которого выбилась только одна прядь длинных светлых волос.

Глава 7

— Ты шутишь? — Кейн усмехнулся.

Гриффин вздохнул, произнося в ответ привычную фразу:

— Такова моя работа, Кейн, — задавать вопросы.

Взглянув на Холли, сидевшую рядом за столиком на веранде «Гостиницы», Кейн вновь перевел глаза на шерифа, который расположился напротив.

— Ты спрашиваешь, не я ли столкнул с обрыва этого ребенка?

— Не преувеличивай. Я спрашиваю, где ты был вчера с одиннадцати вечера и до сегодняшнего утра, часов до семи, — повторил Гриффин. — Послушай, всем известно, что она за тобой бегала как собачонка. Ее отец сказал, что она, вероятно, улизнула после того, как родители пожелали ей спокойной ночи, убедившись, что она уже в постели. У ее комнаты, к сожалению, имелся отдельный выход прямо на веранду, — вероятно, она им воспользовалась.

— Она не приходила ко мне, — мрачно сказал Кейн. — Ни в прошлую ночь, ни в какую другую. Ради бога, Грифф, неужели ты серьезно думаешь, что я флиртовал с бедняжкой? И что, договорившись с ней о встрече, — позволь тебе напомнить, вчера лило как из ведра, — убил ее?

— Где ты был, Кейн? — настаивал шериф.

— Я был дома. — Тон художника был весьма резок. — В своем коттедже. Всю ночь.

— Один?

— Да, один, черт побери!

Холли подалась вперед.

— Грифф, это точно несчастный случай?

Он посмотрел на нее и отрицательно покачал головой.

— Не думаю. Если бы она просто сорвалась, то летела бы прямо вниз, а мы нашли тело так далеко, что, очевидно, ее толкнули, и с немалой силой.

— Может быть, она прыгнула?

— И такая возможность существует. Увы, подростки сплошь и рядом кончают жизнь самоубийством. — Он перевел суровый взгляд на Кейна. — Но я должен проработать все возможности. Решить все мыслимые и немыслимые уравнения. И одна из версий — та, что кто-то ее столкнул.

— Это не я, — раздельно произнес Кейн.

Холли покачала головой.

— Грифф, и не думай, пожалуйста, что Кейн смертельно обидел Амбер. Она, конечно, страдала. Но это было просто обычное подростковое увлечение, мы все проходили в свое время через что-то подобное. К тому же, даже если относиться к этому серьезно — а никому и в голову не приходило, — она все равно уехала бы с родителями на следующей неделе.

— Холли, я не утверждаю, что кто-то хладнокровно планировал ее убийство, — сказал Гриффин. — Ее могли убить случайно, в состоянии аффекта.

Кейн напрягся, его живые зеленые глаза уперлись в шерифа, а голос стал очень тихим.

— Теперь я понял тебя, Грифф. Однажды, на одной из выставок, я вышел из себя и крепко приложил одного парня — он вел себя как свинья. И с тех пор на мне клеймо — считается, что я легко теряю контроль над собой.

— Кейн, его пришлось увезти в больницу, — так же тихо напомнил Гриффин.

— Падая, он ударился головой об угол стола. Гриффин кивнул.

— Я знаю. И, представь себе, не думаю, что ты выходишь из себя легче, чем, к примеру, я. Но поставь себя на мое место. Весь отель и половина Клиффсайда знали, что Амбер в тебя по уши влюблена, потому что она это всячески демонстрировала. Только что на шее у тебя не висла, собрав побольше народу. Где бы ты ни появился, она немедленно оказывалась рядом. Флиртовал ты с ней или нет, отвечал ты ей или нет — она вполне могла стать серьезной проблемой. И я должен учитывать это.

— Ладно, — сказал Кейн. — Но учти также и то, что я не считал происходящее проблемой. Для меня она была просто ребенком в переходном возрасте. И дело было только за тем, чтобы не оставаться с ней наедине и вообще по возможности ее избегать. А это, согласись, нетрудно. Спроси Джоанну, если не веришь, — она однажды очень помогла мне — кажется, в пятницу, — когда Амбер заявилась ко мне в коттедж.

— А Джоанна что делала у тебя в коттедже? — не сдержался Гриффин.

В зеленых глазах Кейна вдруг мелькнули искорки смеха.

— Хочешь, нарисую тебе сердце на рукаве, чтобы все видели?

— Кейн, отвечай на вопрос.

— Она, скорее всего, просто гуляла и увидела, как я работаю — я писал на улице. И была настолько любезна, что дошла с нами до самой «Гостиницы», спасая меня от напористости Амбер.

— А мне послышалось, что Амбер никогда не приходила к тебе, — сказал Гриффин.

Кейн не обиделся на это обвинение, все еще посмеиваясь про себя.

— Я имел в виду, что никогда не назначал ей свиданий где бы то ни было, тем более у себя дома. В пятницу она явилась без приглашения — уже во второй раз; в первый раз я спрятался в доме и не открыл ей дверь.

Гриффин кивнул и поднялся на ноги. Он был недоволен собой. И беседу закончил не потому, что не имел больше вопросов или был удовлетворен весьма небрежными ответами Кейна, нет, ему просто стало не по себе под проницательным взглядом художника. Сердце на рукаве! Вот сукин сын!

— Грифф, — чуть помявшись, осторожно сказала Холли, — позавчера я увидела Джоанну со спины и приняла ее за Амбер.

Гриффин не удивился. Когда он увидел на острых камнях разбитое тело с разбросанными светлыми волосами...

— Это добавляет неизвестных в твои уравнения? — спросил Кейн.

— Да, — сказал Гриффин, все больше ощущая собственную неуверенность. *Не добавляет, черт возьми, совсем не добавляет — а просто в корне меняет дело!* — Если кто-то из вас вспомнит что-нибудь важное, дайте мне знать.

— Непременно, — сказала Холли. Она смотрела, как шериф, выйдя с веранды, направился к обрыву, где у перил, глядя на океан, одиноко стояла Джоанна.

— Ты действительно думаешь, что кто-то хотел убить именно Джоанну, а Амбер подвернулась случайно? — спросил Кейн.

Она вздохнула.

— И то, и другое равно бессмысленно. Я не могу понять, зачем кому-то могло понадобиться убивать Амбер — как, впрочем, и Джоанну.

— Но ты считаешь, что уж скорее Джоанну?

— Не знаю, — нахмурилась Холли. — Пожалуй. Как бы это объяснить... Ну, Амбер была просто ребенком, который слишком недолго жил, чтобы успеть обзавестись врагами, понимаешь? Она могла прыгнуть, желая покончить с собой, но кому нужно ее толкать? С другой стороны, Джоанна...

— Джоанна приехала сюда как многие — провести отпуск, — продолжил Кейн, когда она запнулась. — Но она необычайно похожа на женщину, которая погибла в этом городе несколько месяцев назад. И она активно расспрашивает всех об этой женщине. И может быть... кому-то не нравятся ее действия?

У Холли мурашки пробежали по спине, когда он произнес вслух ее тайные мысли.

— А это указывает на то, что гибель Кэролайн, возможно, и не была случайностью.

Теперь нахмурился Кейн, его взгляд стал отрешенным. Такое выражение его лица было хорошо знакомо Холли; она уже знала, что в такие минуты внутренний голос призывает его писать.

— Возможно, — наконец сказал он. — Если жертвой наметили Джоанну, а не Амбер, то это почти обязательно должно быть как-то связано с Кэролайн. Потому что откуда здесь взяться врагам у Джоанны? Она здесь не бывала раньше. Не привезла же она их с собой. Итак... каков же изъян в этой картине? — Он помрачнел. — Что здесь совершенно необъяснимо, так это сходство Джоанны и Кэролайн и расспросы Джоанны. Словно она приехала сюда специально для этой цели.

— Ты слышал о Дилане и Лиссе? — спросила Холли.

Кейн кивнул.

— Да, они видели Джоанну в Атланте. В высшей степени странно, что она оказалась здесь вскоре после этого. Трудно объяснить это случайным совпадением.

— А чем же еще? Дилан сказал, что она никак не могла узнать, откуда они с Лиссой приехали.

— Могла, и довольно легко, — возразил Кейн. — Всегда можно незаметно проследить, в каком отеле живут интересующие тебя люди, и за некоторое количество баксов получить самую полную информацию о них. Уверяю тебя, это не так уж и сложно.

— Я как-то не подумала об этом, но ты, конечно, прав. Как тебе кажется, а Гриффин учел такую возможность?

— Разумеется. Наш шериф отнюдь не дурак, к тому же он полицейский милостью божьей, вспомни, как он не любит, когда его вопросы остаются без ответа. Я не знаю, что сказала ему Джоанна, но голову даю на отсечение, что он не поверил в случайное сходство. И должен сказать, что я его за это не осуждаю. Меня это тоже начинает беспокоить.

Холли помолчала, видимо, размышляя над проблемой.

— Почему вдруг она приехала именно сюда, за три тысячи миль? Случайно? Из любопытства? Потому что двое незнакомцев назвали ее чужим именем?

— Нет, все не так просто, за этим что-то стоит, — нахмурился Кейн. — Может быть, попросить ее позировать? Люди, когда их пишут, порой рассказывают самое сокровенное.

О чем же тебе рассказала Кэролайн? Холли хотелось это знать, но спрашивать она не стала.

— Гриффу не понравится, если кто-то из нас будет совать нос в его расследование, — сказала она вместо этого.

— Никаких сомнений, — согласился Кейн. — Особенно если мы сосредоточим свое внимание на Джоанне. Он к ней, кажется, немного неравнодушен.

Холли улыбнулась.

— Я думала, он тебе двинет, когда ты так славно пошутил насчет сердца на рукаве.

— Я тоже так думал. — Кейн засмеялся и добавил: — Тогда мне было бы не до смеха. Такие мужчины, как Грифф, если уж влюбляются, то крепко. Если он сочтет, что она не сказала ему правды, он этого не перенесет. И даже если все это отбросить, ему все равно нелегко, ведь Джоанна так похожа на Кэролайн.

— Что ты хочешь сказать?

— Я думал, ты знаешь, ты ведь живешь здесь уже давно, — с нескрываемым удивлением. ответил Кейн. — Даже я давно уже узнал об этом, еще когда только приезжал сюда на лето.

— О чем узнал?

— Что в свое время Кэролайн была влюблена в Гриффина. И даже хотела уйти от мужа.

Холли изумленно посмотрела на него. Неужели она так зациклилась на своей работе, что совершенно не замечала того, что творилось у нее под носом? Не может быть! Даже при том, что она никогда не была близка с Кэролайн, она бы наверняка обратила внимание, что брак ее работодателя оказался на грани краха.

— Ничто на это не указывало, — подумав, возразила она. — Это, видимо, просто сплетня, Кейн.

— Нет.

— Почему ты так уверен?! То есть...

— Холли, я знаю, что это правда, потому что Кэролайн сама мне это сказала. Сказала, что к Гриффину она чувствует то, чего никогда не чувствовала к Скотту. — Он покачал головой. — Я не знаю, почему она решила доверить это мне. Но люди вообще склонны к этому. Когда я работаю на улице, кто-нибудь обязательно остановится посмотреть — ты знаешь, мне это не мешает — и поговорить, и ты, возможно, удивишься тому, что я знаю об этом городке.

— Наверняка, — подтвердила Холли.

Кейн улыбнулся.

— Послушай, я никому, кроме тебя, не рассказывал этого о Кэролайн, особенно когда понял, что это не общеизвестно. Она обычно не показывала своих чувств, слишком заботилась о своем добром имени, чтобы ставить свою репутацию под удар. Кроме того, что-то там у них не заладилось, так что это все касается только их двоих.

— Скотт знал? — спросила Холли.

— Кэролайн не говорила ему и была уверена, что он и не догадывался, — так она сказала. Это было давно, еще до рождения Риген.

— Интересно, чего еще я не знаю об этом городе, — потрясенно прошептала Холли.

— Ты была занята, — произнес Кейн.

Она расслышала намек, хотя голос у него был совершенно естественный.

— Вероятно, была. Но теперь, ты же знаешь, я стараюсь. С тех пор, как мы заключили наше небольшое соглашение.

— Я чувствую. — Он улыбнулся. — И очень ценю, поверь. Но, Холли, теперь я попрошу тебя провести ночь в моем коттедже — сделай нам приятное, скажи «да», даже если тебе утром предстоят важные встречи. Конечно, копы не доверяют алиби, когда подтверждение исходит от любовниц, но это все же лучше, чем ничего.

— Я могла бы соврать Гриффу, что была с тобой, — заметила она.

— Могла бы. И это со всей ясностью показало бы, что ты не считаешь меня вовсе уж непричастным к смерти Амбер.

Холли удивилась было, но лишь на мгновение. Он вновь был прав. Если бы она в чем-то сомневалась, она бы грудью бросилась на его защиту и заявила бы, что была с ним. Но поскольку она была абсолютно уверена, что он не мог сделать девушке ничего дурного, ей и в голову не пришло, что ему нужно помочь доказать свою невиновность.

— Ты знаешь, это самое лучшее из всего, что ты мне когда-либо говорила, — сказал Кейн и улыбнулся ей.

Холли не удержалась и улыбнулась ему в ответ, и позволила взять себя за руку, и переплела свои пальцы с его, несмотря на то, что их могли увидеть и ее сотрудники, и постояльцы.

Впервые она, не стесняясь, коснулась его на людях. «Своего рода прогресс», — подумала она. А может быть, и нет. Потому что она и не думала о том, что на них смотрят, не вспоминала даже о смерти бедняжки Амбер.

Холли думала о Кэролайн. Преодолела ли та свое чувство к Гриффу за годы, прошедшие после их романа, или просто перенесла на кого-то другого? Конечно, не на бесчувственного мужа. На кого-то, кто, вероятно, выслушал ее с пониманием, кто подставил плечо, поддержал. Кто восхищался ее беззащитной женственностью, кто умел оценить ее красоту и элегантность.

Вот, например, Кейн.

Но Холли не хотела спрашивать его прямо, не вполне ясно отдавая себе отчет почему. Может быть, потому, что трудно бороться с мертвой соперницей, может быть, потому, что боялась услышать в ответ, что Кейн любил Кэролайн. Холли понимала только одно: она совсем не знала Кэролайн.

«Да и понимал ли хоть кто-нибудь в их городе, что собой представляет Кэролайн Маккенна на самом деле», — вдруг подумала она.

* * *

Когда Гриффин подошел к Джоанне, она стояла, обеими руками крепко вцепившись в перила, и невидящими глазами смотрела куда-то за горизонт. Сильный холодный ветер трепал ее длинные светлые волосы и румянил щеки.

— Вы же не думаете, что эту девушку убил Кейн? — сдержанно спросила она.

— Очень бы удивился, — не стал спорить Гриффин. — Но, впрочем, я и без этого удивлен — оказывается, никому нельзя доверять. Он сказал, что в пятницу, когда Амбер без приглашения заявилась к нему в коттедж, там были вы.

Джоанна кивнула.

— Так оно и есть. Он, кстати, не флиртовал с ней, вел себя совершенно корректно. Стараясь не задеть ее чувств, делал все что мог, чтобы заставить ее ощутить себя маленькой, какой она, в сущности, и была.

— И что же он для этого предпринимал? — спросил Гриффин.

Джоанна посмотрела на него и слегка улыбнулась.

— Для этой цели мы с ним устроили политическую дискуссию. Бедное дитя явно не доросло до таких разговоров и вполне это прочувствовало.

— И вы уверены, что он устроил эту дискуссию именно для того, чтобы показать Амбер, что она слишком юна?

— Конечно. Для чего же еще?

Гриффин не позволил себе сорваться во второй раз за один день. К тому же он не вполне уверен в характере своих чувств по отношению к этой женщине. Но зато убедился теперь в том, что она кое о чем умолчала. Надо сказать, ему не давали покоя и те вопросы, которые он так и не задал Кейну и Холли. Но если дело касалось Джоанны, он уже не мог думать ни о чем другом.

Шериф с трудом заставил себя вернуться от этих туманных размышлений к вещам конкретным и имеющим значение.

— У Кейна нет алиби на эту ночь, — заявил он.

— У меня тоже, — возразила Джоанна. — И осмелюсь предположить, так же обстоит дело и с большинством жителей городка. Вы говорите, между одиннадцатью вечера и семью утра? Ночь была штормовая, — вероятно, почти все просто легли спать или коротали время с хорошей книжкой. Без всякого алиби.

— Понятно, понятно.

Гриффин смотрел на нее, прислонившись к перилам. Пейзаж Клиффсайда, от которого захватывает дух, был ему привычен, а ее облик — нет. Она была очаровательна. От взгляда на нее захватывало дух гораздо сильнее, чем от какого угодно пейзажа, и он постоянно отвлекался от того, о чем ему полагалось думать.

Не думай о ней. Не думай. Не сейчас. Еще рано.

— Может быть, ее и не столкнули, — предположила Джоанна. — Может быть, она сама бросилась в пропасть.

— Возможно. — Он сделал над собой усилие и сосредоточился на теме разговора. — Но... мне кажется, что для девушки такого типа, экстравертной, с завышенной самооценкой, это маловероятно. Она скорее сделала бы какую-нибудь гадость Холли — из ревности, или даже набросилась бы на Кейна, если бы тот ее впрямую отверг, но...

— Он ее не отвергал, — перебила его Джоанна. — Он из кожи лез, чтобы не дошло до таких крайностей. Кейн действовал более тонко — был с ней... дружелюбно-безразличен и вел себя так, словно просто не замечал, что она в него безумно влюблена.

— Вот это-то она и могла счесть невыносимым для себя.

— В последний раз, когда я ее видела, она была разочарована и чувствовала себя весьма неловко — но при этом совершенно не казалась ни подавленной, ни обезумевшей от ревности.

— В последний раз вы ее видели в пятницу?

Джоанна кивнула.

— В выходные все могло измениться, — пробормотал Гриффин. — И, должно быть, изменилось.

Я не верю, что она случайно упала с обрыва, так что или самоубийство, или ее столкнули. Самоубийство, пожалуй, более вероятно.

— Но в него вы тоже не верите. Почему? Только потому, что оно не соответствует ее психологическому типу?

Он подумал, потом вздохнул.

— Трудно быть до конца уверенным из-за дождя, и еще труднее будет доказать это суду, но я обнаружил почти неразличимые следы у края обрыва, там, где она упала.

— Какие следы?

— Следы, которые показывают, что их могли оставить два человека, причем один из них был гораздо тяжелее другого, а тот, что более легкий, — сопротивлялся. Вот так.

Перед мысленным взором Джоанны возникла картина: на краю обрыва две фигуры, вцепившиеся друг в друга под пронизывающим ветром и потоками дождя, освещенные вспышками молний. Она вздрогнула.

— Но это же бессмысленно! Она была совершенным ребенком, кому могло понадобиться ее убивать?

— Не знаю.

— Кто-нибудь рассказал хоть что-нибудь, дающее зацепку?

— Пока все твердят, что ничего не видели. Мои помощники будут опрашивать всех постояльцев отеля без исключения, но я сомневаюсь, что это что-то даст. Как вы сказали, ночь была штормовая.

— А кто ее нашел? — спросила Джоанна.

— Один из служащих отеля. Он собирался спус-

титься вниз, чтобы проверить пляж, — как он делает после каждого шторма.

— Так что это тоже ничего не дает.

Гриффин покачал головой.

Джоанна помолчала, глядя на него, и наконец решилась.

— Я не думаю, что это может как-то помочь, но... Помните, я вас спрашивала про человека, который погиб здесь раньше в этом году? Я думала, что это женщина, а вы сказали, что мужчина.

— Помню.

— Так вот, я думала, что это женщина, опять же из-за своего сна. — Она коротко изложила сон, не умея прочитать по непроницаемому лицу Гриффина, поверил он ей или нет, но резонно полагая, что вряд ли. За это время веры в сны у него не прибавилось. — Я считала, что этот сон тоже имеет отношение к Кэролайн. Может быть, она видела, как женщину толкают с обрыва; я даже предполагала, что этот темноволосый мужчина хотел убить ее как раз за то, что она это видела. Потом вы мне сказали, что погиб мужчина, а не женщина, и я уже не знала, что и думать. Но когда снизу подняли тело Амбер и я увидела прядь ее волос, вьющуюся за подъемником, я решила, что, может быть, это ее смерть я видела во сне. Ну, еще до того, как это произошло.

— Вещий сон? — Голос Гриффина выражал явное сомнение.

— Я понимаю, вы в это не верите. Но ведь, в конце концов, описано множество случаев, когда люди, перенесшие серьезную травму, особенно травму головы, обнаруживали впоследствии способность к экстрасенсорному восприятию — в той или иной форме. Может быть, и со мной это случилось? Может быть, удар током приоткрыл дверь в такую область моего мозга, о которой я раньше и не подозревала?

Он мог бы возразить, что на самом деле удар током на некоторое время прервал нормальное функционирование мозга, оставив взамен лишь смутные сны и бессознательные импульсы. Но не стал этого делать, а просто сказал:

— Я в жизни видел слишком много непонятных вещей, чтобы настаивать на том, что это невозможно. Но так или иначе, нам это, кажется, ничем не может помочь. Вы ведь во сне не увидели лица этого мужчины.

Джоанна поняла, что он ей не верит, но хорошо уже то, что хоть не издевается в открытую.

— Нет, не видела. Как только он стал поворачиваться лицом, я проснулась.

— Вы заметили в нем что-нибудь необычное?

Она изобразила улыбку.

— Он не был рыжим. Что снимает подозрения с Кейна.

— Но если шел дождь и вы находились достаточно далеко, то как вам удалось рассмотреть цвет его волос?

Улыбка исчезла с лица Джоанны.

— Дождя не было. То есть небо, конечно, было затянуто тучами, все было серым и мрачным, но дождь не шел и шторма тоже не было.

Гриффин наморщил лоб.

— Вероятно, смерть Амбер произошла за несколько часов до того, как нашли ее тело. Значит — она погибла до рассвета. А этой ночью тьма была кромешная, Джоанна.

Она опять задержала дыхание, набираясь храбрости.

— Ладно. В конце концов, я думаю, что мое видение — это не смерть Амбер. Представьте себе...

— Что?

— Представьте себе, что мне приснилось, как я сама лечу с этого обрыва, — сказала Джоанна, стараясь, чтобы голос звучал ровно и без лишнего драматизма.

Гриффин схватил ее за плечи.

— Нет! Даже если сны совершенно бессмысленны, Джоанна, их почти всегда следует трактовать символически. Что бы вам ни приснилось, это была не ваша собственная смерть.

— Вы говорите так уверенно. Откуда эта уверенность, если вы считаете, что сны вообще ничего не значат? — Она чувствовала, что голос выдает ее волнение.

Он слегка покачал головой.

— Я вовсе не утверждаю, что ваши сны ничего не значат. Может быть, и наоборот — откуда мне знать? В чем-то я сомневаюсь, это естественно. Но как бы то ни было, я абсолютно убежден, что никто не может увидеть во сне собственную смерть.

Ей хотелось спросить, почему он в этом так убежден, но момент для философской дискуссии был явно неподходящий. Проще и удобнее было согласиться.

— О'кей. Тогда как же трактовать этот сон?

— Вам действительно снилось, что девушку толкнули с обрыва?

— Нет. Сначала я видела только ее. Она наклонилась над пропастью, словно собираясь взлететь. Но потом на том месте, где только что была она, я увидела его, и, когда он стал поворачиваться ко мне, я почувствовала такой ужас...

— И подумали — во сне, — что он ее толкнул? Джоанна кивнула.

— Да, именно так. — Она слабо улыбнулась. — Но потом я решила, что вижу все это глазами Кэролайн. Ну то есть она видела все происходящее, все то, что мне приснилось.

Гриффин чуть сжал ее плечи, потом отпустил.

— Не знаю даже, во что легче поверить — в то, что вы видели сцену из прошлого глазами Кэролайн, или в то, что вам каким-то образом заранее приснилась смерть Амбер.

Постарайся поверить! На самом деле Джоанна не могла с чистой совестью на этом настаивать: она и сама пребывала в тяжких сомнениях. Но ей вдруг стало казаться, что расстояние между ними куда больше двух футов, которые их действительно разделяли.

— Может быть, — задумчиво произнесла она, — этот сон объясняется вот как: мне казалось, что за смертью Кэролайн скрывается что-то зловещее, я чувствовала, что от обрыва исходит смертельная опасность, и все эти страхи целыми ночами держали мой мозг в напряжении. Возможно, эта блондинка и была я — так же, как и наблюдатель тоже была я. А темноволосый мужчина на верху обрыва — возможно, это... это подсознательное проявление моего беспокойства. Это я почерпнула в «Психологии 101». — Она подавила нервный смешок.

Он серьезно посмотрел на нее.

— Вы стараетесь убедить меня — или себя?

— Может быть, обоих? — пожала плечами она. — Я твердо уверена только в том, что уже говорила вам раньше. В этом городе что-то не так, что-то не в порядке — и это связано с Кэролайн и ее гибелью. Я это знаю. Я это чувствую! Гриффин, вы должны согласиться, что если три человека падают с обрыва в течение нескольких месяцев...

— Три человека, по всей видимости, никак не связанные друг с другом, — перебил он. — И нет абсолютно никаких признаков того, что первые две смерти произошли не в результате несчастного случая.

— По видимости не связанные... — нахмурилась Джоанна. — Но если на самом деле связь существует и мы ее просто пока не нашли?

— Мы? Джоанна...

Не дав ему договорить, она стала выкладывать мысли, что с некоторых пор постоянно прокручивались у нее в голове.

— Что может быть общего у этих троих? Кроме того, что все они оказались в Клиффсайде. Мужчина, приезжий, лет тридцати, женщина, здешняя уроженка, двадцати девяти лет, и девушка восемнадцати лет, тоже не из Клиффсайда. Двое жили в гостинице, принадлежащей мужу третьей, — но гостиница-то в городе одна, так что это ничего не значит. Один погиб в начале июня, другая — первого июля, третья — в начале октября. Все трое упали с обрыва. Места здесь и вправду опасные. Двое сорвались вниз в двух сотнях ярдов друг от друга, вторая — за несколько миль отсюда.

Гриффин уже не спорил. Он методически продолжал:

— Кэролайн сидела в машине, когда погибла, а другие двое просто гуляли в горах. Один погиб около полудня, другая в половине первого дня, а третья ночью. — Он многозначительно помолчал. — Я пока не вижу связи.

— Ну, если бы связь была столь очевидна, вы бы увидели ее уже давно.

— Большое спасибо.

— Нет, вы понимаете, что я имею в виду.

Он вздохнул.

— Да. Послушайте, я просмотрел еще раз дело о первой смерти — я думаю, вы тоже этим делом интересовались. — Он не задал вопроса, но Джоанна кивнула. — Что ж, я не ошибся. Так вот, я не нашел там ничего необычного.

— И я не нашла, — согласилась Джоанна. — Но мне были доступны только газетные отчеты. Его вещи осмотрели?

— Фактически да; можно сказать, да. Его смерть не вызывала подозрений, и мы не делали обыск, но просто нужно было очистить номер. А почему вы спросили?

— Были там какие-либо доказательства того, что он действительно приехал отдыхать? Какие-нибудь удочки?

— Нет. Но пока вы скоропалительно не объявили этот факт подозрительным, позвольте вам напомнить, что некоторые в отпуске хотят просто отдохнуть, — я помню, его сестра сказала, что он отправился сюда после того, как закончил какую-то изнурительную деловую операцию.

Джоанна разочарованно вздохнула.

— Значит, его смерть была просто несчастным случаем. А Кэролайн слишком быстро ехала по скользкой дороге. А Амбер... а что Амбер? Если она не упала и не бросилась в пропасть, то...

— То, может быть — может быть! — подчеркнул Гриффин, — ее кто-то столкнул. Может быть, доктор Бекет обнаружит при вскрытии доказательства того, что она была убита. Может быть, нам удастся найти свидетеля. А может быть, и нет.

Он говорил устало, и Джоанна тоже вдруг устала спорить. Он действительно твердолобый реалист, и без свидетелей и вещественных доказательств его не убедишь, что несчастный случай тут ни при чем.

Гриффин слегка помассировал затылок.

— Я бы выпил кофе. А вы?

— Охотно.

Она оставила наконец в покое перила и пошла вслед за ним по газону к веранде. Они молча устроились за маленьким столиком под крышей и стали ждать своего кофе. Было прохладно, но вдалеке от обрыва и сильного ветра с океана казалось все же значительно уютнее.

— И что дальше? — спросила Джоанна, с наслаждением делая глоток горячего кофе.

Гриффин тоже отпил из своей чашки.

— Все то же: бесконечные опросы, результаты вскрытия. Словом, все, что нужно, чтобы как можно подробнее восстановить картину того, что случилось с Амбер.

Джоанна, и не спрашивая, знала, что он сосредоточит свое расследование вокруг фигуры жертвы. Для большинства полицейских в смерти, даже в убийстве, нет ничего сложного. Чаще всего и на самом деле так. Запланированное убийство случается редко, гораздо чаще — убийство в состоянии аффекта, внезапное, под наплывом чувств. Гриффин предположил, что Амбер довела кого-то до состояния ярости, и теперь будет искать этому подтверждения. А отнюдь не проверять, связано ли это дело с гибелью Кэролайн и того мужчины — шериф не считает эти смерти взаимосвязанными.

Джоанна не формулировала этого раньше, но у нее было такое чувство — возможно, бессознательное, — что эти три смерти чем-то объединены. Амбер погибла, потому что погибла Кэролайн, а Кэролайн — потому что погиб мужчина по имени Роберт Батлер. Это звенья единого замысла, которого она пока не понимала. И если узнать, в чем настоящая причина хотя бы одной из этих смертей, то получишь ключ к остальным.

А еще у нее было чувство, что лучше держать все это при себе, по крайней мере пока. Гриффин ей не верит — его не убедишь «чувствами» и снами, даже если они предсказывают убийство. Ему нужно нечто более материальное, нечто такое, что он мог бы взять в руки и сказать: «Да, это факт».

— Джоанна?

Она чуть вздрогнула и посмотрела на него.

— Где вы витаете?

— О, просто задумалась. — Она невольно вспомнила привычку Амбер к месту и не к месту говорить «О» и вдруг устыдилась, поймав себя на том, что смотрит на губы Гриффина. Она немедленно уставилась в свою чашку. Что это с ней творится? Даже если бы она искала себе любовника — а у нее, безусловно, другие цели и задачи, — он последний человек в этом мире, которого она бы выбрала. Не говоря о том, что он ей не доверяет, у нее своя жизнь и работа за три тысячи миль отсюда. Через неделю-другую она вернется домой. Одна.

И потом, Кэролайн. То есть призрак Кэролайн.

Гриффин знал ее долгие годы, и в последний день своей жизни она хотела с ним встретиться. Зачем? Может быть, она хотела доверить ему свои опасения, а может быть, встреча задумывалась скорее личная, а то и интимного свойства?

Вздрогнув, Джоанна напомнила себе, что об этом она знает только со слов Гриффина. Это он сказал, что Кэролайн просила его о встрече; он сказал, что был занят и не пошел на рандеву; он сказал, что у них не было романа; он сказал, что не любил чужую жену.

И это его рапорт удостоверял, что ее смерть — несчастный случай.

Гриффин подался к ней. Его низкий голос обрел вдруг прямо-таки полицейскую непререкаемость.

— Послушайте. Вы не занимаетесь этим расследованием.

— Разве я говорю вслух? — Она подняла глаза и поняла, что проговорилась; лицо его было так же сурово, как и голос. Она снова вздрогнула, и снова — отнюдь не от холода. Ей не хотелось так думать, не хотелось, но все же что, если Гриффин предостерегает ее, потому что не хочет, чтобы открылась правда?

— Вы можете не говорить, у вас и так все на лице написано. — Его голос опять посуровел. — Джоанна, мы предположили, что совершено убийство. А это значит, что где-то в городе находится очень опасный преступник, и я не хочу, чтобы вы его искали.

Джоанна медлила с ответом, но, как только глаза его сузились, с готовностью кивнула.

— Я понимаю. — Он продолжал смотреть строго. — Послушайте, я же не дура и вовсе не одержима стремлением к скорой смерти. Поверьте, у меня нет никакого желания столкнуться с убийцей, — добавила Джоанна для большей убедительности.

Гриффин с облегчением вздохнул. Теперь он был доволен.

— Вот и хорошо.

— Но я надеюсь, вы будете держать меня в курсе всего, что происходит, пока ведется расследование, — с надеждой сказала она.

Он криво улыбнулся.

— Это маленький городок, вы не забыли? Все будут знать, что происходит в ходе расследования.

— Но ведь не все будут знать, что происходит у вас в голове. — Она старалась, чтобы голос звучал нейтрально. — А мне кажется, что все самые важные события будут происходить именно там.

Ты встретился с ней в тот день, Гриффин? Не от тебя ли она пыталась убежать, когда ее машина рухнула с обрыва?

Он слегка приподнял чашку кофе в знак того, что понял сказанное Джоанной.

— Что там может случиться важного, если только я не сойду с ума? — отшутился он, допил кофе и встал. — До свидания, Джоанна.

— До свидания.

Она смотрела ему вслед, пока он не скрылся в гостинице, потом повернулась к морю. Нет, она, безусловно, не одержима тягой к смерти, она уже побывала на ее пороге. И даже несколько задержалась там. Больше ее туда не тянет. Но она не может спокойно сидеть и ждать, пока кто-то другой разгадает загадку, из-за которой она оказалась здесь. Особенно если у нее есть некоторые сомнения относительно шерифа Клиффсайда.

Но в то же время у нее нет намерения попусту сердить Гриффина, вмешиваясь в ход его расследования смерти Амбер. Она останется в стороне от этого дела, по крайней мере пока. Она сделает все возможное, чтобы ему не мешать. Но и не будет сидеть без дела. Она сконцентрирует усилия на тех двух «несчастных случаях», на двух делах, которые Гриффин закрыл: на смерти Роберта Батлера и на смерти Кэролайн Маккенна.

«Расследовать смерть Батлера будет, пожалуй, труднее, — думала она, — потому что он не отсюда, и вся информация о нем и его возможных связях со Скоттом, к примеру, отыщется скорее всего в Сан-Франциско, то есть там, где он жил».

Джоанна еще не готова была ехать в Сан-Франциско и не собиралась получить интересующие ее сведения по телефону.

Остается Кэролайн.

Джоанна не уставала удивляться. Что бы ни случилось, все время казалось, что так или иначе, но все дороги ведут к Кэролайн. *Или у меня в голове умещается только одна мысль, или...* Или что? Указующий перст судьбы?

Судьбы... или самой Кэролайн.

* * *

Когда Джоанна закончила завтрак, погода уже значительно улучшилась: светило солнце, и столбик термометра медленно, но неуклонно полз вверх. Чего нельзя было сказать о ее настроении. Смерть Амбер еще усилила всегдашнее напряжение — Джоанну уже непрестанно мучило чувство, что нужно что-то делать и нельзя ждать ни минуты.

Тик-так. Тик-так. Тик-так.

Это тиканье, звучащее у нее в ушах, гнало ее прочь из отеля, заставляя спешить, спешить, спешить... Она с трудом удерживалась от того, чтобы не пуститься к своей машине бегом. И только лишь преследующее ее воспоминание о том, что может случиться с машиной, едущей на большой скорости по серпантину прибрежного шоссе, заставляло ее сбрасывать газ, когда она выехала с территории «Гостиницы».

Я должна понять, что здесь происходит! Я должна это понять, иначе я сойду с ума!

Она собралась осмотреть старую конюшню у прибрежного шоссе, где Кэролайн хотела встретиться с Гриффином — за несколько минут до того, как ее машина упала с обрыва. Джоанну вели туда сомнения относительно шерифа и его отношений с Кэролайн и удивление, почему для встречи с ним было выбрано такое странное место. Старая конюшня. Как-то не вязалось это с ее представлением о Кэролайн — рассматривать заброшенную придорожную конюшню как место, пригодное для чего бы то ни было. Особенно для встречи с мужчиной.

Это вносило некий диссонанс в облик, сложившийся в сознании Джоанны, и Джоанна, следуя своей интуиции, решила продолжать выяснять обстоятельства жизни Кэролайн, обстоятельства странные и вызывающие недоумение.

Джоанна ни у кого не стала спрашивать дорогу — она просто поехала по прибрежному шоссе к Портленду, внимательно глядя вокруг, рассчитывая легко найти старую конюшню; так и вышло. Не больше чем в миле от места гибели Кэролайн, совсем рядом с шоссе, она увидела разваливающееся, явно неиспользуемое здание.

Джоанна свернула с дороги, остановила машину у конюшни и несколько минут прислушивалась и оглядывалась, изучая местность. Похоже, место было пустынным, кроме того, здесь царила непривычная уху горожанина тишина — если не считать шума прибоя. «В этом месте едва ли встретишь случайного прохожего», — первое, что подумала Джоанна. Обойдя конюшню вокруг, она обнаружила у задней стены идеальное место для парковки машины или даже двух, при этом совершенно не видно с шоссе. Может быть, это излюбленное место свиданий влюбленных подростков?

Может быть. С тех пор, как она была подростком, все так изменилось.

Покосившаяся дверь открылась легко. Джоанна вошла. Конюшня использовалась как сенной сарай: стойла были доверху забиты сеном, и лишь в середине было небольшое относительно свободное пространство. В воздухе стоял густой сладкий запах сена, и было сухо.

Вспомнив, как в детстве в сенных сараях они любили устраивать в сене маленькие комнатки, Джоанна решила осмотреться получше. И нашла! Вход был замаскирован, и стойло было выбрано явно не случайно: короткий «коридор» привел ее в задний угол конюшни, там и находилась маленькая квадратная «комнатка», которая служила местом не одного тайного свидания.

Здесь было сумрачно, почти темно, слабый свет проникал только сквозь щели ветхих досок наружной стены. На полу — толстый слой мягкого сена. Оно отлично заменяло более привычное в таких ситуациях ложе; на высокой полке Джоанна увидела аккуратно сложенный роскошный плед. Рядом стояла коробка из-под туфель с большим пакетом увлажняющих салфеток и коллекцией разнообразных презервативов.

— Все новейшие достижения налицо, — негромко пробормотала она. Не то чтоб безумно романтично, зато — удобство и здоровый практицизм.

На первый взгляд это действительно был тайный приют любви подростков, но дорогой плед как-то не вписывался в общую картину, вселив в душу Джоанны некоторые сомнения. Она попыталась представить себе, как какой-нибудь мальчик или девочка взяли его из дома, — но это не такая вещь, пропажи которой могут не заметить в домах среднего достатка, и зачем вызывать подозрения? Проще купить какое-нибудь дешевое одеяло.

«Всякое бывает, — шептал ей внутренний голос, — но все-таки маловероятно, чтобы какая-нибудь шестнадцатилетняя Сьюзи полезла в мамину кладовку за этим шикарным пледом, потому что сено слишком колючее для ее нежной попочки».

Маловероятно.

Зато изнеженная и хрупкая женщина постарше, типа Кэролайн, уж конечно, позаботилась о своем комфорте, если бы это было ее место для свиданий. А также о минимальной гигиене, о защитных средствах и о том, чтобы нашлось, чем стереть доказательства пылкой страсти, оставленные любовником. Чтобы муж ничего не заподозрил.

И она вполне могла в тот теплый июльский день назначить здесь этому любовнику свидание. Свидание, которое почему-то не заладилось...

Такая возможность показалась Джоанне более

чем ужасной; все внутри ее застыло от боли. Она, конечно, не знала точно, с кем встречалась здесь Кэролайн, но Гриффин сам сказал, что она просила его встретиться с ним здесь в тот день, когда погибла; Джоанне казалось, что женщина вряд ли станет приглашать мужчину в свое тайное пристанище, если это место ему не знакомо. Скорее всего, он бывал здесь раньше.

Она оставила плед и коробку на своих местах и еще разок огляделась. На душе было тягостно, но что-то мешало ей немедленно уйти из этой маленькой неприятной комнатки. Она стояла и зачем-то смотрела под ноги, на толстую подстилку из сена. Что заставило ее начать разбрасывать сено носком туфли? Через некоторое время она поняла, что, сама того не желая, сосредоточенно ищет... Что?..

Не успела она как следует осознать свои действия, как под ногами у нее блеснуло что-то металлическое. Джоанна опустилась на колени — это было ожерелье: изящная золотая цепочка с маленькой подвеской в форме сердца. Она подняла ожерелье с земли, в полумраке стараясь прочесть, что выгравировано на сердечке. Луч света упал на ожерелье, и в глаза Джоанне прыгнули слова: «Я люблю тебя». Она перевернула сердечко. Всего два слова — в качестве подписи.

«С любовью, Риген».

Глава 8

— Ну что, док?

Доктор Питер Бекет отодвинул стул, на котором сидел, как можно дальше от стола — насколько позволяли размеры клетушки, которую он использовал в качестве кабинета, когда обстоятельства вынуждали его работать в морге клиники. Затем прижал ладони к щекам — этот жест свидетельствовал о страшной усталости — и уставился на Гриффина, заполнившего собой дверной проем.

— Мы привезли ее всего часа два назад, я еще ничего толком не успел, Грифф.

— Это понятно. Но ты ведь сделал предварительный осмотр, да?

— Да.

— Ну? — нетерпеливо спросил Гриффин.

— Куда ты так торопишься? — спросил Бекет, устало глядя на него. — Черт возьми, да она была совсем ребенок, и мне так же жаль ее и так же не по себе, как и всем остальным, но почему ты придаешь этому случаю такое значение?

— Такая у меня работа. На двери моего кабинета на начищенной медной звезде значится: ШЕРИФ. И то же самое записано в моем контракте. Добрые граждане Клиффсайда платят мне за то, что я занимаюсь такими случаями, когда туристы летят и разбиваются о скалы.

Бекет подождал, пока он закончит, и повторил свой вопрос:

— Грифф, почему ты придаешь этому случаю такое значение? — Бекет был человек настойчивый и привык получать исчерпывающие ответы.

Гриффин, прислонившись плечом к притолоке, беззвучно выругался и вздохнул.

— Потому что у меня есть неприятное чувство, что этому ребенку помогли упасть с обрыва. Докажи, что я ошибаюсь. Пожалуйста.

— А я-то думал, утром ты задал мне этот вопрос просто автоматически, — медленно проговорил Бекет. — Что ты увидел там такого, чего не видел я?

— Трава была истоптана и взрыта, вот что.

— Этого же недостаточно. Ты должен понимать, что не можешь выдвинуть обвинение в убийстве, основываясь на такой эфемерности.

Гриффин неохотно раскрывал свои карты, даже если перед ним был коллега и друг, — такова была его натура. Да и требования к его профессии не поощряли излишнюю откровенность. Так что он предпочел пожать плечами и ответил весьма уклончиво:

— Я пока и не предполагаю умышленного преступления. Это скорее несчастный случай, может быть, ссора, в пылу которой девочку случайно толкнули... Мне просто нужно понять, не следует ли изменить круг вопросов, вот и все.

Чуть помедлив, Бекет тихо фыркнул.

— Да, конечно. Причем так срочно, что ты даже не можешь дождаться, когда я сделаю вскрытие. — Он махнул рукой, отметая все, что Гриффин мог бы сказать в ответ. — Неважно. У меня достаточно своих проблем, можешь не грузить меня твоими. Значит, так: предварительный осмотр не выявил ничего определенного. Несколько кровоподтеков на запястье могут указывать на то, что перед смертью кто-то грубо схватил ее за руку; еще есть кровоподтеки на плече, происхождения которых я не могу объяснить. Но ничего дающего основания сказать с уверенностью, что прошлой ночью она была там не одна. Я полагаю, что вскрытие подтвердит смерть от ушибов при падении.

— Ты можешь сказать, были ли у нее перед смертью половые сношения?

— Но она же была полностью одета, — напомнил Бекет.

— Я знаю. Но ты можешь сказать, занималась ли она любовью за несколько часов до смерти?

Бекет пожал плечами.

— Возможно. А если занималась и ее партнер не пользовался презервативом, то смогу точно. Ты подозреваешь изнасилование?

— Да, в общем, нет. Но если ты найдешь подтверждение этому...

— То ты будешь вторым, кто об этом узнает.

— Спасибо, док.

— Так что иди пока, ладно? Сегодня к концу дня у тебя будет полный отчет — кроме токсического анализа.

— А токсический анализ...

— Через несколько дней, Грифф. Иди, а?

Гриффин вышел. Он предпочел не пользоваться задними дверями морга, к которым доставлялись трупы тех, кто умер за пределами клиники; даже в маленьком городке смерти от болезни или от несчастных случаев происходили регулярно, и было в этих больших невыразительных двойных дверях нечто изначально мрачное. Он поднялся по лестнице и вышел из дверей клиники, помахав рукой в знак приветствия дежурной сестре за конторкой.

Он не сразу сел в машину — постоял, вдыхая холодный утренний воздух и оглядываясь, — профессиональная наблюдательность полицейского срабатывала автоматически. Клиника располагалась за Главной улицей, в квартале от библиотеки, и сама занимала целый квартал. А сбоку и чуть позади начинался участок земли, который Кэролайн завещала клинике для строительства нового крыла. Скотт, не теряя времени, уже начал приводить в исполнение последнюю волю жены: участок вовсю расчищали.

Не вдумываясь, Гриффин автоматически отметил, что бульдозеры уже закончили свою часть работы. Затем шериф сел в «Блейзер» и поехал на работу.

Утро выдалось просто адское; его не покидало тягостное чувство, с которым он ничего не мог поделать. Когда он увидел светлые волосы, струящиеся со скалы, его словно ударили в солнечное сплетение — в первый, самый страшный момент он подумал, что это Джоанна. Узнав, что это не она, он странно оцепенел; ему необходимо было ее увидеть, коснуться, поговорить с ней. Только когда она появилась перед ним, он окончательно уверился, что она жива, цела и невредима, и паралич стал потихоньку проходить.

Но тягостное чувство осталось. Со спины Амбер действительно легко было принять за Джоанну, особенно в ночной темноте. Наверное, и ее крики приняли бы за крики Джоанны — если Амбер кричала в последние секунды своей жизни. Ведь в предсмертном крике не может быть индивидуальности, неповторимости — ни тягучего акцента, ни выразительности, ни музыкальности — только ужас, один только ужас.

«Хуже чрезмерно живого воображения, — мрачно подумал Гриффин, — может быть только воображение, основанное на точном знании и опыте». Смерть Амбер была насильственной; вероятнее всего, ее перепутали с Джоанной; Гриффину это было ясно, как божий день.

Один из недостатков профессии полицейского — неумение подсластить пилюлю. Он часто задумывался, какими качествами ума и души нужно обладать, чтобы добровольно выбрать постоянную подозрительность, чтобы обречь себя на то, с чем подавляющему большинству людей удается не сталкиваться никогда. Например, зрелище изуродованных трупов. Как становятся полицейскими?

Он знал ответ — для себя. Он мог совершенно точно сказать, где и когда впервые в жизни у него возникло желание стать полицейским. Его толкнуло на этот путь, не обещавший быть легким, то лето, которое он не забудет до конца своей жизни. Тогда он научился ненавидеть зло, не доверять ничему и никому, с подозрением относиться к непонятным вещам и не любить вопросов без ответа. То лето превратило его в полицейского, хотя ему было всего пятнадцать.

Он с усилием отогнал навязчивые воспоминания и заставил себя сосредоточиться на том, что должен сделать здесь и сейчас. Первый шаг — это, разумеется, сбор информации, всей возможной информации. Затем — разобравшись в ней, проанализировать каждую минуту, каждую подробность жизни и смерти Амбер Уэйд.

Когда Гриффин просил Бекета проверить, предшествовали ли смерти сексуальные контакты, это был не более чем выстрел в темноту. Он не верил, что Кейн имел с ней связь. А Амбер была слишком в него влюблена, чтобы отдаться другому мужчине. Изнасилование тоже казалось маловероятным, не в последнюю очередь потому, что насильники, как правило, потом не одевают своих жертв. Хотя, конечно, на нее могли напасть, изнасиловать и убить, а потом одеть и сбросить на скалы, чтобы представить ее смерть как несчастный случай. Однако, учитывая погоду, это очень маловероятно.

Но даже если у нее и были этой ночью сексуальные контакты, что это дает следствию? Предположим, можно будет выяснить группу крови ее партнера по семени, оставшемуся в теле, — ну и что? Что это даст, если у него даже подозреваемых нет?

Погруженный в мрачные размышления, Гриффин поставил «Блейзер» на его обычное место возле Отдела шерифа и вошел в здание. У дверей кабинета его ждала Гвен Тейлор, одна из его заместительниц; она прошла вслед за ним со своим всегдашним скорбным выражением лица.

— Вот рапорты, босс, просмотрите, если хотите.

— Что-нибудь есть? — спросил он, вешая куртку в шкаф.

Она покачала головой.

— Это было бы слишком просто. Марк и Миген, конечно, прочесали всю «Гостиницу» вдоль и поперек, стучали во все двери, интересовались, не видел ли кто эту девушку вечером или ночью, но, учитывая погоду...

— Понятно. — Гриффин взял у нее рапорты и сел за стол. — А Нил нашел что-нибудь на пляже?

— Ничего. Если там что и было, прилив все смыл.

— Ладно. Спасибо, Гвен.

Она подошла было к двери, но остановилась и обернулась.

— Да, босс. Мистер Уэйд спрашивает, когда они смогут забрать тело дочери и уехать домой.

У Гриффина перехватило горло, он не сразу смог ответить. Естественная реакция родственников — сколько раз уже он видел это! Хочется поскорее уехать от места, где смерть и ужас, вернуться домой — и, бог даст, все это окажется лишь страшным сном. Гриффин попытался представить себе, каково родителям, чей ребенок умер насильственной смертью. Ему стало почти физически больно. «Это невозможно себе представить, — мрачно подумал он, — никому не пожелаешь пережить такое. А потом еще узнать, что над телом надругались еще раз, при вскрытии...»

— Скажи там, чтобы отвечали как можно неопределеннее: им незачем знать, что мы ждем результатов вскрытия. Пусть говорят, что мы расследуем обстоятельства смерти их дочери и делаем все возможное, чтобы закончить как можно быстрее.

— А если они этим не удовлетворятся?

— Тогда я сам с ними поговорю. — Он этого не хотел. Боже, как он этого не хотел. Ему нечего было сказать им — он не знал таких слов, которые могли бы облегчить их боль. Да и никто не знал.

Гвен кивнула и молча вышла.

Гриффин некоторое время смотрел ей вслед, не спеша приступать к чтению рапортов, более чем бесполезному: у него опытные, хорошо обученные помощники, и, если они не заметили ничего важного, у него не было оснований им не доверять. Он, конечно, просмотрит эти рапорты, но это, несомненно, будет пустая трата времени.

Его не покидало ощущение, что в расследовании смерти Амбер он идет по неверному пути. Может быть, Джоанна права? Может быть, смерть этой девушки каким-то образом связана со смертью другого туриста, случившейся полгода назад, и со смертью Кэролайн?

Все в нем — и опыт, и интуиция — сопротивлялись этой мысли. Никаких доказательств в ее пользу покуда не было. Они, правда, едва начали работать с Сан-Франциско, собирая информацию о Роберте Батлере и деловой активности Скотта Маккенны, но пока ничего интересного не обнаружили. И как все это может быть связано с Амбер, Гриффин не мог себе представить.

Кроме того, что все они погибли, упав с обрыва, абсолютно ничего не могло объединять этих совершенно разных людей. Но уверенность Джоанны передалась ему — пусть она и была основана на таких неуловимых вещах, как ее сны.

Конечно, как правило, простейший ответ — самый верный. Но что, если на этот раз ответ сложен? Что, если эти три смерти действительно взаимосвязаны, и связи между ними так загадочны и запутаны, что могут промелькнуть лишь в вывернутой реальности сна?

Что, если Джоанна владеет ключом к этим трем смертям?

А если кто-то еще знает это?

* * *

В середине дня Джоанна вышла из ювелирного магазина Ландерса и направилась к библиотеке, где стояла ее машина, как вдруг увидела на другой стороне улицы Гриффина и Скотта Маккенну. Инстинктивно, не успев подумать, зачем она это делает, Джоанна перешла улицу, посмотрев сначала налево, потом направо, и пошла к ним.

Приближаясь, она подумала, что, будучи примерно одного роста и сложения, они являют собою резкий контраст. В облике Скотта было что-то кошачье — элегантность, холодная красота, чуть высокомерная и отстраненная манера поведения, присущая кошкам. Он был в темном костюме без единого оживляющего цветного пятна; лицо совершенно непроницаемо.

Гриффин, как обычно в темных слаксах и светлой рубашке под неизменной ветровкой, казался грубоватым, более сильным и, несмотря на замкнутое и суровое выражение лица, куда более живым, чем Скотт, — словно при всем своем желании не мог вполне скрыть и сдержать переполняющие его жизненные силы.

Они явно не любили друг друга. Более того, похоже, Скотт ненавидит Гриффина, — Джоанна почувствовала это тотчас. Ледяной холодностью веяло от Скотта, но говорил он, по-видимому, отвечая на вопросы Гриффина, совершенно спокойно и даже любезно.

— Вы должны простить меня, шериф, если я не смогу вспомнить этот день — все-таки более четырех месяцев назад. Это было... трудное для меня время.

— Батлер погиб через несколько дней после того, как я увидел вас беседующими в городе, — сказал Гриффин, игнорируя намек на смерть Кэролайн. Но голос выдавал его внутреннее напряжение. — Мне подумалось, что вы могли его запомнить.

— Боюсь, что нет. К сожалению. — Скотт тонко улыбнулся. — Полагаю, он просто спросил, который час.

Гриффин выразительно посмотрел на левое запястье Скотта.

— У вас ведь «Роллекс»?

— Да.

Теперь пришла очередь Гриффину тонко улыбнуться.

— У Батлера тоже был «Роллекс». И судя по тому, что кожа на руке под часами не загорела, он носил его не снимая.

Стоя меньше чем в трех футах от них, Джоанна наблюдала за этой стычкой, даже не пытаясь скрыть свой интерес. Мужчины видели ее, но их внимание было слишком поглощено друг другом.

— Может быть, они отставали или спешили, — пожал плечами Скотт. — Или, может быть, он спросил, где здесь можно выпить хорошего кофе. В то время в городе было так много туристов — разве вспомнишь, что мне сказал или не сказал один из них. Но я не понимаю, почему вы спрашиваете меня об этом сейчас. У меня сложилось впечатление, что это дело закрыто.

— Может быть, я закрыл его слишком рано, — сказал Гриффин.

Скотт снова пожал плечами.

— Тогда, конечно, если остались какие-то неясности, вы обязаны возобновить расследование. Но, к сожалению, я ничем не могу вам помочь. Я не помню этого человека.

Чуть подумав, Гриффин кивнул.

— Хорошо. Но в городе произошла еще одна смерть. Еще один «несчастный случай». Скажите, пожалуйста, где вы были этой ночью?

Скотт чуть приподнял бровь, но в остальном его лицо осталось непроницаемым.

— Дома, естественно.

— Один?

Сначала Джоанне показалось, что Скотт не станет отвечать на этот вопрос. Но он ответил, хотя и куда менее любезным тоном, чем раньше.

— Со мной были Дилан и Лисса, но после девяти подтвердить мое алиби некому, если вы это имеете в виду. Экономка на ночь уходит.

Он ни словом не упомянул о дочери, но Джоанна решила, что Риген к этому времени, видимо, уже легла спать, и Скотт не счел нужным объяснять это. А он между тем продолжал:

— Конечно, я слышал об этой девушке. Мне очень жаль ее — но я ее не знал. По-моему, я даже не видел ее ни разу. Вы удовлетворены, шериф?

— Пока да, — ответил Гриффин.

— Тогда, с вашего разрешения, я пойду.

Скотт, проходя мимо Джоанны, кольнул ее холодным взглядом серых глаз, слегка кивнул и неохотно поздоровался. Не замедляя шага, он свернул за угол — по-видимому, там стояла его машина — и исчез из поля их зрения.

— Вы знакомы? — чуть резко спросил Гриффин. Джоанна заметила, что он бессознательно разминает плечи, как это делают мужчины, когда можно уже расслабиться после долгого напряжения и больше не держать себя в руках из последних сил.

Джоанна шагнула к нему и прислонилась к перилам.

— Шапочно. Позавчера встретились у беседки Кэролайн, когда я разговаривала там с Риген. И кажется, со мной он был куда менее холоден, чем сейчас при вашей короткой встрече.

Гриффин чуть поморщился.

— Неужели это настолько заметно?

— Да нет, вовсе нет. Но двадцатифутовый плакат

с гигантскими буквами: МЫ НЕНАВИДИМ ДРУГ ДРУГА, пожалуй, был бы менее выразителен.

— Надеюсь, вы преувеличиваете.

— Ну... разве что чуть-чуть. Но это достаточно очевидно. Почему же, как вы думаете, я так поспешила к вам? У меня возникло такое чувство, что вы вот-вот начнете драку. Скажите, кто кого ненавидит сильнее — он вас или вы его?

— Что за вопрос?

— Вопрос риторический. Позвольте мне самой на него ответить. Мне кажется, если Скотту Маккенне вдруг захочется кого-нибудь прикончить, то именно вы будете возглавлять список. А вы ненавидите его в основном по той причине, что он ненавидит вас.

— Согласитесь, трудновато хорошо относиться к человеку, который тебя ненавидит, — усмехнулся Гриффин.

— А за что он вас ненавидит?

— Честно говоря, не знаю.

— Не знаете? — В голосе Джоанны явственно слышалось сомнение.

— Нет, — твердо сказал Гриффин, и это прозвучало так, что она не смогла ему не поверить, хотя бы на минуту. А минута прошла быстро. — Но если уж совсем откровенно, предположим, он вдруг захотел бы со мной дружить, думаю, я бы отказался.

— Почему?

Гриффин пожалел, что не удержался от последнего замечания.

— Неважно. Просто психологическая несовместимость, наверное. Как я понял, вы слышали, что Скотт отрицает какую-либо связь и даже просто знакомство с Батлером и утверждает, что всю вчерашнюю ночь провел дома один. И сомневаюсь, что мне удастся это опровергнуть, даже если я очень захочу.

— А вы не хотите?

Гриффин покачал головой.

— Не говоря уж о том, что я просто не представляю себе, как Скотт мог оказаться за «Гостиницей» этой штормовой октябрьской ночью, и не вижу никаких причин, зачем бы ему убивать эту восемнадцатилетнюю девчушку — нет даже самого слабого намека на какую-либо связь между ним и Амбер.

Джоанна не удивилась. Если какая-либо связь и существует, то, полагала она, отнюдь не прямая и не очевидная.

— Вы, вероятно, правы, — сказала она и задумчиво добавила: — Но мне кажется, сейчас вы больше, чем утром, склоняетесь к тому, что смерть Амбер — не просто несчастный случай. Да?

— Нет. Вскрытие показало, что смерть произошла вследствие ушибов, полученных при падении. Через несколько дней мы получим лабораторный анализ содержания в крови алкоголя или наркотиков, но врач утверждает, что на этот счет я могу успокоиться.

Джоанна чуть нахмурилась.

— Но почему тогда вы так настойчиво выспрашивали Скотта Маккенну, где он был прошлой ночью?

— Это часть стандартной процедуры расследования.

Она удивленно посмотрела на него.

— Да? Вы всегда спрашиваете совершенно не имеющих отношения к жертве людей, есть ли у них алиби?

— Я все же допускаю существование слабой вероятности, что сама Амбер или ее смерть может быть связана каким-то образом с предыдущей жертвой. А вот тут уже вопросы к мистеру Маккенне вполне уместны.

— Слабая вероятность? Я полагаю, сны и предчувствия подпадают под эту рубрику.

Гриффин не склонен был слишком заострять внимание на том, что он действительно ищет доказательств связей Батлера с Клиффсайдом — в частности, со Скоттом Маккенной. По крайней мере, пока он их не обнаружит. Поэтому он не стал ничего конкретизировать.

— Ну, знаете ли, такие вещи выходят за рамки обычной работы полиции.

— Да. — Джоанна нахмурилась, решая, стоит ли предлагать следующую тему для обсуждения.

— О чем вы думаете, Джоанна?

Она оглянулась и вздохнула. Прелестный, мирный городок Клиффсайд, редкие прохожие идут по тротуару, прохладный октябрьский день. Но что происходит за этой благостной видимостью, не замечаемое даже зоркими клиффсайдскими сплетниками? С каждым днем в ней крепла уверенность, что за благостной видимостью происходит много чего малоприятного и неафишируемого. Этот городок имеет свои тайны. Тайны, которые, без сомнения, надежно сохраняются. И что произойдет, если вдруг какая-нибудь из этих тщательно хранимых тайн окажется раскрытой?

Особенно не тем, кем надо.

Было бы логично задавать вопросы именно тебе, Гриффин. Но что, если некоторые тайны этого городка — твои тайны? Что, если тебе нельзя доверять?

Однако был ли у нее выбор?

Пошарив в кармане фланелевой рубашки, которую она носила вместо куртки, Джоанна вытащила ожерелье, найденное в старой конюшне.

— Узнаете?

Он некоторое время смотрел на сердечко, затем взял вещицу из рук Джоанны и поднес поближе к глазам, чтобы прочесть надпись.

— Это ожерелье Кэролайн. Она часто надевала его, — ответил он совершенно бесстрастно.

Джоанна, не сводя глаз с его непроницаемого лица, постаралась говорить с тем же холодным спокойствием.

— Ага. Как рассказал мистер Ландерс из ювелирного магазина, пару лет назад Кэролайн купила одно такое к дню рождения Риген и сделала соответствующую надпись. Затем, когда настало время праздновать день рождения Кэролайн, то уже Риген пришла в магазин, высыпала на прилавок горсть медяков и попросила, чтобы точно такое же сердечко надписали для Кэролайн. Мистер Ландерс поклонился, с серьезным лицом принял что-то около трех долларов мелочью, а на недостающую сумму выписал счет, прекрасно зная, что или Скотт, или Кэролайн потом непременно оплатят его. Что Кэролайн, конечно, и сделала.

— Да, эта история широко известна в городе. И что?

Джоанна взяла у него украшение и стала безотчетно наматывать цепочку на палец.

— Когда вы в последний раз видели это ожерелье на Кэролайн?

— Разве я помню...

— Вспомните, вы ведь полицейский. Вы должны замечать мельчайшие детали. Так когда?

— Почему это вас так интересует?

— Сначала ответьте, пожалуйста, на вопрос, Гриффин.

Засунув руки в карманы куртки, он некоторое время смотрел куда-то мимо нее невидящим, обращенным внутрь себя взглядом, сосредоточенно вспоминая.

— Это было... ну да. Ну да, я вспомнил, это было в пасхальное воскресенье. Я видел их с Риген в городе, наряженных, чтобы идти в церковь, и на обеих были такие ожерелья с сердечком.

— А с тех пор вы его больше не видели на Кэролайн?

— Нет. А почему вы спрашиваете, Джоанна? И где вы его взяли?

— Нашла.

Она посмотрела на золотое сердечко. Значит, Кэролайн еще носила его в начале апреля, а потеряла, вероятно, между Пасхой и первым июля — днем своей смерти. Значит, в течение этих трех месяцев она бывала в тайной комнатке в старой конюшне — месте любовных свиданий.

— Где?

Джоанна положила ожерелье в карман.

— Я отдам его Риген, когда увижу ее в следующий раз. Оно должно остаться у нее.

— Джоанна, где вы нашли это ожерелье?

Она смотрела в его насупленное лицо и думала, как бы она хотела поверить в то, что он не был любовником Кэролайн. Насколько все было бы проще, если бы она окончательно могла в это поверить.

Если бы она могла доверять ему. Но сомнения не оставляли ее. Ведь в день своей гибели Кэролайн назначила ему встречу в этой конюшне, во всяком случае так он сказал.

Внимательно следя за его реакцией, она наконец ответила:

— Я нашла его в старой конюшне. Там в заднем углу есть маленькая замаскированная комнатка. Вы знали об этом?

— Я не был в этом месте с тех пор, как позапрошлым летом детишки загнали туда отвязавшуюся лошадь, — сказал он. Ничто в его лице не вызывало подозрений. — Комнатка?

Даже если допустить, что он говорил правду, Джоанна все равно не могла понять, почему он не проверил эту конюшню в ходе расследования. Единственное объяснение, какое она смогла придумать, предполагало его невиновность в смерти Кэролайн. Видимо, снедаемый чувством вины, он рассматривал эту проклятую конюшню исключительно как место, куда он обязательно должен был прийти и не пришел, а не как место, где Кэролайн была за несколько минут до своей смерти.

Если, конечно, он не имел отношения к ее смерти.

— Комнатка, — повторила она. — Комнатка, в которой встречалась как минимум одна пара любовников.

— Откуда вы знаете?

— Вещественные доказательства, шериф. — Джоанна изобразила какую-никакую улыбку. — Прекрасный толстый плед — и коробка с презервативами.

Он, не удержавшись, рассмеялся.

— Что ж, по крайней мере они предохранялись.

Насколько могла судить Джоанна, его смех был совершенно искренним, но это не сняло тяжести с ее души.

— Учитывая, что я нашла ожерелье на полу этого приюта любви, вам не приходит в голову, что комнатку могла устроить Кэролайн?

Казалось, он удивился, но не слишком, да и удивление как-то быстро прошло.

— Я полагаю, могла, — медленно проговорил он. — Многие в этом городе считают, что она была несчастлива в браке — должно быть, вам говорили.

— Это правда или просто сплетня?

— Вас интересует, жаловалась ли мне Кэролайн на своего мужа? — спросил Гриффин. — Нет. Я знаю, что много лет назад она страдала и металась, но после рождения Риген она, казалось... Я не знаю... Ее внимание было сосредоточено на ребенке. Пожалуй, они со Скоттом не были слишком близки, по крайней мере, так они держались на людях, но, может быть, такой брак их вполне устраивал.

— Или, может быть, просто у нее был такой брак. — Не ожидая ответа, Джоанна добавила: — Считаете, возможно, что она встречалась с кем-то в старой конюшне?

— Возможно, — пожал плечами Гриффин. — Это место, правда, ей не слишком подходит, но, с другой стороны, в округе не так уж много мест, где можно встречаться тайно. Так или иначе, если у нее и был любовник, то что с того?

— То, вероятно, с ним неплохо бы поговорить о ее смерти.

— Без всяких доказательств того, что это не был несчастный случай? И о чем же прикажете его спрашивать?

— Не знаю. Мало ли... Виделись ли они в тот день? Не была ли она расстроена? Вы ведь говорили, что в последние дни перед смертью она казалась более нервной, чем обычно. Так почему? Что ее мучило? Вы не думаете, что все это важно? И что ее любовник, может быть, знал об этом?

— Может быть и так, — согласился он. — Но предположим, я узнаю, кто ее любовник — если он вообще существует. Кстати, он наверняка не кричит на каждом перекрестке о своей связи с ней. Не скажете ли, на каком основании я смогу допросить его? Если даже Кэролайн потеряла управление машиной оттого, что вышла из себя, все равно ее смерть остается несчастным случаем — законом не преследуется, если кто-то кому-то наговорил лишнего или не утешил в горе.

— А что, если наличие любовника означает совсем другое? — Джоанна старалась, чтобы ее голос звучал сухо и объективно. — Может быть, именно это ее и убило. Что, если Скотт все узнал? Где он был, когда машина Кэролайн упала с обрыва?

— Он был дома, как обычно.

— Один?

Гриффин кивнул.

— Можно сказать, так. У экономки был выходной. Риген тоже была дома, но она простудилась и потому не выходила из спальни. Лисса поехала в город, в магазин, Дилан отбыл в Портленд по делам. Еще в тот день работал садовник, но он не обратил внимания, уходил ли Скотт из дома. Я все это, разумеется, проверил. Ну и что? Я же говорю, Джоанна: ее смерть — это несчастный случай. Машину она вела сама. Неисправностей не было. И нет никаких доказательств того, что кто-то столкнул ее с обрыва. Это называется «отсутствие состава преступления».

Из того, что он сказал, Джоанну насторожило только одно.

— Риген болела, а Кэролайн не осталась с ней?

Гриффин нахмурился и покачал головой.

— Девочка просто немного простудилась, вот и все. То есть Кэролайн могла не опасаться оставить ее дома со Скоттом на несколько часов.

«Может быть», — подумала Джоанна. Но все-таки ей казалось, что Кэролайн ни за что не оставила бы больного ребенка без очень веской причины. И это было, по крайней мере для Джоанны, безусловным доказательством того, что с Кэролайн в тот день случилось что-то из ряда вон выходящее.

Но Гриффин был явно не согласен с этим. И Джоанна понимала, что он не станет вникать в обстоятельства жизни Кэролайн, пока не убедится, что ее смерть не была просто несчастным случаем.

Он утверждает, что не был любовником Кэролайн. Вероятно, это правда. А может быть, и нет. Вполне возможно, что он не замешан в ее гибели. Но это не значит, что он не скрыл некоторых фактов, касающихся ее смерти — неважно, из каких соображений. Так что Джоанна не могла ему полностью доверять.

Однако она стремилась к тому, чтобы он ей поверил безоговорочно. Хотела, чтобы он, забыв на некоторое время полицейскую выучку, впервые стал руководствоваться не фактами, а чем-то зыбким и неосязаемым. Она не могла заставить его поверить в сны, но... но он мог бы поверить ей. Ведь мог бы? И она очень этого хотела, как бы нелогично это ни казалось.

— Ладно, — пожав плечами, наигранно-небрежно сказала она. — Но, по-моему, уже простое указание на то, что у нее был любовник, само по себе важно.

— Почему?

— В качестве предупреждения, что Клиффсайд полон тайн. Если у такой женщины, как Кэролайн, был роман, о котором никто не знал, то, значит, в этом городке многое может происходить незаметно.

— Вполне возможно, — неохотно согласился Гриффин.

Джоанна не хотела оставлять его в убеждении, что она собирается продолжить выяснение подробностей жизни и смерти Кэролайн, и потому решила переключить его внимание на последнее событие в Клиффсайде:

— А что все-таки случилось с Амбер? Я имею в виду, каковы причины ее смерти. Как это ни ужасно, но, может быть, здесь у вас есть какой-нибудь маньяк-насильник?

— Если и есть, — как-то безразлично ответил Гриффин, — и если именно он на нее напал, то она ему не поддалась — или упала с обрыва как раз в ходе борьбы. Амбер осталась девственницей.

Это потрясло Джоанну неожиданно для нее самой. Как живая, перед ней возникла Амбер со своим вечным «О!», ее пухлые губы и влажные глаза. «Умерла, не успев начать жить... навсегда сохранившая невинность... ребенок, так и не превратившийся в женщину...» Эти стершиеся клише эхом отозвались в мозгу Джоанны, вдруг обретя первоначальный смысл. Ей стало почти физически больно.

— Джоанна? — Гриффин тронул ее за плечо. — Вы в порядке?

— Нет. — Она попыталась улыбнуться. — Как долго вам пришлось этим заниматься, пока вы не научились относиться к расследованию смерти человека просто как к интересной головоломке?

— Я работаю в полиции чуть больше пятнадцати лет. — Помедлив, он добавил: — От этого не легче.

— Так как же отрешиться от эмоций? Как сохранить объективность, если из головы не идет живой облик жертвы? — в волнении почти выкрикнула Джоанна. Кажется, он понял, что она имела в виду именно его.

— Это основное правило работы полицейского: невозможно вести расследование эффективно, если жертва — близкий человек. В этом случае велика опасность увидеть вещи не такими, каковы они на самом деле, а такими, какими хочешь их видеть — ты не можешь остаться объективным.

— Поэтому «смерть Кэролайн — это несчастный случай»? — Эти слова вырвались у Джоанны невольно, и она пожалела о них, когда он снял руку с ее плеча и сунул в карман.

— Так вы думаете, что я упустил что-то, потому что мы были слишком близки? Я же говорил, Джоанна, у нас с Кэролайн не было романа.

Джоанна и сама не знала, стало ли ей легче от того, что в его голосе звучала усталость, а не гнев.

— Я думаю, — она решила высказаться до конца, — что вас мучает чувство вины за ее смерть. Вы сами так сказали. И, может быть, для вас легче, чтобы это был несчастный случай. В конце концов, пока она ждала вас в старой конюшне, видимо, случилось что-то такое, что прямо или косвенно заставило ее потерять голову и не справиться с машиной. Возможно, вы могли это предотвратить, если бы были там. Так что очень удобно считать ее смерть несчастным случаем, правда? Все равно, мол, ничего нельзя было поделать, исход был предрешен и так далее...

Гриффин молча повернулся и пошел прочь.

Она не смотрела ему вслед. Она еще несколько минут стояла, прислонясь к перилам, слепо глядя на то место, где он только что был, пока порыв свежего ветра не напомнил ей, что становится поздно. И холодно. Очень холодно.

— Проклятье, — тихо пробормотала она.

* * *

— Оставайся, — сказала Лисса Мейтленд.

Сев на край постели, он медленно потянулся и слегка покачал головой — жест был строго выверен, как и все его жесты.

— Нет, не могу.

Глядя, как под его гладкой кожей играют отчетливо обозначенные мускулы, Лисса подумала — и не в первый уже раз, — что в природе нет справедливости. Мало того, что он был богат и красив — отменная наследственность обеспечила ему атлетическое телосложение, и он сохранял прекрасную форму почти без всяких усилий со своей стороны. Вот оно, точное слово, подумала она. Без усилий! Все доставалось ему без усилий, все, что он делал, он делал без малейшего напряжения.

— Можно я приму душ?

Он каждый раз задавал этот вопрос. И она каждый раз отвечала одно и то же:

— Конечно. Я повесила тебе чистые полотенца.

Он через плечо посмотрел на нее и слегка улыбнулся.

— Я становлюсь предсказуемым.

Уже не впервые Лиссе показалось, что он читает ее мысли. И тоже без усилий. Даже не глядя на нее. Она села, подсунув под спину подушки. Простыня укрывала ее до талии, длинные, очень светлые волосы ниспадали на обнаженную грудь.

— Привычки есть у всех, — сказала она.

Все с той же слабой улыбкой он прищурился.

— Да, наверное. — И, помолчав, добавил: — Ты очень красивая.

Он сказал это отстраненно-объективно, не пытаясь польстить ей или даже просто сделать приятное. Лисса пожала плечами.

— Спасибо. Может быть, мужчины вообще предсказуемы. Вам всем нравятся длинноногие блондинки, независимо от их интеллектуального багажа.

— Ты исходишь из собственного опыта? — вежливо поинтересовался он.

Не намекает ли он на ее богатое прошлое, подумала она, но уточнять не стала. С этим мужчиной она научилась не углубляться в детали.

— Конечно. За последние десять лет ни один из мужчин, с которыми я встречалась, не проявил ни малейшего интереса к тому, что я окончила Гарвард.

Он чуть пожал плечами.

— Кто же может предположить, что продавец бутика имеет научную степень по экономике?

— Легче всего просто не делать предположений.

— Наверное — в идеале. — Он наклонился, легко коснулся губами ее плеча, встал и пошел в ванную, неся свою наготу с обычным для него спокойным достоинством. Казалось, что он чувствовал себя как если бы был полностью одет.

Лисса лежала, слушая, как он включает душ. Он любил очень горячий душ, так что через несколько минут ванная заполнялась паром, потихоньку начинавшим просачиваться в спальню. И только когда зеркало над туалетным столиком наполовину запотеет, он выключит душ и выйдет из ванны.

Такие вот вещи постепенно узнаешь о своем любовнике. Еще она узнала, что при внешней сдержанности он был на удивление страстен, раскован и изобретателен в постели. Еще ее приятно удивило, что в любви он не был эгоистичен. Кроме того, он не имел обыкновения нежиться в постели, если больше не собирался заниматься любовью, и никогда не оставался на ночь. Никогда.

Однако она каждый раз предлагала ему остаться, и он всегда отказывался. Оба делали вид, что это просто обмен любезностями, а не часть сложившегося ритуала.

Вот уже полгода, как ритуал практически не меняется. Два-три раза в неделю он или приходил сюда, или встречался с ней в каком-нибудь отеле подальше от города, где их не мог бы увидеть никто из заинтересованных лиц. В отеле они обычно обедали, потом несколько часов проводили в постели; изредка оставались на ночь. Здесь, у нее, совместной трапезы не предполагалось. Когда она возвращалась из деловых поездок, некоторое время они встречались каждый вечер, но она была не настолько молода и наивна, чтобы думать, что он соскучился, а не просто изголодался по сексу; вопросов она привыкла не задавать.

Со времени начала их романа у них был только один перерыв, нарушивший этот неизменный порядок, — это был месяц после смерти Кэролайн. Тогда

он отдалился настолько, что их отношения, возможно, закончились бы совсем, не сделай Лисса шага навстречу, чтобы помочь ему справиться с тем, что обрушилось на него. И роман их продолжался, словно перерыва и не было. Днем, на людях, они держались так официально, что Лисса была почти уверена, что никто и не подозревает их в любовной связи — а в условиях Клиффсайда это кое-что значит.

Она смотрела, как из ванной начинает просачиваться пар, и представляла себе его тело, мокрое и блестящее, под горячими струями душа. И не было ничего несовершенного в этом теле, совсем ничего. Оно было абсолютно безупречно — а если и не абсолютно, то почти. Столь ничтожная разница не может иметь значения. А в чутких пальцах ее такого холодновато-спокойного на вид любовника заключена магическая сила...

— Черт! Что-то я слишком расслабилась, — вслух негромко произнесла она, вздохнула и встала с постели. Войдя в заполненную паром ванную, она с минуту наблюдала движение огромной тени под душем, а потом скользнула в жар душевой кабинки, почти целиком заполненной его большим телом. Она словно бы попала в другой мир — даже дыхание перехватило.

— Что ты там делала так долго? — спросил он, привлекая ее к себе.

Лисса хотела напомнить, что совместный душ не входит в их ритуал, но решила промолчать. Несмотря на достаточно долгие отношения, она чувствовала, что если вторгнуться на некую запретную территорию его личности, границы которой были очень строго очерчены, то можно оказаться безжалостно выброшенной из его жизни, а этого она не хотела.

Их связывало немногое, и связь эта была непрочна, но она не собиралась это немногое терять.

— Раздумывала, — ответила она, не вдаваясь в подробности.

Он засмеялся, скользнул губами по ее щеке, по шее.

— Интересно, ты когда-нибудь скажешь мне правду, а не то, что, как тебе кажется, я хочу услышать? — прошептал он.

Проклятье, он действительно читает мои мысли!

— Только на работе, милый, — сказала она легкомысленно.

Прекращая разговор, она провела рукой по гладкой коже его спины, по твердым мускулам бедра и наконец добралась до еще более твердой плоти. Она не удивилась его готовности — на работе и вообще на людях он был словно из камня высечен, но наедине, как сейчас, его тело всегда отвечало немедленно и горячо. Порой она думала, что эта на первый взгляд почти ненормальная энергетика первичных инстинктов — плата за то, что большую часть жизни он слишком крепко держит себя в руках.

— Это неприлично, — сказал он, — не станем же мы заниматься акробатикой в душе, как подростки. — При этом он прижал ее спину к прохладной стене, глядя сверху вниз, как струи горячей воды текут по ее телу, нежно приподнял ее груди, обхватил их ладонями и большими пальцами стал легонько ритмично касаться и без того возбужденных сосков.

О, эти фантастические руки... Ее губы приоткрылись в ненасытной жажде его губ, она ласкала его, подчиняясь учащающемуся ритму, который он задавал движениями искусных пальцев. Он словно бы от природы был наделен абсолютным знанием того, как дать ей наслаждение, как пробудить ее чувства и утолить их. Ее сердце колотилось все чаще, желание становилось все нестерпимее.

Он приподнял ее, и она почти перестала чувствовать спиной скользкую стену и горячие струи душа на плечах и руках. Обхватив его ногами, она облегченно выдохнула. Их слияние было настолько полным, пугающе полным, словно это мгновение с этим мужчиной — единственное, что есть, было и будет в ее жизни, и больше уже ничего не нужно.

Необъяснимый страх, на мгновение накативший на нее, сменился наслаждением, она сжала губы и уткнулась ему в плечо, чтобы не закричать — она боялась, что он опять все с той же легкостью прочтет ее мысли и станет презирать ее. Лисса упивалась наслаждением безмолвно, почти ненавидя себя за чувство благодарности, переполнявшее сердце.

Когда он наконец отпустил ее и поставил на ноги, она едва не упала, и ему пришлось ее поддержать.

— Так чья это была идея? — все-таки умудрилась спросить она, едва дыша, но из последних сил стараясь сохранить тот легкомысленный тон, которого, ей казалось, от нее ожидали.

— Твоя. — Он поцеловал ее — долго и сладко. Потом озорно улыбнулся и, дотянувшись до насадки душа, направил струю прямо ей в лицо.

Она подпрыгнула, стараясь увернуться.

— Негодяй!

Он засмеялся.

— Повернись, я потру тебе спинку.

Она так и сделала, и когда он потер ей спинку, длинные ноги и все остальные части тела и вымыл волосы, у нее уже опять подгибались колени. (*Черт его побери! Черт побери его и его чертовы фантастические пальцы!*)

Она тоже мыла его, надеясь, что он не чувствует, как у нее дрожат руки. Если он и заметил это, то ничего не сказал. И когда вода была выключена и дверь открыта, Лисса почти успокоилась.

Закутавшись в большое полотенце, а другим, поменьше, обернув голову, она сидела на краю постели и сушила волосы. Он одевался, Лисса, не в силах отвести глаз, смотрела на него.

Господи, я и впрямь излишне расслабилась, можно сказать, размякла.

— Я слышала, сегодня в городе у тебя вышла небольшая стычка с Гриффом, — сказала она, стараясь отвлечься.

Скотт не спросил, где она это слышала; учитывая специфику Клиффсайда, это не имело значения.

— Не стычка, — уточнил он, надевая рубашку. — Он просто расспрашивал меня о том туристе, который погиб несколько месяцев назад.

Лисса наморщила лоб.

— О Батлере? Но ведь это было в мае, правильно? Мне казалось, что Грифф по горло занят расследованием гибели этой девушки.

Скотт сел на стул у окна, чтобы надеть носки и обуться.

— Я тоже так думал. Но он заявил, что рано закрыл дело Батлера.

— Что он имел в виду?

— Не знаю.

— Но ты ведь не знал Батлера, правда?

— Не знал. — Скотт занялся своими ботинками и ничего не добавил к этому.

Лисса немного подумала.

— Погоди, ведь сейчас он расследует гибель этой девушки. Может быть, он считает, что между этими двумя смертями есть какая-то связь?

— Похоже на то, — спокойно ответил Скотт. — И эта связь, весьма вероятно, я.

— Что?!

— Видишь ли, он спросил меня, где я был вчера ночью, причем отнюдь не потому, что я мог видеть что-то полезное для следствия. Я не знаю другой причины задавать такие вопросы, кроме той, что я у него на подозрении.

— Ты не сказал ему, что ты был здесь? — спросила Лисса.

— Нет. — Скотт встал со стула и надел пиджак.

— Но ведь ты ушел отсюда в первом часу. — Она произнесла это медленно, удивляясь его ответу.

Скотт посмотрел на нее, и чуть заметная полу-улыбка тронула его губы.

— Насколько я слышал, девушка погибла чуть позже, где-то ближе к рассвету. Так что шерифа вряд ли касается, где я был до этого. В момент ее смерти я был дома. Вот все, что ему нужно знать.

Чуть подумав, Лисса сказала:

— Конечно, это твое дело. Но если тебе понадобится подтверждение тому, что ты провел эту ночь со мной, я готова.

— Ты действительно считаешь, что я не задумываясь могу пожертвовать твоей репутацией, спасая собственную шкуру? — с искренним интересом спросил он.

— Нет, — ответила она спокойно. — Не считаю.

Его улыбка стала чуть шире — и все.

— Я сказал шерифу ровно столько, сколько ему нужно знать, и не больше, — подвел итог Скотт.

— Потому что ты не намерен облегчать ему работу?

— Примерно так.

Лисса невесело засмеялась.

— Кажется, вы не слишком любите друг друга?

— Это точно. — И, переводя разговор на другое, он напомнил: — Не забудь завтра утром зайти в мэрию и забрать документы.

— Не забуду.

— Ну, я пойду, — сказал Скотт.

— Хорошо. Спокойной ночи.

— Спокойной ночи, Лисса.

Он не поцеловал ее на прощание, даже не дотронулся до нее. Но Лисса этого и не ожидала — он никогда не делал этого. Так же, как никогда не говорил ей, о чем он думает. Так же, как никогда не оставался здесь на ночь, а упрямо возвращался в красивый одинокий дом над обрывом, где жил вместе с Кэролайн, в спальню, где отнюдь не спал с ней.

Такие вот вещи узнаешь о своем любовнике.

Глава 9

Джоанна вышла из машины и огляделась. Чисто, очень чисто. И тихо. Так тихо, что тишина была почти физически ощутима и действовала на нервы. В этот ранний утренний час она оказалась, по-видимому, единственной посетительницей оранжереи. Оранжерея называлась «Розы Маккенна», как значилось на вывеске. Она слышала, что Скотт Маккенна назвал своим именем лишь одно из множества своих предприятий — это. Кстати, своим... или, может быть, именем Кэролайн?

Три корпуса и небольшой домик, в котором, вероятно, располагались контора и магазинчик, были примерно на полпути между Клиффсайдом и «Гостиницей», достаточно далеко от прибрежного шоссе. И, судя по аккуратно выписанным на дверях названиям каждого корпуса, здесь выращивали не одни только розы.

Вокруг никого не было, и, обнаружив, что дверь ближайшего к ней корпуса не заперта, Джоанна вошла внутрь. На двери было написано: «Многолетние растения». Оранжерею заполняли ухоженные, благоухающие цветы и побеги, разнообразие которых резко превосходило рамки знакомства Джоанны с ботаникой — и каждое было в отличном состоянии. Похоже, для всех своих предприятий Скотт нанимал только лучших — самых ответственных и квалифицированных — работников, чтобы его собственность находилась в надежных руках.

Выйдя из этого корпуса, она отправилась в следующий. Здесь предстояло ознакомиться с однолетними растениями. Они заполняли гряды на самых разных стадиях развития — от едва взошедших ростков до вполне зрелых. Джоанна бегло осмотрелась и, не увидев и здесь ни души, перешла в третий корпус, «Розы».

Джоанна очень любила розы, но, когда она вошла в оранжерею, ее первой реакцией было отторжение. Столько роз в замкнутом пространстве, даже таком обширном, это немножко слишком. Их аромат наполнял воздух столь приторной сладостью, что некоторое время она старалась дышать ртом — пока не привыкла. Но все-таки розы были потрясающе красивы — они ласкали глаз пышным буйством красок, многообразием оттенков, всех, что существуют в природе и созданы изобретательным человеческим гением.

Так же, как и в двух других строениях, здесь царила безукоризненная чистота, ухоженные растения были полны жизненных сил — несмотря на видимое отсутствие людей, дело было поставлено отлично.

Она медленно продвигалась по широкому удобному проходу, разглядывая все вокруг. В оранжерее работала сложная и явно дорогая оросительная система. Рядом с каждой розой стояла маленькая металлическая табличка с ее названием, и Джоанна с интересом читала звучные имена роз, о существовании которых раньше и не подозревала.

Лишь небольшая часть была Джоанне знакома: «Алый рыцарь», «Королева Елизавета», «Любовь», «Французская кружевная», «Тиффани»... Остальные же звучали странно и экзотически, и она гадала, кто и почему назвал ту или иную розу именно так: «Компликата», «Мадам Харди», «Стыдливый румянец», «Очарованная», «Леди Икс», «Мон шери»...

Джоанна вдруг резко остановилась. Одно растение в голубом декоративном керамическом горшке резко выделялось на фоне окружавших его, высаженных в черные и зеленые пластмассовые. Рядом с ним лежало несколько опавших лепестков, совсем как в преследовавшем Джоанну сне. И тот же глубокий, густой розовый цвет, и та же прелестная форма, несколько отличная от всех остальных роз, которые она когда-либо видела.

Она медленно протянула руку погладить атласный лепесток и увидела табличку: «Кэролайн».

— Здравствуйте, чем могу быть полезен? Простите, что меня не было здесь, когда вы вошли, но...

Джоанна повернулась, и мужчина вдруг резко оборвал фразу, широко открыв глаза и рот, явно потрясенный. Он вошел в заднюю дверь и теперь стоял в двух шагах от Джоанны. Лет сорока, коренастый, в вылинявших джинсах и джинсовой рубашке, таких же чистых, как и все вокруг. У него было приятное лицо — только в очень светлых голубых глазах было что-то необычное. И хотя под ногтями у него не было земли, Джоанна поняла, что именно он создал и поддерживает все это хозяйство.

— Боже мой, — тихо сказал он. — Я слышал, что вы на нее похожи, но...

За дни своего пребывания в Клиффсайде Джоанна постоянно сталкивалась с тем, что ее внешность повергает людей в шок.

— Здравствуйте, — сказала она. — Меня зовут Джоанна Флинн.

Он медленно кивнул.

— Да, я знаю. Э... простите мой слишком пристальный взгляд, но...

— Ничего, — кивнула, в свою очередь, Джоанна. — За последнюю неделю я к этому почти привыкла.

— А говорите вы иначе, — пробормотал он, потом потряс головой и передернул плечами, словно отгоняя что-то, не дававшее ему покоя. — Я — Адам Харрисон. Я работаю в этой оранжерее.

Она пожала ему руку и кивком указала на розовый куст.

— Я восхищена всеми вашими розами, но вот этой особенно. Мне, знаете ли, любопытно, почему она так называется? Если я правильно помню, розе обычно дает имя тот, кто ее создал. Вы случайно не знаете, кто творец этой?

— Я, — спокойно ответил он. — Когда несколько лет назад мы открыли эту оранжерею, я пообещал Скотту, что первое растение, которое мы здесь выведем, будет названо в честь Кэролайн. — Он чуть пожал плечами. — Что, собственно, я и сделал. В конце концов, это она была вдохновительницей.

— Значит, это правда, что Скотт завел это дело, потому что Кэролайн любила розы? — спросила Джоанна.

Адам Харрисон улыбнулся, словно ее слова показались ему забавными.

— Да, это правда. Когда они только что поженились, он все время посылал в Портленд за розами — раза по два в неделю. Но иногда роз не могли найти, или они были нехороши, и он решил, что нужно устроить питомник здесь, в Клиффсайде. Вот меня и пригласили из Сан-Франциско. Он знал, кого пригласить — я и раньше выполнял там кое-какую работу для его семьи.

Еще один из Сан-Франциско!

— Понятно.

Джоанна не знала, можно ли и стоит ли его расспрашивать, но не могла справиться с неодолимым желанием задавать вопросы. Наверное, потому, что именно здесь она обнаружила розы из своего сна и цветы оказались названы именем Кэролайн. Значит, это место — или, возможно, этот мужчина важны для поисков сведений о жизни и смерти Кэролайн. Иначе почему же ваза с этими розами снилась ей?

— Кажется, вы находите это забавным, мистер Харрисон?

— Адам. Мисс Флинн, я нахожу это преумори-
тельным.

Она удивилась его подчеркнуто саркастическому
тону.

— Э... пожалуйста, называйте меня Джоанна.
Простите, но... кажется, вы не любили Кэролайн?

Он посмотрел на нее, словно взвешивая, насколько ее это интересует. Не настороженно, как многие
в этом городе, а просто раздумчиво.

— Я слышал, вы расспрашиваете людей про Кэролайн. Могу я узнать почему?

Чуть поколебавшись, Джоанна, послушавшись
внутреннего голоса, ответила правду, — впрочем,
так она поступала почти всю жизнь.

— Потому что я на нее похожа. Потому что здесь
меня принимают за нее, во мне предполагают ее.
И мне нужно понять, какой она была, а не просто
выслушивать байки про ее любимый цвет и ее любимые духи.

Он кивнул и пожал плечами, словно ему это безразлично.

— Логично. О'кей, тогда — я знаю, что я в мень-
шинстве, но я действительно не любил Кэролайн.
Со всеми своими ангельскими улыбками и ласко-
вым голосом она была очень жестокой женщиной,
которая никогда ни перед чем не останавливалась,
твердо намереваясь получить то, чего ей хотелось,
не задумываясь, кому сделает больно.

В его словах явственно прозвучала горечь, и Джоанна легко догадалась о ее возможной причине.

— Чего же ей хотелось от вас?

Он издал короткий смешок.

— Соучастия. И она его получила.

— Соучастия в чем? — упорно добивалась своего Джоанна, не надеясь, впрочем, что он захочет сказать больше того, что уже сказал. Но то ли потому, что она была похожа на женщину, к которой он испытывал столь сильные чувства, то ли потому, что он так долго держал все это в себе, он ответил.

— Во лжи, в постоянной угнетающей лжи. Ей нужно было безопасное убежище для встреч с любовником, и, кажется, ее особенно возбуждало это место — которое ее муж построил в честь любви к ней.

Джоанна не знала, что и сказать. Портрет, который рисовал Адам, так отличался от всего, что рассказывали об этой женщине другие... Похоже, что он смотрел на Кэролайн сквозь призму своей антипатии — или, что маловероятно, но возможно, именно к нему Кэролайн была обращена исключительно дурной стороной своей натуры. Все зависело от того, насколько близко он ее знал, а Джоанна почему-то была уверена, что близко.

— За конторой есть небольшая комнатка, — тусклым и невыразительным голосом продолжал Адам, словно услышав ее мысли. — Она служит складом для хранения всего, чему не нашлось другого места. Она принесла туда плед, бросила его на мою старую койку и стала приходить на свидания по нескольку раз в неделю.

Оранжерейный склад плюс старая конюшня? Что-то здесь не сходилось, и Джоанна спросила:

— Вы говорите, незадолго до гибели Кэролайн приходила сюда по нескольку раз в неделю?

Адам покачал головой.

— Нет. Это было больше года назад и длилось всего несколько недель, но, черт побери, измена есть

измена, обман есть обман. Она хотела причинить Скотту боль, вот зачем ей это было нужно. Она проделывала все это, чтобы причинить ему боль!

— И ей это удалось?

Адам опять издал знакомый уже короткий смешок.

— Видите ли, Джоанна, дело в том, что Кэролайн была труслива. Она никогда не шла на открытую конфронтацию. С одной стороны, она, конечно, хотела отравить Скотту жизнь, с другой стороны — ей не хватало смелости рассказать ему о своих романах. Я не знаю, может быть, эту ее болезненную потребность удовлетворяло уже само наличие любовника. Этакое тайное упоение тем, что другой мужчина получает то, что по праву принадлежит Скотту. Может быть, она так это понимала. — Он вновь пожал плечами. — В любом случае, сомневаюсь, чтобы она ему рассказывала. Может быть, ждала, что это сделает брошенный любовник — воображала, что он настолько обезумеет, что решит таким образом отомстить.

— А вы это сделали? — тихо спросила Джоанна.

— Нет, — все тем же ровным голосом сказал он, невесело улыбаясь. — Но, может быть, делали другие. Я прекрасно понимал, что был лишь одним из многих. Однажды я спросил ее: ты спишь со своими любовниками в грязных каморках и дешевых мотелях, чтобы сильнее ощутить контраст? Действительно, сколь же прекрасен дом над морем на их фоне, дом твоего мужа? Она только засмеялась.

В голове у Джоанны теснились вопросы, и она выбрала один наугад.

— Почему же ваш роман кончился?

— Потому что она устала от меня. Потому что ей

надоело. Потому что я ее не удовлетворял. Потому что она созрела для перемен. Выберите сами.

— И у вас не было искушения рассказать Скотту?

Сардоническая улыбка сошла с его лица. Он отвел глаза и стал смотреть на розу, названную именем его возлюбленной, безотчетным жестом нежно дотронувшись до растения.

— Было. Если бы дело заключалось только в Кэролайн, я бы, возможно, и поступил подобным образом. Но, смешно сказать, я люблю Скотта, и многим ему обязан. — Он печально посмотрел на Джоанну. — Понимаете, именно за этим я и был ей нужен: чтобы больнее его ударить, она использовала не только это место, но и меня тоже. Я был его другом, и я предал его, так же, как и она. — Его рот скривился в презрительной улыбке.

— Вы так говорите, словно были совершенно бессильны перед ней, — не удержавшись, сказала Джоанна.

— Нет, я не утверждаю, что во всем виновата только она. Разумеется, она меня не изнасиловала. Даже не соблазнила. Просто увидела, что я ее хочу, и предложила, как предлагают подвезти голосующего на шоссе.

И только теперь Джоанна поняла все. Адам Харрисон не только ненавидел Кэролайн. Он любил ее! И даже сейчас, через три месяца после ее смерти, через год после окончания их связи, он любил ее! Ему было горько оттого, что она не отвечала ему взаимностью, но это не уничтожило его чувств, а лишь запутало их в сложный и очень болезненный узел. Его мучило чувство вины перед Скоттом, но у Джоанны не было сомнений, что, если бы Кэролайн не ушла, они бы до сих пор встречались в этой «грязной каморке».

Еще она подумала, что желание Адама рассказать ей все это становится более понятным: ее поразительное сходство с женщиной, которую он так и не смог забыть, спровоцировало его на своего рода исповедь.

Но она не священник, который может дать отпущение грехов, и она не Кэролайн. Ей было неловко от его откровенности, она даже отвела глаза, словно увидела нечто не предназначенное для постороннего взгляда.

— Мне очень жаль, — сказала она.

— Черт возьми, хоть вы-то меня не жалейте! — резко, почти грубо заявил он.

Она взяла себя в руки — перенести его раздражение было, несомненно, легче, чем видеть муку в его глазах.

— Я не Кэролайн, — осторожно сказала она. — Я просто немного на нее похожа и интересуюсь ее жизнью.

— И смертью?

Сомнения Джоанны длились лишь несколько секунд. Она не в силах была бы объяснить, почему так твердо уверена, что он не виновен в смерти Кэролайн. Может быть, просто интуиция, может быть, ее убедило в этом его безысходное горе. И она подумала, что раз уж сон привел ее сюда, то не нужно отказываться ни от какой информации.

— Да, — подтвердила она. — И смертью.

— Несчастный случай, — печально сказал Адам. — Все так считают.

— А вы, кажется, нет, — рискнула предположить Джоанна. — Почему?

Он внимательно посмотрел на нее.

— Отчего же, я тоже думаю, что это был несчастный случай — а что же еще? Понятно, что именно она вела машину, и в этой машине была одна. Но, мне кажется, в последнее время что-то у нее было не так, она очень нервничала и чего-то боялась.

— Почему вы так думаете?

— Дня за три или четыре до аварии она пришла сюда — а она не была здесь с тех пор, как мы перестали встречаться в комнатке за конторой. И было очевидно, что пришла она неспроста. Что-то ее мучило. Она не могла усидеть на месте, бродила по всей оранжерее и дымила как паровоз. И ногти, я заметил, изгрызла до основания.

Джоанна бессознательно сунула руки в карман, чтобы скрыть собственные изуродованные ногти.

— Она так и не сказала вам, чем была расстроена?

В его светлых глазах мелькнула прежняя тоска. Он покачал головой.

— Нет. Честно говоря, я не дал ей такой возможности. Когда она приехала, здесь были покупатели, а когда они ушли, я... ну, я сорвался, понимаете. Съязвил насчет того, что, мол, ее величество удостоило посетить своих верных рабов, а потом повел себя просто отвратительно. Она и слова не могла вставить. Кроме того, у меня совершенно не было настроения ее слушать.

— Вы ее увидели в первый раз с тех пор, как...

— С тех пор как мы перестали с ней спать? Да, в первый раз. Как нетрудно догадаться, у меня за это время кое-что накопилось — вот и выплеснулось.

Джоанна понимающе кивнула.

— И она ушла, так и не сказав вам ничего?

— Да. Бог знает, почему она пришла ко мне, если ей нужна была помощь. Она ведь должна была понимать, что я ее ненавижу. Наверное, как и любой другой мужчина, с которым так поступили. Это так естественно. Почему же для нее это явилось неожиданностью?

Вопрос был риторический — и исполненный ощущения собственной вины. Похожее чувство звучало и в словах Гриффина, и, по-видимому, по той же причине. Она подумала, что все мужчины, брошенные Кэролайн, чувствуют себя виновными в том, что не смогли предотвратить ее смерть. А еще она подумала, что в этом, наверное, все-таки есть и доля вины самой Кэролайн. Адам определенно любил ее, а может быть, и Гриффин тоже, хотя и не признавался в этом, но ни тот ни другой не бросились ей на помощь, когда Кэролайн нуждалась в ней больше всего. Как говорил Адам, у нее были и другие романы, другие мужчины; были ли? И обращалась ли она к ним в последние дни своей жизни, ища поддержки в чем-то, что не решалась доверить мужу? Неужели отношения с ними закончились так плачевно, что ни один не пожелал не то что подставить ей плечо, а хотя бы просто выслушать?

— Наверное, вы ничего не смогли бы изменить, — сказала она Адаму в утешение, не потому что действительно так думала, а потому, что он хотел это услышать.

— Может быть. — Он вздохнул. — Я снова и снова повторяю себе, что она сама во всем виновата. Нельзя втаптывать людей в грязь, а потом ожидать от них хорошего к себе отношения.

— Но, кажется, большинству здешних людей Кэролайн нравилась, — нейтральным тоном заметила

Джоанна. — По крайней мере, никто пока не сказал о ней ничего плохого.

— Ну конечно, она умела быть сладкой как мед, когда хотела, — таково было ее общественное лицо. Его-то и видело большинство. Но готов поспорить, что вы не нашли ни одного ее близкого друга. И особенно близкой подруги. Кэролайн не любила других женщин. Разумеется, она очень хорошо держалась и была неизменно вежлива. И чувство долга было у нее весьма развито — она много делала для города, где жила. И, в чем уж точно нет никаких сомнений, она очень любила свою дочурку...

— То есть, говоря, что она втаптывала людей в грязь, вы имели в виду мужчин? — уточнила Джоанна.

Адам помялся.

— Некоторых мужчин. Я знаю в Клиффсайде по крайней мере еще одного, который прошел через это; думаю, найдутся и другие. Она была... слишком уверена в себе, слишком уверена в своей власти; по тому, как она разрывала отношения, было видно, что она привыкла бросать любовников без каких-либо объяснений.

Джоанна молча выслушивала его суждения, понимая, что они никак не могут быть объективными: брошенный любовник — не самый беспристрастный судья. Но если и впрямь существует еще один брошенный любовник, чье мнение может подтвердить или опровергнуть мнение Адама, то это меняет дело. И, может быть, именно с этим другим Кэролайн встречалась в старой конюшне?

— Не скажете ли вы, кто этот другой мужчина? — негромко спросила она. — Я бы хотела с ним поговорить.

— Нет, Джоанна. — Тут Адам был абсолютно

тверд. — Его репутация ему гораздо дороже, чем мне — моя.

У Джоанны на мгновение сжалось сердце — а что, если он не хочет повредить репутации шерифа? Готова ли она к тому, чтобы это услышать?

О боже, почему я все время возвращаюсь к Гриффину? Почему не могу поверить, что он ее не любил?

Так или иначе, она не сочла себя вправе настаивать на ответе, убеждая Адама, что ей можно доверять и она никому ничего не расскажет. Вместо этого она спросила:

— А как вы узнали о нем?

— Он сам мне рассказал. Когда она его бросила, он крепко выпил, и ему нужен был собеседник. Мы с ним друзья, вот он и пришел ко мне. — Губы Адама дрогнули. — Это было задолго до моей связи с Кэролайн, и надо сказать, ничуть не послужило мне предостережением.

Задолго до. Значит, перед смертью Кэролайн встречалась не *с этим* любовником — если только она не вернулась на круги своя.

— Вы имеете в виду, предостережением против этой женщины?

— Да. Она бросила его без всякой причины, или по крайней мере не назвала ему никакой причины. Просто сказала, что все кончено, и упорхнула, не выясняя отношений. А он любил ее, бедняга. Для него ничего не кончено до сих пор.

«Да и для тебя тоже», — подумала Джоанна. Итак, по крайней мере двое состояли в связи с Кэролайн; были ли другие? А что Скотт? Знал ли он об этом? Подозревал ли, что жена ему неверна? Как ей узнать все это?

— Адам, вы не знаете, была у нее с кем-нибудь связь непосредственно перед катастрофой?

— Не знаю. Наверное, была, но точно не могу сказать. Точно может знать только ее последний любовник.

— В этом городе так любят сплетни, — удивилась Джоанна. — Как же ей удавалось скрывать свои романы? Особенно если их было так много.

Адам усмехнулся:

— Вот уж не знаю. Может быть, она не попалась, потому что хотела попасться. Такое, знаете ли, случается.

Это было по-своему убедительно — если только это правда. Людям, которым нечего терять, часто фантастически везет — словно судьба демонстрирует свое чувство юмора. Если Кэролайн — сознательно или подсознательно — действительно хотела, чтобы муж узнал о ее неверности, возможно, судьба решила над ней посмеяться.

Так или иначе, Джоанне теперь было о чем поразмыслить.

— Спасибо за беседу, — сказала она Адаму. — И не беспокойтесь, я никому не расскажу о вас и о Кэролайн.

— Спасибо, — пробормотал он, но было видно, что ему это безразлично.

Джоанна хотела сказать что-нибудь еще, но в конце концов, так и не придумав что, она молча повернулась и пошла к двери.

— Гроб был закрытый.

Она испуганно остановилась и оглянулась на Адама. Он невидящими глазами смотрел на розовый куст.

— Ее отпевали в закрытом гробу. Она разбилась

так... что было невозможно... собрать ее. Поэтому гроб был закрытый. Я больше никогда ее не видел.

Вот почему еще, сообразила Джоанна, на нее так странно реагируют. Тела Кэролайн практически никто не видел, а для многих это важно — проститься с телом, как это принято. Так что появление женщины, так похожей на Кэролайн, вскоре после ее смерти, должно быть, вызвало еще больше пересудов и самых неправдоподобных предположений, чем предполагала Джоанна.

— Поговорите с доктором Бекетом, Джоанна, — вдруг сказал Адам. — Он знал ее, как никто другой.

Джоанна не поняла, значит ли это, что Бекет был любовником Кэролайн, но уточнять ей не хотелось; она приняла этот совет без комментариев.

— Спасибо, непременно. До свидания, Адам. — Больше ей действительно нечего было ему сказать.

— До свидания, Джоанна. — И он снова устремил взгляд на розу, названную в честь Кэролайн, и на лице его было отчаяние.

Она вышла из оранжереи, села в машину и несколько минут сидела неподвижно, стараясь избавиться от тяжелого чувства, оставшегося от разговора с Адамом, стараясь отстраниться от его страданий и навести порядок в мыслях. И когда ей это удалось, она поняла, что запуталась окончательно.

Какой же на самом деле была Кэролайн Маккенна? Застенчивой? Сдержанной? Спокойной и безмятежной — но, помилуйте, она же постоянно грызла ногти! Самоотверженная мать — и, смотрите-ка, неверная жена! Она жертвовала миллионы на нужды больницы — а своих любовников бросала на произвол судьбы без раскаяния и сожалений, ничуть не считаясь с их чувствами.

То ли ее брак не удался из-за безразличия к ней мужа — то ли, наоборот, ее собственное поведение стало причиной его холодности.

...вы сделали вывод, что я виноват бог знает в чем. Что я монстр! Чудовище из сказки.

— А вы не чудовище?

— Отчего же, чудовище. Если все вокруг говорят, что я жестокий негодяй, это ведь не значит, что все говорят неправду.

Но правда ли это? Теперь Джоанна во всем сомневалась. Действительно ли Скотт Маккенна так уж холоден и бесчувствен, как кажется? Или скорее грешен не он, грешны перед ним? Может быть, под внешней бесстрастностью он тщательно скрывает свою тайну, — может быть, он тоже один из тех мужчин, которым эта странная женщина разбила сердце?

— Черт возьми, Кэролайн, кто же ты? — пробормотала вдруг разозлившаяся Джоанна, наконец включая двигатель.

* * *

— Ты уверен? — спросил Гриффин, одной рукой потирая затылок, а другой удерживая у уха трубку. — Черт, вчера ты говорил совсем другое!

Доктор Бекет вздохнул.

— Грифф, ты не хуже меня знаешь, что чем дольше труп подвергается внешнему воздействию, особенно воздействию воды — а в ту ночь, ты же помнишь, шел сильный дождь, — тем сложнее определить время смерти. Ты говоришь, девушка собиралась незаметно выскользнуть из отеля около половины двенадцатого. Могла ли она умереть ближе к полуночи, чем мы поначалу предположили? Да, могла. В

любой момент между десятью вечера и четырьмя утра. Я действительно не способен ответить точнее.

— Вот оно, удивительное могущество науки, — неуверенно произнес Гриффин.

— Все в мире имеет свой предел, — раздраженно ответил Бекет. — Если тебя не удовлетворяет мой ответ, можешь обратиться в медэкспертизу Портленда.

— Не будь ослом. Спасибо, док. — Гриффин положил трубку и уставился в изящный альбом в кожаном переплете, который лежал перед ним. — Сукин сын, — тихо сказал он себе.

— Неудачный день?

Он поднял глаза на открытую дверь кабинета, откинулся на спинку стула и пожал плечами:

— Можно сказать, да.

— Тогда я лучше попозже.

Джоанна совсем было собралась удалиться, но услышала:

— Нет-нет, заходите.

Она вошла и, сев в кресло для посетителей, осторожно начала:

— Э... возвращаясь к нашему вчерашнему разговору...

— Если вы думаете, что я не умею работать, то ошибаетесь, — перебил он довольно резко.

— Да? — Джоанна изобразила на лице недоумение. — Тогда почему вы так сердитесь?

— Ну хорошо, я действительно сплоховал. Не люблю оказываться неправым.

Джоанна слегка улыбнулась.

— Как всякая сильная личность, да?

— О себе я этого не скажу. Просто вы указали мне на то, чего сам я не видел, и мне это не очень понравилось. Вы правы — мне было проще считать смерть Кэролайн просто несчастным случаем. Мне было легче думать, что мое присутствие там ничего бы не изменило. Вы довольны?

— Кто знает, может быть, действительно ничего бы не изменилось, — тихо сказала Джоанна.

— Нет, если мы предполагаем... если я предполагаю, — быстро поправился он, — что, пока она ждала меня в старой конюшне, там что-то произошло, тогда получается, исход мог быть другим, окажись я там вовремя.

— Возможно. Но вернуть тот день и прожить его заново невозможно, и, стало быть, бесполезно мучиться чувством вины. Это не изменит того, что случилось с Кэролайн, да и вам ничего не даст. Успокойтесь, Гриффин.

Если бы он мог! Но все же он улыбнулся:

— Ладно, буду работать над этим. Но пока, каковы бы ни были мои чувства, это вряд ли меняет суть дела. А суть такова: она была одна, машину вела она, и с дороги ее никто не сталкивал. Опять все то же — отсутствие состава преступления.

Джоанна кивнула.

— С точки зрения закона, я согласна. Но с точки зрения морали? Что, если кто-то вывел Кэролайн из равновесия и тем самым спровоцировал аварию?

— Тогда, хоть убей, я не смогу его арестовать, — сухо заметил Гриффин.

Она внимательно смотрела на него своими удивительными золотистыми глазами, и вдруг он почувствовал — от того, что она увидит или не увидит, зависит не только исход сегодняшнего разговора, но нечто гораздо более важное. И, черт побери, он не имел никакого понятия, что это она такое высматривает.

Джоанна чуть улыбнулась и сплела пальцы на коленях.

— Хорошо. А что с Амбер? Еще один несчастный случай? Самоубийство?

— Что случилось? — медленно проговорил Гриффин.

Казалось, она чуть испугалась.

— Я не понимаю, о чем вы, — настороженно сказала она.

— Понимаете. Вы вошли сюда, чтобы рассказать мне о чем-то, а потом передумали.

— Но я, безусловно, имею на это право, — пробормотала она озадаченно.

— Согласен. — Голос звучал натянуто, и он понимал, что она тоже это слышит. — Но я хочу знать, почему вы передумали.

Ее лицо — ее собственное, нисколько не похожее на лицо Кэролайн, как ему теперь казалось, — не создано было для того, чтобы блефовать за покерным столом: на нем все было написано крупными буквами. Однако на сей раз это очень выразительное лицо сказало ему не больше, чем ее слова.

— Послушайте, сегодня я действительно кое-что узнала, и это меня очень удивило. Я собиралась рассказать вам об этом, но передумала, потому что это не моя тайна, и я не вправе ею распоряжаться. Кроме того, это не имеет отношения к Амбер, к вашему расследованию, так что...

— Вы узнали что-то о Кэролайн.

Джоанна ответила очень тихо:

— Но не о ее смерти. Так что это вряд ли имеет значение, правда?

— Может быть, вы позволите мне самому судить об этом?

Губы ее искривились в слабой невеселой улыбке.

— Нет, не в этот раз. Эту историю доверили мне, и насколько я понимаю, вам она ничем не может быть полезна. Простите.

Гриффину это не понравилось, что слишком явно выражал его тон.

— Что же, поскольку закон запрещает дыбу и испанский сапог, мне нечем вас принудить.

Они помолчали, потом она негромко сказала:

— Ну вот, опять я все испортила, и мы, кажется, больше уже не друзья.

— А мы были друзьями? — спросил он.

— Мне так казалось. — Взгляд у нее был тревожный. — Я ошибалась?

Гриффин чувствовал себя прескверно, совершенно не зная, как быть. Такое случалось с ним нечасто. Чувства его были слишком сложны и противоречивы, а кроме того, не сознаваясь себе в этом, он почти боялся разобраться в них. У нее были тайны, которых она не хотела открывать; она отвечала не на все вопросы, безумно раздражая его. Кто такая на самом деле эта Джоанна Флинн, зачем она сюда приехала?

Он знает ее всего неделю, и еще одну неделю она пробудет здесь. У него не слишком много времени.

— Это старо, как мир, — наконец ответил он вопросом на вопрос, — но возможна ли дружба между мужчиной и женщиной?..

— В зависимости от того, чего они хотят друг от друга, — Джоанна перешла в наступление. — Вы хотите иметь друга, Гриффин?

— У меня уже есть друзья. А вы, Джоанна, что скажете? Дома, в Атланте, вас ждет мужчина?

Она отвела глаза, не то чтобы занервничав, но определенно насторожившись.

— Флирт на рабочем месте в рабочее время. Рассматривается как нарушение общественного порядка.

— С 1879 года этот пункт отменен. Отвечайте на вопрос.

— Хорошо. Нет, дома, в Атланте, меня не ждет мужчина. — Ее золотистые глаза стали непроницаемыми. — Все закончилось около двух лет назад. Вы удовлетворены?

— Почти. — Он продолжал бесстрастно, как на допросе: — Что положило конец вашим отношениям?

Она нахмурилась.

— Я убила его и закопала труп в саду под кустом роз.

— А серьезно?

— Полная несовместимость, — со вздохом призналась она. — Он хотел, чтобы я жила его жизнью. Его! Но дело в том, что я люблю сама за себя думать, сама для себя решать, что надеть и что сказать. Так что когда он во второй раз предложил мне не носить брюк и держать при себе свои размышления, я послала его прогуляться. Куда-нибудь подальше. Теперь вы удовлетворены?

— Разумеется: кстати, он полный идиот. — Не дав ей возможности перебить его, Гриффин без паузы продолжал: — Мне кажется, тетушка Сара могла бы вами гордиться.

Со смехом, в котором слышалось явное облегчение, Джоанна сказала:

— Первым делом она бы меня хорошенько отругала за то, что я вообще с ним связалась. А вот вы бы ей, вероятно, понравились.

— Благодаря природному обаянию? — улыбнулся он.

— Это, конечно, большой плюс. Но вы бы ей понравились потому, что она обожала темноволосых и темноглазых мужчин. Забавно, что ни один из ее мужей не был брюнетом. Она говорила, что на Юге действительно интересны только блондины.

— Мне кажется, это чудовищное предубеждение, — уверенно заявил Гриффин.

— Может быть, но она свято в это верила. Все четыре ее мужа были светловолосы.

— И, заметьте, она пережила их всех. Это о чемто да говорит.

Джоанна опять засмеялась, но тут одна из помощниц Гриффина, коротко постучав в открытую дверь, вошла в кабинет.

— Простите, босс, — сказала она. — Мне кажется, вы захотите с этим ознакомиться.

Он взял бумагу, и веселость как рукой сняло. Он знал, что там, но все же спросил:

— Плохие новости?

— Могли бы быть лучше, — сдержанно ответила она.

— О'кей. Спасибо, Миген.

Бросив быстрый взгляд на Джоанну, та вышла, а Гриффин стал читать короткое сообщение. Как и предупреждала Миген, новости могли бы быть лучше. Много лучше.

— Гриффин?

Он посмотрел на Джоанну и встретил ее полный сочувствия взгляд.

— Иногда я ненавижу быть полицейским, — произнес он с досадой.

— Я знаю, вы просили меня не вмешиваться в ваше расследование, но, если вы обнаружили что-то важное, мне бы хотелось об этом знать. — Джоанна высказала свое желание и молча ждала ответа.

Он поймал себя на том, что ему тоже хочется рассказать ей об этом, и не только потому, что он ценил непредубежденность ее взгляда и суждений, а просто — он хотел говорить с ней обо всем. Это его немного испугало.

— Обещаю, что дальше меня не пойдет; я не дам пищи сплетникам Клиффсайда, — добавила она, почувствовав его неуверенность.

Гриффин отложил бумагу и взглянул в открытый блокнот, лежащий перед ним.

— Утром сюда приходила миссис Уэйд, — сказал он. — Пакуя вещи дочери, она обнаружила дневник. — Шериф перевернул блокнот вверх ногами и подтолкнул по столу к Джоанне.

Она протянула было руку, но заколебалась и вопросительно посмотрела на него.

— Да, я понимаю, — сказал он. — Миссис Уэйд в него не заглядывала, мне тоже не хотелось его читать. Но Амбер мертва. И если какая-то из ее записей поможет понять, что все-таки с ней случилось... Так или иначе, я его прочел. Посмотрите последнюю запись.

Джоанна уже пожалела, что спросила. Но она спросила — деваться было некуда. Сказав себе, что Гриффин прав и нельзя отказываться ни от какой информации, лишь бы узнать, что случилось с девушкой, она взяла дневник и стала читать. Там стояла дата: воскресенье, одиннадцать вечера. Почерк был крупный, круглый, немного детский.

«Мама с папой легли спать, а для меня эта ночь полна жизни... Прочел ли Кейн мою записку? Уже должен прочесть. И теперь он знает, как я люблю его. Как он мне нужен. И теперь, когда он это знает... О боже, теперь, когда он это знает... Он выйдет мне навстречу, и мы будем любить друг друга в его коттедже, а вокруг будет бушевать шторм, а потом мы уедем вместе... Шторм обещали на всю ночь, но сейчас наступило небольшое затишье. Сейчас я выскользну на террасу, пока нет дождя... Я знаю, шторм подождет, пока я иду к любимому...»

Джоанна аккуратно положила блокнот на стол. Мелодраматизм и самовлюбленность — но она понимала, что для Амбер это было выражением настоящих чувств. Боже, безрассудная любовь в восемнадцать лет — это нормально и естественно, а вот смерть — нет.

— Итак, теперь мы знаем, куда она пошла, — пробормотала Джоанна. — И когда.

— И с кем собиралась встретиться, — бесстрастно уточнил шериф.

— Гриффин, она и сама точно не знала, прочел ли Кейн ее записку, так что...

— Забавно, что он-то не упоминал ни о какой записке, вам не кажется? — сказал Гриффин.

— Может быть, он ее не получил.

— А может быть, просто не захотел мне о ней рассказывать. Не поделился же он со мной тем, что в эту ночь он уезжал из дома.

— Уезжал из дома? Откуда вы знаете?

— Его видели. — Гриффин стукнул указательным пальцем по принесенной бумаге. — У Кейна серебристый «Ягуар» — очень заметный и, благодаря неисправному глушителю, очень громкий. Сосед выглянул в окно посмотреть, не утих ли шторм, и его внимание привлекла вспышка фар. «Ягуар» направлялся к прибрежному шоссе.

— Во сколько же это было? — спросила Джоанна.

— Без четверти двенадцать, плюс-минус десять минут.

— А не слишком ли рано? Ведь Амбер как будто погибла гораздо позже, ближе к рассвету.

Гриффин покачал головой.

— Я говорил с Бекетом: он считает, что это могло произойти между десятью вечера и четырьмя утра. В любой момент с равной степенью вероятности. Из дневниковой записи следует, что в одиннадцать она еще была жива, так что она умерла между одиннадцатью и четырьмя. Такова официальная версия. А не для протокола док сказал, что вероятнее всего около полуночи.

Джоанна, сплетя пальцы, размышляла. Потом посмотрела на Гриффина.

— О'кей, предположим. От «Гостиницы» до дома Кейна минут пятнадцать пешком в прогулочном темпе, а если поспешить, то и меньше. Таким образом, если она вышла из отеля сразу, как только закончила писать дневник...

— Что она скорее всего и сделала, — перебил Гриффин. — Шторм приутих, но она боялась, что снова начнется, а попасть под ливень ей не хотелось, особенно если учесть, что она собиралась на свидание с мужчиной.

Джоанна кивнула, соглашаясь.

— Тогда до момента отъезда Кейна времени

было достаточно — например, для того, чтобы она пришла к нему и отправилась назад, одна или с ним. Или он мог проводить ее в отель и вернуться домой, если идти чуть побыстрей. Но, Гриффин, все это только предположение.

— Да, конечно. Но также имеются и два неопровержимых факта: Амбер в эту ночь погибла, а Кейн солгал мне, где был в момент происшествия.

— Вероятнее всего, он мог не сказать правды по совершенно невинной причине.

— Причины для лжи редко бывают невинными. — Гриффин знал это лучше многих.

— Вы прекрасно понимаете, что я имею в виду.

— Джоанна, мне совершенно не хочется верить, что Кейн убил эту девушку, неважно, преднамеренно или случайно. Но интуиция мне подсказывает, что ее столкнули или сбросили с обрыва, — а Кейна не было там, где он сказал. Значит, возможно, он был в другом месте! Так что я должен думать?

— Может быть, он уехал, чтобы избежать встречи с ней? Может быть, когда она пришла к нему, он сказал, что срочно должен куда-то ехать. И уехал, а ей не оставалось ничего другого, кроме как вернуться в отель. И... она упала. Или бросилась вниз.

— Может быть, — пожал плечами Гриффин. — Но если Кейн ее видел, то я хочу знать, почему он солгал?

— Потому что он понимал, что вы будете его подозревать.

— Он так или иначе у меня под подозрением, и он это знает. И то, что, как выяснилось, он лгал, эти подозрения только усиливает.

Джоанна, как ни старалась, не могла избавиться

от твердого убеждения, что смерть Амбер как-то связана со смертью Кэролайн и Роберта Батлера. В таком случае, каков мотив? Зачем Кейну убивать этих троих? Бессмыслица какая-то!

— Может быть, он просто потерял контроль над собой. — Гриффин словно читал ее мысли. — Может быть, Амбер впала в истерику — а это на нее похоже — и не желала ничего слышать. Может быть, он вынужден был ее оттолкнуть, черт возьми, — и немножко не рассчитал.

— Даже если и так, вы ведь не сможете доказать это суду? Вы не застали Кейна в момент совершения преступления; более того, их с Амбер никто не видел вместе в ту ночь. Свидетелей не нашлось, вскрытие показало смерть от падения, а взрытая земля может и ничего не значить. Так что если никто не сознается, вам нечего предъявить суду.

Гриффин невесело улыбнулся.

— Я бы сказал, признание маловероятно, как бы ни объяснил все это Кейн. И кроме того, у меня действительно нет веских доказательств того, что это убийство. Так что в моем отчете скорее всего будет значиться, что смерть Амбер Уэйд произошла от несчастного случая или вследствие самоубийства. Что на краю обрыва она оказалась одна. Что я не знаю точно, что там произошло. И в итоге — формальные соболезнования ее родителям, которые они могут увезти с собой. Вместе с ее телом.

Джоанна только теперь поняла, как глубоко все это задевает Гриффина Кавано. Амбер была ему чужой, расследование ее смерти было просто его работой, но как его мучило то, что он не может найти виновного! При этом в нем говорило не чувство профессиональной гордости, а подлинное глубокое состраданиe. Ведь ее родители до конца жизни будут гадать, упала она случайно или покончила с собой, будут обвинять себя в том, что случилось с дочерью, будут думать, как можно было это предотвратить... И Гриффин понимал это и всеми силами хотел облегчить их боль.

Он хотел бы предложить им исчерпывающее объяснение бессмысленной смерти их дочери. Он хотел бы сказать им: «Вот что произошло... и вот почему это произошло... и я чертовски сожалею, что никто из нас не смог этого предотвратить».

Джоанна поняла, что мысли ее скользили по поверхности. Она не видела дальше гибели Кэролайн и переживаний Гриффина по этому поводу. А теперь она вдруг поняла, что в его жизни было нечто куда более страшное и болезненное, чем события этого лета.

— У вас ведь тоже кто-то погиб, — неуверенно произнесла она — У вас тоже кто-то погиб, и никто не объяснил, что же произошло.

Глава 10

— Это так заметно? — после некоторой паузы спросил Гриффин чуть охрипшим голосом.

— Нет, — покачала головой Джоанна, не в силах объяснить, что она это не столько увидела, сколько почувствовала.

— Наверное, у каждого есть свои страшные воспоминания, — сказал Гриффин. Сплетя пальцы на коленях, он некоторое время сидел, опустив глаза, а когда поднял их на Джоанну, взгляд его был тверд. — Это было больше двадцати лет назад. Точнее, в ав-

густе исполнилось двадцать два. Мне было пятнадцать лет. Моей сестре — двенадцать.

Джоанна слушала его, окаменев, стараясь держать себя в руках. По спине у нее поползли мурашки — она уже догадалась, что это будет за история.

— Мы были очень близки. Дети военных обычно держатся вместе, наверное, потому, что их родителей постоянно перебрасывают с места на место. Словом, мы в очередной раз переехали и готовились пойти в новую школу; мы прожили на базе всего несколько недель и едва успели познакомиться с другими детьми. — Он помолчал и продолжал так же спокойно: — Линдси все-таки подружилась с одной девочкой своего возраста и в тот день собралась пойти к ней поиграть. Они тоже жили на базе, буквально в нескольких домах от нас. — Он опять помолчал, рассказ давался ему все труднее и труднее. — Мы поняли, что что-то случилось, через час, когда эта девочка позвонила и спросила: «Где же Линдси?» Ее тело обнаружили примерно в миле от базы только через три дня. — Лицо Гриффина окаменело, глаза стали холодными. — Ее избивали, пока она не умерла, — это я узнал из газет. Все, что я знаю, — только из газет и телепередач. Полиция и военные, которые расследовали ее смерть, ничего не могли сказать, а родители были просто убиты, они понимали только, что ее больше нет.

— Я сожалею, — тихо сказала Джоанна. — Вам пришлось пройти через ад.

— Самое страшное — это полная растерянность. Все произошло так внезапно. Только что она была жива — и вот... Так глупо, так бессмысленно!

— И никто не мог сказать почему. — Джоанна страдала, в эту минуту она чувствовала боль того мальчика, который стал шерифом Клиффсайда, как свою. Неудивительно, что его так глубоко затронула смерть Амбер — он слишком хорошо прочувствовал на себе, что значит потерять близкого человека.

Гриффин продолжал, и лицо его сохраняло выражение того непонимания, которое было на нем тогда.

— Ни ответов, ни причины. Власти не нашли преступников; подозреваемых не было. Расследование тянулось многие месяцы, пока... пока не сошло на нет. Линдси похоронили. Жизнь продолжалась. Но никто из нас не сумел примириться с ее смертью. Слишком многие вопросы остались без ответов.

— Вы так и не узнали, что случилось?

Гриффин опять покачал головой.

— И по сей день дело об убийстве Линдси Кавано в Техасе не закрыто. Для дел об убийстве не существует временных ограничений.

Джоанна подумала, что это хуже всего — так и не узнать, что же произошло.

— И потому вы стали полицейским? Чтобы находить ответы — для других?

— Да, — без колебания ответил он; в его голосе не было и тени сомнения. — Если бы я тогда был постарше или помладше, может быть, это не подействовало бы так сильно. Но теперь я знаю, что самое страшное в мире — это не понимать, почему ты потерял кого-то. С этой точки невозможно сдвинуться, не получив ответа на этот вопрос, невозможно жить дальше. И в то лето я решил, что стану полицейским. — Он передернул плечами. — Вероятно, из-за того, что случилось с Линдси. Я уверен, что эти вопросы, оставшиеся без ответа, разрушили мою семью. Через год родители разошлись, так и не придя в себя; каждый обвинял другого в происшедшем. Понимаете, не получив никаких объяснений, они искали причину и находили виноватых друг в друге. Я жил с отцом, пока сам не ушел в армию, но с тех пор мы виделись от силы десяток раз. А маму за последние десять лет я видел только дважды, на Рождество, да и эти визиты были явной ошибкой. Она сделала из своего дома храм, посвященный памяти Линдси, и я ей совсем чужой. Отец вышел в отставку и перебрался на Аляску, мама живет во Флориде. Невозможно быть дальше друг от друга. И оба очень, очень одиноки.

«Один ребенок мертв, другой, в сущности, брошен, — родители разошлись и страдают от одиночества. Убийца Линдси не просто убил ее, он сделал много больше, — подумала Джоанна. — Он разрушил всю ее семью. А Гриффин, хотя и выжил, — на него все это наложило явственный отпечаток».

— Вы думаете, если бы ваши родители знали, кто убил Линдси, они не разошлись бы? — спросила она, уже не зная, что было самым невыносимым в этой трагедии.

— Скорее всего, не разошлись бы, — не задумываясь ответил Гриффин. — Получилось, что им некого было обвинять, только друг друга. А если бы убийцу нашли, и можно было бы посмотреть на него и спросить с него — по крайней мере спросить его: зачем? — тогда, может быть, ее смерть не разрушила бы их брак. Тогда, возможно, они нашли бы в себе силы пережить это.

— Гриффин... ведь бывает и так, что объяснения просто нет. — Джоанна хотела сказать что-то другое, она хотела сказать гораздо больше, но перед лицом

такой страшной муки невозможно было найти под-
ходящие слова.

Он чуть улыбнулся.

— Поверьте, я все понимаю. Даже если бы убийцу моей сестры и нашли, мы бы, конечно, никогда
не смогли понять, зачем он ее убил. Если даже я и
назову Уэйдам имя того, кто убил их дочь, любая
причина ее убийства покажется им нелепой и ли-
шенной смысла.

— Но вы бы чувствовали себя лучше. — Она подумала: «Может быть, это объясняет, почему Гриффин так настаивает на том, что смерть Кэролайн —
это несчастный случай? В конце концов, если несчастный случай и оставляет какие-то неясности, их
не назовешь невыносимыми. В отличие от убийства».

— Если бы я смог рассказать им, как это произошло, я бы чувствовал себя полезным, — сказал Гриффин. — Я бы знал, что я выполнил свой долг. И, может быть, это помогло бы Уэйдам пережить смерть
дочери.

Джоанна поняла. Дело в том, что ему нечего сказать родителям Амбер.

— Сорок восемь часов еще не прошло, — напомнила она. — Сейчас вы не можете сказать ничего
определенного, но, возможно, завтра все изменится.

— Да, я тоже себя этим успокаиваю. — Он посмотрел на дневник и тяжело вздохнул. — К тому
времени мне нужно прочесть дневник хотя бы с того
дня, как они сюда приехали. И обязательно поговорить с Кейном.

«Не позавидуешь», — подумала она.

— Тогда не буду вам мешать, — произнесла она
вслух, поднимаясь. Раз она решила все-таки не рас-

сказывать ему то, что узнала о Кэролайн от Адама Харрисона, и раз он был так занят расследованием смерти Амбер, ей не оставалось ничего другого, кроме как вести свое собственное расследование жизни Кэролайн и особенно того, как она провела последние дни перед аварией. Пока она не найдет конкретных доказательств, пока не обнаружит очевидных связей между Кэролайн и другими двумя, погибшими здесь, она мало чем сможет помочь Гриффину.

— Джоанна?

Она обернулась уже от двери, вопросительно подняв бровь.

— Вы ведь пробудете здесь еще неделю, верно?

— По меньшей мере, — кивнула она.

— Хорошо.

И она вышла из кабинета, чувствуя одновременно и радость, и смущение от последнего вопроса Гриффина. Но хорошее настроение скоро прошло. Слишком многое ее беспокоило. Сон не переставал ее мучить, и воздействие его только усилилось. Чем больше она узнавала о Кэролайн, тем меньше та ей нравилась. К тому же теперь нужно было найти объяснение уже трем смертям, а не той одной, что привела ее сюда. Джоанна уже неделю жила в этом городе, а легче ей отнюдь не стало — наоборот.

Она стояла на тротуаре перед Отделом шерифа и, закусив губу, пыталась решить, что ей дальше делать. Но нельзя же было торчать здесь до бесконечности, и она нехотя направилась к магазинам на Главной улице. Больше всего ей сейчас хотелось поговорить с доктором Питером Бекетом, но она никак не могла придумать хорошего — то есть достаточно нейтрального — предлога. Гриффин, конечно, представил их друг другу в то утро, когда тело Амбер грузили в санитарную машину, но до сих пор почтенный доктор ни разу не встретился Джоанне случайно, чтобы можно было непринужденно заговорить с ним. Таким способом она узнала почти все, что знала теперь о Кэролайн.

Она раздумывала, не ускорить ли события, придумав себе какую-нибудь неопасную и трудноопределимую болезнь, что-нибудь вроде расстройства желудка, которая заставила бы ее обратиться к врачу...

— Привет, Джоанна.

— О, привет, Мэвис, — поздоровалась она с юной продавщицей аптеки — они столкнулись у магазина «На углу». — Сегодня рано отпустили?

— Да, на два часа раньше. Э... вы говорили с шерифом? — Мэвис старалась, чтобы вопрос прозвучал максимально незаинтересованно, как бы между делом, но Джоанна насторожилась.

— Да, но недолго, — ответила она. — Шериф сейчас очень занят, вы понимаете.

Мэвис тотчас кивнула.

— Делом этой девушки, которая упала с обрыва в воскресенье ночью. Я... э... я слышала, теперь выходит, что мистер Барлоу имеет к этому отношение. Потому что он солгал шерифу, где был в ту ночь.

И впрямь в этом городе слухи разносятся быстро.

— А где вы это слышали?

— Да только что в аптеку заходила миссис Нортон — знаете, моя соседка — и сказала, что шериф присылал одного из своих людей к ней, специально чтобы узнать, может быть, она случайно видела, не уезжал ли куда мистер Барлоу в воскресенье ночью. А она-то как раз и видела. Незадолго до полуночи, ведь именно тогда бедняжка погибла. А другой покупатель говорил, что был в «Гостинице», когда шериф Кавано допрашивал мистера Барлоу, и сам слышал, как тот сказал, что всю ночь пробыл дома, так вот...

Джоанна подумала, что миссис Нортон, должно быть, летела в город сломя голову, чтобы как можно скорее поделиться со всеми этой новостью.

— Что бы ни говорил мистер Барлоу, это вовсе не обязательно делает его причастным к смерти Амбер.

— Да, но ведь каждому известно, как она за ним бегала, — сказала Мэвис, азартно блестя глазами. — А ему это, возможно, не нравилось. В конце концов, у него роман с Холли Драммонд, и уж ей-то это не нравилось наверняка. Я уверена, он не хотел зла несчастной Амбер, но, может быть, просто чуть оттолкнул, потому что очень уж она к нему липла, вот и...

— Это, вероятнее всего, случилось около полуночи, в сильный шторм. — Джоанна старалась говорить как можно более бесстрастно. — Подумайте сами, Мэвис, что кажется вам логичнее: что кто-то назначил любовное свидание под таким-то дождем или что Амбер воспользовалась коротким затишьем, чтобы глотнуть свежего воздуха после того, как целый день просидела в отеле, и просто... упала?

— Похоже, никто не видел их той ночью, но ведь они и должны были скрываться — из-за Холли, — убежденно сказала Мэвис, решительно мотнув головой. — Конечно, Джоанна, я не могу знать точно, правда ли это, но если шериф подозревает мистера Барлоу, стало быть, у него есть на то причины. Это вам каждый скажет.

Джоанна не впервые столкнулась с тем, что люди

в большинстве своем предпочитают думать о других самое худшее, но при каждом таком столкновении ей было так же плохо, как и в первый раз, многие годы назад. Она жила тогда в Чарльстоне с тетушкой Сарой, и некий безответственный молодой репортер, интересующийся таинственными смертями и склонный во всем видеть тайные заговоры, стал крутиться около них и расспрашивать соседей о родителях Джоанны.

Постепенно выяснилось: он убежден, что Алан Флинн тайно работал в качестве адвоката на представителей организованной преступности, а «несчастный случай» на самом деле был воровской разборкой. Флинн, как утверждал репортер, собирался сдать преступников властям, и потому его убили вместе с женой.

Это было настолько абсурдно, что Джоанна поначалу просто не поверила своим ушам. Потом рассердилась — как посмел этот чужак порочить доброе имя ее отца? И вдруг, разговаривая с соседкой на эту тему, она увидела в глазах женщины нехороший блеск и с ужасом поняла, что той очень хочется верить в историю, придуманную репортером. И самое страшное — не ей одной. Расторопный юноша хорошо знал своего читателя. И все это были люди, уважавшие ее родителей. И даже родственники. Всем им хотелось в это верить.

Тетушка Сара ничего не сказала по этому поводу, но через несколько недель их дом уже продавался — они переехали в Атланту.

А сейчас Джоанна, глубоко вздохнув, сказала:

— Тетушка Сара учила меня не строить предположений, так что я, пожалуй, не буду зря говорить, а подожду, пока шериф кого-нибудь арестует.

— Он хочет арестовать мистера Барлоу? — сгорая от любопытства, поспешно спросила Мэвис.

— Сомневаюсь, — сухо ответила Джоанна, жалея, что вообще ввязалась в этот разговор. — Но я ведь не работаю в Отделе шерифа...

Мэвис не смогла скрыть разочарования.

— Я думала, шериф вам все рассказывает, — недовольно протянула она.

— Сожалею, но я ничего не знаю. Приятно было побеседовать, Мэвис.

— Мне тоже, Джоанна. Заходите в аптеку, я угощу вас коктейлем с шерри.

— Спасибо, обязательно зайду. — Джоанна смотрела, как Мэвис заспешила прочь, причем отнюдь не в сторону своего дома, а к ближайшему магазину, очевидно, желая продолжить обсуждение животрепещущей темы.

— Черт! — тихо выругалась Джоанна, но этим дела не поправишь.

— Спешит измазать его дегтем и вывалять в перьях, — услышала Джоанна женский голос. — Не буквально, конечно.

Джоанна оглянулась и увидела в открытых дверях магазина «На углу» экзотическую блондинку, которая в Атланте приняла ее за Кэролайн.

— Здравствуйте еще раз, — сказала блондинка. — Меня зовут Лисса Мейтленд.

Красивая женщина лет тридцати пяти, она одевалась с небрежной элегантностью — это запомнилось Джоанне еще по Атланте. Сегодня на ней были черные брюки, шелковая блуза и гобеленовый жилет, а светлые волосы она зачесала наверх. Глаза у нее действительно редкостно красивого зеленого цвета, поскольку, как определила Джоанна, контактных линз она не носит.

— А я — Джоанна Флинн.

Лисса улыбнулась.

— Да, так мне и говорили. Должна сказать, мне очень приятно, что вы реально существуете, а не являетесь порождением моего разыгравшегося воображения.

Джоанна сделала два шага к ней.

— Меня это, знаете, тоже потрясло. Я имею в виду, когда дважды приняли за женщину, о которой я и не слышала.

— Представляю себе. — Лисса с неприкрытым интересом рассматривала ее. — И поэтому вы решили приехать в Клиффсайд? Чтобы узнать, за кого вас приняли?

Джоанна быстренько придумала краткое, но вполне правдоподобное объяснение.

— Я — научный сотрудник библиотеки. Вскоре после того, как вы и Дилан приняли меня за Кэролайн, я, работая, неожиданно наткнулась на ее фотографию в портлендской газете, а потом и на некролог. Близилось время отпуска, вот я и решила провести его здесь.

А то, что она нашла фото Кэролайн сразу после того, как ее дважды приняли именно за эту женщину, конечно, странное совпадение, но при ее работе не вовсе невероятное. В конце концов, это даже и не ложь; другое дело, что это и не вся правда.

Лисса вроде бы поверила, во всяком случае она кивнула.

— Понятно. Так что вы проводите отпуск, привычно занимаясь исследовательской работой. Исследуете судьбу Кэролайн.

— Это, конечно, не обязательно, просто очень уж любопытно, — пожала плечами Джоанна.

— Вы знаете, я работаю у Скотта.

Джоанна решила, что перед этой женщиной нет смысла изображать незаинтересованность.

— Да, мне говорили. Значит, вы хорошо знали Кэролайн?

— Сомневаюсь, чтобы кто-нибудь хорошо знал Кэролайн. Кроме Скотта, разумеется.

— Она же всю свою жизнь провела здесь, — с нескрываемым удивлением сказала Джоанна. — Как здешние жители могут ее не знать?

Лисса чуть заметно улыбнулась.

— Если вы спрашиваете меня, то я думаю — она не хотела, чтобы ее знали. Ей приятно было думать, что она для всех загадка — это льстило ее тщеславию. Кэролайн, кстати, вовсе не нравилось жить здесь, если вам никто еще этого не поведал.

— Но, кажется, она сделала для этого города много хорошего, — заметила Джоанна.

— Да, конечно. Она состояла в различных комитетах и неустанно работала на благо города, и вообще застолбила за собой место первой леди Клиффсайда.

Джоанне вдруг подумалось, а не ревность ли слышится в голосе Лиссы.

— И при этом ей не нравилось жить здесь?

— Не слишком. Когда ей было семнадцать и она заканчивала школу, она дождаться не могла, когда же отсюда уедет. Ну, уехала. Поступила в какой-то колледж в Сан-Франциско и меньше чем через полгода вернулась домой. К сожалению, обнаружилось, что в настоящем большом пруду она всего лишь

очень маленькая рыбка, и то, что она Мисс Кэролайн Дуглас, там совершенно ничего не значит. Однако именно там она встретила Скотта, и он приехал
за ней сюда.

— Он перебрался сюда только из-за нее?!

*Так вот как они встретились. И вот она, связь с
Сан-Франциско.*

Лисса кивнула.

— Его семья исстари вела дела в Сан-Франциско, и, когда он стал продавать предприятия, чтобы
ехать сюда, родственников чуть удар не хватил. Но
он никого не слушал. Купил здесь старую лесопилку, и уже через полгода она приносила доход, хотя
до этого все время числилась в убыточных. Он пере-
оборудовал несколько старых магазинов, вызвал из
Сан-Франциско нас с Диланом. Дилан здесь родился и рад был вернуться домой, а мне захотелось поработать в многообещающем, хорошо налаженном
деле. — Лисса дернула плечом. — В то время Скотт
боготворил Кэролайн. Готов был все бросить к ее
ногам, как принц из сказки о Золушке. И как только
ей исполнилось восемнадцать, она вышла за него
замуж.

Так, значит, Лисса и Дилан тоже из Сан-Франциско! Похоже, то, что Батлер оттуда же, не слишком много значит.

Чуть поколебавшись, Джоанна тем не менее сказала:

— А я слышала, их брак оказался не слишком
счастливым. Так что же стало с хрустальным баш-
мачком?

— Наверное, разбился. — Лисса опять дернула
плечом, видно, нервы расходились. — А может быть,
он никогда и не был ей впору. Несчастная женщина.

Ей не нравилось жить в маленьком городке, но не хотелось терять те преимущества, которые он дает. В Сан-Франциско, будучи женой Скотта, она могла бы иметь куда более обширное поле деятельности, но большой пруд ее страшил. Скотт согласился остаться, и они стали жить здесь.

— Она вам не нравилась?

Лисса подумала.

— Что ж, пожалуй. Как и большинству женщин. Она умела быть такой очаровательной, умела сводить мужчин с ума своей какой-то трепетной беззащитностью, но на женщин она сил не расходовала, с ними она в лучшем случае была вежлива. Вот почему продавцы, обслуга и тому подобная публика, которая знала ее на уровне формального разговора в две-три фразы, считает ее прелестной, или застенчивой, или очень милой. А те, кто знал ее ближе, как правило, испытывает куда более сложные чувства.

Помолчав, Джоанна задала следующий вопрос:

— Вам не показалось, что она была чем-то расстроена в последнюю неделю-другую перед смертью?

— Нет, ничего особенного не замечала. А почему вы спрашиваете? — Лисса вдруг прищурила зеленые глаза. — Что вы хотите доказать? Что несчастный случай — это не несчастный случай?

Джоанна покачала головой.

— Я слышала, что она была подавлена, нервничала — не потому ли она не смогла совладать с машиной в тот день?

— Я думаю, мы уже никогда не узнаем об этом.

— Да, наверное. — Джоанне было не по себе, но она выдавила любезную улыбку. — Что ж, приятно было познакомиться, Лисса.

— Мне тоже, Джоанна.

Джоанна направилась в дальний конец Главной улицы, где была припаркована ее машина. На углу она оглянулась — Лисса в той же позе стояла в дверях и смотрела на нее с совершенно бесстрастным лицом — настолько бесстрастным и неподвижным, что невольно холодок пополз между лопатками, и Джоанна поспешила завернуть за угол.

Выйдя из поля зрения Лиссы, она остановилась, пытаясь справиться с нервами. У нее было такое чувство, что события страшно ускорились. Это движение началось много месяцев назад, а теперь стремительно приближается к своему пику.

Но, черт возьми, она по-прежнему не понимает, куда и зачем торопиться? У нее по-прежнему нет ответа. Одна лишь ни на чем не основанная уверенность, что если она разгадает, отчего погибла Кэролайн, то все остальное сразу станет ясно.

И пора обратиться к доктору Бекету — по любому поводу или вовсе без оного.

* * *

В больнице, в своем заваленном бумагами кабинете, доктор Бекет чуть отрывисто поздоровался с Джоанной, прищурив вечно усталые голубые глаза.

— Марион сказала, что вы хотите поговорить со мной, — кивнул он в сторону регистраторши. — Так на что жалуетесь, Джоанна?

Усевшись, куда он указал — на коричневый кожаный стул у его стола, Джоанна покачала головой.

— Я совершенно здорова.

Он сел за стол с другой стороны.

— Понятно. Значит, настала моя очередь отвечать на вопросы о Кэролайн?

Он произнес эти слова спокойно, но тем не менее под прямым и твердым взглядом его голубых глаз Джоанна почувствовала себя неловко.

— Если вы не против, — наконец нашлась она, хотя и не лучшим образом. — Просто я слышала, что вы хорошо знали Кэролайн, может быть, вы расскажете что-нибудь полезное.

— Полезное? Полезное для чего?

Джоанна решила, что Бекет нарочно притворяется непонимающим, и тут же насторожилась.

— Я стараюсь ее понять. Стараюсь понять, какой она была. Не могу объяснить зачем, просто я чувствую, что мне это необходимо.

— Понятно, — повторил он.

— И поэтому, что бы вы ни рассказали, я выслушаю внимательно и с благодарностью.

— Не думаю, Джоанна, что мне есть чем с вами поделиться. То есть я могу вам сообщить, что у нее была аллергия на пыльцу вообще, а особенно на сурепку. Могу сообщить, что она каждый год болела тяжелой простудой, но никогда не подхватывала грипп. Что у нее была тяжелая беременность, но легкие роды. Разве это будет полезно для вас?

— Полезна любая мелочь, если она поможет мне лучше понять Кэролайн, — настаивала она. — Говорят, она была застенчива. Это так?

— Скорее сдержанна.

— Даже с вами?

Он пожал плечами.

— Я был ее врачом, а не конфидентом.

У Джоанны уже не осталось сомнений в том, что

он не намерен откровенничать с ней. Она решила не пугать его излишним упорством.

— Вы виделись с ней в последнюю неделю ее жизни? — все же задала она следующий вопрос, намереваясь, впрочем, вскоре распрощаться.

Бекет взял со стола ручку и стал крутить ее в длинных пальцах.

— Нет, — сказал он, не отрывая глаз от вертящейся ручки.

Он явно лгал, причем лгал неумело.

— Значит, вы не знаете, была ли она расстроена или обеспокоена чем-то тогда?

— Не знаю. — Он любезно улыбнулся. — Сожалею, что не смог вам ничем помочь, Джоанна.

— Ничего, — улыбнулась она в ответ. — Я собираю мелочи, детали, штрихи — почти каждый может что-нибудь сказать о Кэролайн. Потом все это сложится воедино.

— И что же это будет за картина? — спросил он.

— Если бы ей нужно было название, — сказала Джоанна, — я бы выбрала такое: «Сложная натура». Кажется, ей не подходят обычные в таких случаях ярлыки.

— Обычные ярлыки?

— Да. «Жена богача». «Матрона маленького городка». «Преданная мать». Все они вроде бы и годятся, но не вполне.

— А подходят ли вообще кому-нибудь обычные ярлыки?

— Наверное, нет. — Джоанну вдруг охватило разочарование, и на секунду она замолчала, стараясь скрыть его. Потом поднялась. — Спасибо, доктор, что нашли время для разговора со мной.

Он тоже встал, с той же любезной улыбкой, отнюдь не коснувшейся его глаз.

— Просто док, Джоанна. Жаль, что я так мало знаю о Кэролайн.

Подняв руку в знак прощания, она вышла из кабинета в холл. В регистратуре Марион заносила данные в компьютер, пользуясь послеобеденным затишьем и отсутствием больных. Марион, энергичная женщина средних лет, темноволосая, с очень цепкими глазками, на которой словно бы крупными буквами было написано, что спуску она никому не даст, подняла голову, когда Джоанна проходила мимо.

— Удачно? — спросила она.

Джоанна подумала, что все уже знают: она расспрашивает о Кэролайн, — и это логично, учитывая скорость распространения слухов в этом небольшом городе. Поэтому она не стала спрашивать, что Марион имеет в виду, а просто пожала плечами.

— Да нет.

— Наверное, он прочел вам целую главу и еще один стих об ответственности врача за сохранение тайны пациента?

— Я не слишком настаивала, чтобы не нарываться, — ответила Джоанна. — Просто он сразу предупредил, что не знает о Кэролайн ничего такого, что может быть мне полезно.

Ничуть не удивленная, Марион кивнула.

— Он, мягко говоря, неболтлив.

У Джоанны не было намерения заставлять эту женщину сплетничать про доктора и Кэролайн, она сказала просто наобум:

— Кэролайн ведь часто приходила сюда из-за своей аллергии. Вы ее знали?

— Знала ли я ее? Как сказать? Видела, обменивалась вежливыми словами — это да. Но у Кэролайн Маккенна на других женщин всегда как-то не хватало времени.

— Да, я слышала, — пробормотала Джоанна. — Но неужели у нее совсем не было подруг?

— Я не могу назвать ни одной.

— А вы случайно не видели ее в последнюю неделю ее жизни?

— Как же, — сказала Марион, — она заходила сюда дня за два до гибели. Хотела видеть дока.

Джоанна постаралась не выдать себя.

— Увидела?

— Э, я уже хотела пригласить ее в кабинет, как в ту же секунду зазвонил телефон: один из старшеклассников, игроков школьной бейсбольной команды, повредил ногу. Док схватил свой чемоданчик и помчался со всех ног. Кэролайн еще попыталась с ним заговорить, но он ее просто отодвинул с дороги. — Марион чуть нахмурилась. — Дайте вспомнить... да, она шла за ним до самой стоянки.

Джоанна задумалась о том, почему Бекет солгал ей. То ли он знал о смерти Кэролайн что-то такое, чего не хотел говорить — это вполне возможно, в конце концов, именно он делал вскрытие. А может быть, он лгал потому, что тоже чувствует себя виноватым, ведь Кэролайн пришла к нему за помощью, а он от нее отвернулся.

— Она не казалась подавленной? — спросила Джоанна разговорившуюся регистраторшу.

Та поджала губы.

— Я бы сказала, немного взволнованной.

— А вы не знаете почему?

— Нет.

Джоанна кивнула.

— Большое спасибо, Марион.

— Помогло? — поинтересовалась та.

— Бог знает. Но так или иначе, еще несколько частей головоломки встали на свое место. — Джоанна повернула голову и уловила какую-то тень движения у двери в кабинет, словно бы, стоя в дверях, Бекет быстро отступил из поля зрения, когда она оглянулась.

Много ли он успел услышать?

— Удачи с головоломкой, — пожелала Марион, возвращаясь к работе.

— Спасибо. До свидания.

Джоанна вышла из клиники и направилась к Главной улице, где стояла ее машина. Начинало темнеть, в воздухе веяло холодом. Новые факты и догадки беспорядочно крутились у нее в голове. Кажется, пора вернуться в «Гостиницу», поужинать и залечь в горячую ванну — и тогда уже постараться логически осмыслить все, что она сегодня узнала.

Свернув на Главную улицу, Джоанна помедлила, окидывая взглядом городок. Он казался таким мирным в лучах закатного октябрьского солнца. «Блейзер» Гриффина стоит возле Отдела шерифа, — значит, главный полицейский города все еще на работе. Миссис Чандлер запирает библиотеку. Лисса и Дилан, оба с портфельчиками, немного постояли, непринужденно болтая, напротив мэрии, а потом разошлись в разные стороны, каждый к своей машине. Большинство магазинов открыто: они работают до шести или даже до семи; немногочисленные покупатели заходят в них и выходят, и никто никуда не спешит.

Прелестный мирный городок! Правда, с весны здесь три человека умерли насильственной смертью. Правда, многие горожане смотрят на Джоанну непроницаемым взглядом — то ли потому, что не любят чужаков, то ли им не нравятся ее вопросы, то ли им есть что скрывать...

Прелестный мирный городок. Правда, что-то здесь не так.

Она вздохнула, стараясь стряхнуть с себя ставшее почти постоянным напряжение и непомерную душевную тяжесть. Это самое лучшее, что она могла сейчас сделать. Она так устала — пора было дать себе немного отдохнуть.

Перед тем как возвращаться в гостиницу, Джоанна зашла в аптеку — ей нужно было кое-что купить. Она пробыла там совсем недолго, обменявшись лишь несколькими словами с двумя-тремя покупателями, — но, когда выходила, у нее не осталось сомнений, что будущее Кейна Барлоу в этом городке уже определено. Казалось, практически каждый был уверен, что художник непременно причастен к гибели Амбер. Джоанна подумала: «Если Гриффин не сможет убедительно доказать, что это был несчастный случай с трагическим исходом, или найти настоящего виновного, то эти подозрения подобно черной туче будут вечно нависать над головой несчастного Кейна».

Джоанна ни за что не желала верить, что девушку убил Кейн, пусть даже непреднамеренно. Но в то же время она не знала, чем здесь можно помочь — разве что продолжать делать то, что она делает, то есть стараться выяснить, что же произошло с Кэролайн.

Из аптеки Джоанна пошла к машине, которая стояла в дальнем конце Главной улицы. Выудив из переднего кармана джинсов ключи, она включила зажигание и автоматически застегнула ремень безопасности, хотя путь до отеля был недолог. Поскольку машина стояла на горке, на газ нажимать было не нужно; она просто дала задний ход, не снимая ноги с педали тормоза.

Джоанна всегда была осторожным водителем, даже до того, как попала в аварию; а сейчас стала осторожней вдвойне. Ни при каких обстоятельствах она не превышала скорость — ей не было свойственно вжимать акселератор в пол до отказа. Но едва, вырулив на Главную улицу, она слегка прикоснулась к педали, как та мгновенно ушла в пол.

И запала.

В первую секунду Джоанна попыталась вытащить педаль, подцепив ее ногой, стараясь при этом как-то следить и за дорогой. Это оказалось невозможным. Автомобиль, бешено набирая скорость, несся по Клиффсайду. Перед глазами у нее все слилось в сплошное пятно, в ушах стоял страшный рев работающего на пределе мощности двигателя, и единственное, что она могла придумать, — это ехать к югу, минуя «Гостиницу» и владения Скотта Маккенны.

Она хорошо помнила карту. Если ехать на север, то там прибрежное шоссе долго бежит прямо вдоль края обрыва, отделенное от пропасти лишь перилами заграждения — а они не остановили машину Кэролайн.

И ее машину тоже не остановят.

Джоанна не решалась отвести взгляд от дороги даже затем, чтобы посмотреть на спидометр, но, миновав парк в южном конце города, поняла, что скорость больше пятидесяти миль в час.

Она пробовала нажать на тормоз, но, кроме страшного скрежета, не добилась ничего — скорость не упала ни на милю. Джоанна попробовала переключить передачу на нейтральную, но рычаг не слушался. У нее мелькнула смутная мысль, что если на полном ходу и на такой скорости выключить зажигание, то машина словно на стену наткнется. Но, несмотря на пристяжной ремень и воздушную подушку машины, все же не рискнула; она решила оставить это в качестве самого последнего средства.

Проносясь мимо поворота к «Гостинице», она услышала сирену — в погоню за ней оперативно устремился Гриффин или кто-то из его людей. Джоанна не могла позволить себе даже бросить мимолетный взгляд в зеркало заднего вида, ибо прибрежное шоссе за землями Маккенна начинало извиваться, и все ее внимание сосредоточилось на том, чтобы удержать машину на шоссе.

Вдруг слева и чуть впереди она увидела лужок, на котором высилось несколько старомодных стогов сена. Не зная, хватит ли сопротивления такого стога, чтобы хотя бы слегка замедлить скорость машины, Джоанна решила, тем не менее, что на лугу у нее больше шансов, чем на шоссе.

Колючая проволока ограды не послужила препятствием — сворачивая с шоссе на луг, машина просто повалила столб и разорвала проволоку в клочья. Джоанна с ужасом почувствовала, что машина начинает скользить, словно земля еще не высохла после воскресных дождей, и резко вывернула руль в отчаянной попытке направить автомобиль к ближайшему стожку.

Машина въехала в небольшой стожок, задрожала и замедлилась, с трудом преодолевая сопротивление. Джоанна продолжала бороться с рулем, целясь в следующий стог. Но тут машина вильнула и закрутилась на месте. Задний конец кузова врезался в другой стог, вращение несколько замедлилось, и наконец четвертый стог ее остановил. Разметав его, автомобиль страшно задрожал, двигатель взревел и резко смолк. Тотчас ветровое стекло и окна завалило сеном, и Джоанна оказалась в темноте.

С замечательной аккуратностью она нащупала ключ зажигания и повернула его. Потом сложила руки на коленях и долго сидела, слушая, как гулко колотится о ребра сердце.

До нее доносились какие-то смутные звуки, а потом с водительской стороны сено откинули, и дверца распахнулась.

— Джоанна?! Ты в порядке?

Голос Гриффина звучал резко и хрипло, да и такого мрачного лица у него Джоанне еще не приходилось видеть. Она хотела успокоить его, сказать, что жива и здорова, просто сильно испугалась. Но вместо этого почему-то спокойно произнесла совсем другие слова, отвечавшие на данный момент ее мыслям.

— Это третий раз.

* * *

— Со мной все в порядке, уверяю вас. — Джоанна попыталась улыбнуться доктору Бекету. — Честное слово!

— Похоже на то, — сказал он, откладывая стетоскоп. — Но вы пережили сильнейшее потрясение, Джоанна. И когда уровень адреналина в крови упадет, вы это почувствуете, уверяю вас, так что лучше я оставлю вас на ночь в больнице, чтобы вы были под наблюдением.

— Спасибо, не нужно.

— Послушайте, к утру у вас будет все болеть после этих кувырканий с машиной. Если вы у нас останетесь, мы по крайней мере сможем облегчить боль.

Джоанна покачала головой.

— Не обижайтесь, док, но я терпеть не могу больничных коек. Я хорошо себя чувствую.

Бекет посмотрел на дверь.

— Гриффин, будь добр, хоть ты скажи ей.

До этого момента не проронивший ни слова, Гриффин очень тихо произнес:

— Он прав, Джоанна.

Джоанне не хотелось показаться упрямой, но в то же время она никоим образом не собиралась оставаться в больнице, особенно не будучи больной. Кроме того, ей пришло в голову, что, хотя пока она и спокойна, реакция, без сомнения, наступит. Право же, если с ней случится истерика, то лучше пережить ее в одиночестве, а не под этим самым наблюдением.

Она посмотрела на Бекета.

— Спасибо, но лучше я все-таки поеду в отель. Если что-то случится, я вам позвоню. Хорошо?

— Полагаю, случится. — Он чуть улыбнулся. — По крайней мере выслушайте мой совет. Примерно через час у вас будет реакция на шок. Примите горячую ванну. Если сможете поесть чего-нибудь горячего — это тоже помогает. И постарайтесь расслабиться и успокоиться.

— Непременно все исполню, — с готовностью согласилась Джоанна.

— Хорошо. — Ободряюще притронувшись к ее плечу, он снова повернулся к двери. — Грифф, что с машиной?

— Всмятку, — лаконично ответил Гриффин. — Да и пастбище Билла Кука не в лучшем состоянии.

Бекет покрутил головой, но, ничего не сказав, вышел из смотровой.

Джоанна встала с кушетки.

— Если моей страховки не хватит, я сама возмещу ущерб, — торопливо сказала она, адресуясь к Гриффину.

— Глупости. За пастбище никого не штрафуют. — Он говорил по-прежнему хрипло.

— Но, кажется, у меня просто не было другого выхода, — продолжала волноваться она. — Или луг, или обрыв. Мне как-то не хотелось упасть с обрыва.

Гриффин оторвался от притолоки и вошел в комнату — мрачное лицо, сосредоточенные глаза. Подойдя к Джоанне, он, ни слова не говоря, вынул руки из карманов куртки и крепко обнял ее и поцеловал.

Джоанна была застигнута врасплох — она и не пыталась вырваться, причем вовсе не потому, что это ей вряд ли бы удалось. Теплое, сильное прикосновение его губ вдруг показалось ей совершенно необходимым. Словно она очень долго и безнадежно искала что-то и вдруг нашла, когда уже и надеяться-то перестала.

Он гладил ее по голове, обводил пальцами скулы, и она, не раздумывая, крепко прижалась к его груди. Ее тело отвечало ему, как чуткий музыкальный инструмент руке мастера, касание которой извлекает из него только самые чистые ноты. Так, словно она была создана специально для него. И уверенность в этом была такой же сильной, как та необъяснимая тяга, что привела ее в Клиффсайд.

Гриффин, казалось, чувствовал то же. Его поцелуй был честен и прям — как сам акт любви. Овладение, простое и чистое. И Джоанна вдруг поняла, что если между ними и стояли какие-то вопросы, то теперь их нет.

Он наконец оторвался от ее губ с чуть слышным хриплым стоном. Но не отпустил ее, а покрепче обнял обеими руками и застыл. Она слышала, как сильно и часто бьется его сердце, — наверное, ее сердце билось в том же сумасшедшем ритме; и ей так хорошо было в его объятиях — ну просто хорошо, — что ей и в голову не приходило как-то протестовать или, не дай бог, вырываться.

— О, прошу прощения. Я хотел дать Джоанне мой телефон, на случай, если я ей понадоблюсь ночью.

— Немного не вовремя, док, — спокойно сказал Гриффин. Не выпуская Джоанну из объятий, он повернулся к двери. Совсем почему-то не смутившись, Джоанна взяла у Бекета протянутую ей карточку и мурлыкнула что-то вроде «спасибо». Она тоже обнимала Гриффина за талию и не пыталась отпустить, смутно удивляясь себе.

— Прошу прощения, — повторил Бекет, с легкой улыбкой глядя на Гриффина.

— Забудем. — Гриффин повел Джоанну к выходу; Бекет проводил их до регистратуры.

— Завтра придет результат токсического анализа, — напомнил он Гриффину. — Он будет отрицательным, я уверен, но, по крайней мере, это будет документально подтверждено.

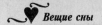

— Хорошо, спасибо, док.

Они вышли из больницы и направились к «Блейзеру». Стемнело, но стоянка была хорошо освещена. Гриффин открыл перед Джоанной дверцу автомобиля, она села, но не успел он усесться сам, как на стоянку въехала полицейская машина.

— Я сейчас вернусь, — сказал он и пошел поговорить со своими людьми.

Минут через пять он вернулся, сел за руль и включил зажигание.

— Сегодня ты останешься у меня, — сказал он, и тон его был совершенно непререкаемым.

Она чуть вздрогнула — такого сурового голоса ей еще слышать не приходилось, но в ответ заметила только, что ей будет неплохо и в отеле.

Гриффин нажал было на газ, потом на тормоз; полуобернулся к ней и чуть ли не скрипя зубами заявил:

— Док сказал, что этой ночью за тобой надо будет присматривать, так вот я и буду присматривать.

— Гриффин...

— Джоанна, послушай! — хрипло и отрывисто сказал он. — Акселератор в твоей машине не «вдруг» запал, и тормоз не сработал не «почему-то». Акселератор защемили специально — вся электросистема была развинчена. Понимаешь?! Это было подстроено. Джоанна, тебя хотели убить!

Глава 11

Он жил между гостиницей и северной окраиной города, в одном из коттеджей над обрывом. Джоанна не рассмотрела как следует дом снаружи — когда они подъехали, было уже совсем темно, — но подумала, что он, вероятно, похож на другие подобные: относительно невелик, но отлично построен и красив.

Пока он отпирал дверь, она вслушивалась в шум прибоя. Войдя, он сразу зажег свет, и Джоанна стала с интересом осматриваться. Они попали прямо в кухню: кухня, столовая и гостиная составляли общее просторное и уютное пространство без перегородок. Кухня была маленькой, аккуратной и веселой; там царствовали яркие цвета. Столовую украшали сочных оттенков тканые ковры и небольшой обеденный стол со стеклянной столешницей; в гостиной же солидно располагалась тяжелая мебель нейтральных тонов, какую предпочитает большинство мужчин, и повсюду были щедро разбросаны декоративные подушки. С обеих сторон столовой — двери, ведущие, вероятно, в спальни и в ванные. В углу гостиной призывал отдохнуть сложенный из камней камин; стена, обращенная к морю, почти целиком состояла из огромных окон и двери, выходящей, вероятно, в патио. На окнах — легкие занавески спокойного бежевого цвета; сейчас они были опущены. Напротив камина в соответствии с требованиями комфорта — телевизор и стереосистема.

Джоанна подумала, что когда-то над этим интерьером, вероятно, поработал профессиональный дизайнер, но время сгладило острые углы, оставив только уют и удобство.

— Очень мило, — сказала она Гриффину.

В ответ он рассеянно улыбнулся, но его темные глаза были мрачны — Джоанна поняла, что он все еще думает о покушении на ее жизнь. Она и сама была ошеломлена, но пока не хотела об этом задумываться.

Гриффин вышел, и через минуту раздался шум льющейся в ванну воды.

— Я знаю, ты уверена, что чувствуешь себя хорошо, — сказал он, вернувшись. — Но док предупреждал насчет шока и его последствий, так что даже если ты не согласна ни с ним, ни со мной, просто сделай нам приятное, ладно?

— Ладно. — Она постаралась улыбнуться.

— Я положил тебе там пижаму — ты в ней, конечно, утонешь, но резинка брюк регулируется, так что как-нибудь разберешься. А пока ты будешь отмокать, я попробую что-нибудь приготовить. Например, омлет. Как ты относишься к омлету?

— Прекрасно, — ответила она. — Но стоит ли...

Гриффин, не дослушав, повернул ее к двери, ведущей в ванную, и слегка подтолкнул.

— Не теряй времени.

Джоанна оказалась в маленьком коридорчике, с одной стороны которого была ванная, а с другой — спальня. С первого же взгляда было ясно, что это спальня Гриффина, даже не потому, что пижаму он вынес явно оттуда, но просто эта комната была очень похожа на него. Чисто, никакого беспорядка; основательная мебель из темного дуба; на огромной кровати, вместо покрывала, стеганое одеяло.

Небольшая ванная комната тоже оказалась очень чистой; почти все пространство занимала огромная старомодная ванна на ножках в форме когтистых лап, в которую лилась горячая вода. Это было прекрасно. Джоанна закрыла дверь. Начав раздеваться, она заметила сложенную темно-синюю фланелевую пижаму, теплую и удобную, но задуманную явно не для обольщения. Она бы охотно надела что-нибудь другое — особенно имея в виду тот поцелуй в больнице. Но тогда ей даже в голову не пришло попросить Гриффина заехать в «Гостиницу», чтобы захватить кое-какие вещи, а теперь было уже поздно.

Оставив пустые сожаления, она разделась и осторожно забралась в ванну. Вода была идеальная, горячая, но не слишком. Мышцы тотчас расслабились — а она и не замечала, насколько они были напряжены. Джоанна закрыла кран и с наслаждением вытянулась во весь рост, опершись затылком о край ванны.

Ей казалось — она чувствует себя хорошо и вполне справилась с шоком от случившегося. Но когда горячая вода сняла напряжение с тела, лицо тоже вдруг стало мокрым — Джоанна поняла, что плачет. Тихо, без громких всхлипываний — но остановить льющиеся слезы она не могла, они текли и текли по щекам — словно плотину прорвало.

Нет, док был прав, она чувствовала себя плохо. Шок, страх, безмерное удивление — вот что она чувствовала. Ее хотели убить. Но за что? За то, что она расспрашивала о Кэролайн? И подошла слишком близко к чьей-то тайне?

Она лежала с закрытыми глазами, даже не пытаясь унять слезы, и перебирала в памяти лица людей, один из которых пытался ее убить. Кто же это? Кто способен не остановиться даже перед убийством? Она познакомилась здесь со столькими людьми, знавшими Кэролайн. У кого же из них, на вид совершенно обыкновенных, есть тайна, за которую можно убить?

За своими размышлениями она совсем забыла о

времени — но тут раздался деликатный стук в дверь, и голос Гриффина вернул ее к действительности.

— Джоанна? Кофе горячий, а ужин будет готов через десять минут.

— О'кей, — не сразу ответила она.

После короткого молчания он спросил:

— Все в порядке?

Сквозь слезы глядя на дверь, она с трудом поборола искушение сказать ему правду.

— Все хорошо, — солгала она, стараясь, чтобы голос звучал твердо. — Я сейчас выйду.

— О'кей. — Сомнение, видимо, не оставило его, но все же Гриффин отошел от двери и удалился в большую комнату.

Джоанна намочила холодной водой салфетку и приложила к глазам, повторив эту процедуру несколько раз, пока слезы наконец не остановились, а веки не пришли в норму. Она боялась, что ее усилий хватит ненадолго и в любой момент поток прорвется вновь, но ничего лучшего придумать не могла.

Она вылезла из ванны, вытерлась и надела темно-синюю пижаму. Гриффин был прав — в ней можно было утонуть. Джоанна сильно затянула резинку на талии и закатала рукава куртки. Еще обнаружилась заботливо положенная пара носков — натягивая их, она не могла удержаться от улыбки. Да, конечно, очень теплые — как и пижама. И столь же сексуальны.

Она причесалась, сложила свою одежду на крышку плетеной корзины и вышла в большую комнату.

Гриффин разжег камин, приятно пахло дымком и вкусной едой. Стол был уже накрыт, а сам Гриффин в кухне энергично взбивал яйца для омлета. Он

на минуту оторвался от своего занятия и пристально посмотрел на нее.

— Стало получше?

Джоанна молча кивнула, боясь, что голос ее выдаст. Он говорил с ней ласково, как никогда, — у нее даже горло перехватило.

— Налей себе кофе, — кивком указал он на кофеварку.

Гриффин поставил омлет в духовку, краем глаза наблюдая за Джоанной. Не нужно было особенно вглядываться, чтобы заметить очевидное: руки у нее дрожат, большие золотистые глаза полны слез, а веки припухли и покраснели. После аварии она была неестественно спокойна, на известие о покушении на свою жизнь почти не отреагировала, и Гриффин был готов к тому, что рано или поздно шок все же настигнет ее.

Но к чему он совершенно не был готов, так это к тем чувствам, которые его охватывали при взгляде на нее, такую хрупкую в этой слишком большой для нее пижаме, такую трогательно-беззащитную. Он забывал обо всем — оставалась лишь неодолимая жажда чувствовать ее рядом, настоящую, живую и теплую. То же он чувствовал и в больнице, когда важнее всего для него было просто держать ее в объятиях.

Она отпила кофе и посмотрела на него, потом кивнула в сторону плиты.

— Пахнет аппетитно.

Пахло действительно аппетитно. Гриффин побаивался, что если он не перестанет на нее смотреть, то омлет непременно сгорит. С некоторым усилием он переключил внимание.

— Почти готово. Можно садиться за стол. — Он надеялся, что голос звучит нормально.

Джоанна послушно села за стол, обеими руками держа свою чашку и глядя в нее. «Слишком она молчалива, — подумал он, — слишком неподвижна. Вероятно, до нее только что дошло, что ее пытались убить, и она старается как-то уложить эту мысль в голове». Ему захотелось сказать что-нибудь — что угодно, чтобы только из ее глаз исчезла тень страха, уступив место всегдашней улыбке, но интуиция подсказала, что мешать ей не нужно, а лучше всего дать ей время, и все понемногу пройдет.

Он поставил перед ней тарелку, и Джоанна автоматически начала есть. Вежливо похвалила его кулинарный талант — он подумал, что доблестная тетя Сара накрепко вколотила в нее хорошие манеры: было совершенно очевидно, что вкуса она не чувствует и ест, только чтобы сделать ему приятное. Однако поблагодарил он на полном серьезе — все-таки она ест. На протяжении всего ужина Гриффин старался непринужденно болтать о чем-то незначительном, не требующем от нее участия в беседе.

После ужина, невзирая на ее вялые протесты, Гриффин решительно отправил ее с очередной чашкой кофе в гостиную, а сам убрал на кухне и помыл посуду. Он хотел дать ей время побыть одной, а еще он хотел, чтобы она воспринимала его не как полицейского, ведущего допрос, когда они наконец начнут обсуждать все это, а просто только как человека, которому она очень дорога.

Закончив все дела, он с чашкой кофе прошел в гостиную, освещенную только пламенем камина и лампой над диваном, там, где сидела Джоанна. Она забралась на диван с ногами и укрыла их подушкой, отрешенно глядя в огонь. Но как только Гриффин сел на диван, примерно в футе от нее, и поставил свою чашку на столик, она осторожно заговорила:

— Ты предостерегал меня от расспросов о Кэролайн, потому что боялся, что это случится?

— Нет. — Он старался говорить спокойно. — Тогда я не думал, что в ее жизни — или в смерти — было что-то такое, за что можно убить.

Повернув голову, Джоанна внимательно посмотрела на него — в ее потемневших глазах отражались золотистые искры.

— А теперь?

Он глубоко вздохнул.

— И теперь я все еще не могу понять, зачем и кому понадобилось пытаться тебя убить — неужели только за то, что ты собирала сведения о Кэролайн? Ведь у тебя здесь нет врагов, насколько я знаю. Конечно, в такой ситуации логично предположить, что существует некая тайна, связанная со смертью Кэролайн, и кто-то очень не хочет, чтобы ты ее раскрыла. И, кажется, готов на все, чтобы этого не случилось.

— Я пока ничего не раскрыла, — сказала она. — То есть ничего такого, что могло бы кого-то так испугать. Совершенно невинные вещи, не касающиеся никого, кроме нее. Разве что... я узнала, что Кэролайн... изменяла мужу.

— Ты это не хотела мне сегодня рассказывать? Джоанна кивнула.

— Я говорила с одним человеком. Он... он до сих пор одержим ею, хотя их связь кончилась больше года назад. Он говорил о ней чудовищные вещи, но я думаю, что он все еще любит ее. Он сказал, что у нее были и другие любовники, по крайней мере одного он знает точно. Он отказался назвать его имя, но, кажется, я его и так угадала. — Она покачала головой. — Но зачем им за мной охотиться? Одному совершенно безразлично, знает ли кто-нибудь об их романе с Кэролайн. Другой... Нет, я никогда не поверю, что он хотел меня убить, даже если и догадался, что мне известно кое-что.

Гриффин не перебивал, понимая, что ей необходимо выговориться, что она больше не может сдерживаться — с момента аварии эти мысли все время крутятся у нее в голове, и лучше, если ей удастся облечь их в слова.

— В последнюю неделю своей жизни Кэролайн виделась и с тем и с другим. Я это отметила, это единственное, что кажется здесь необычным, учитывая то, что обоих она давно покинула. Она приходила к ним — то ли просто поговорить, то ли попросить о помощи. Но ни тот ни другой не стали с ней разговаривать. Один был слишком на нее обижен, другой спешил. А ты был слишком занят.

Она не обвиняла — просто констатировала факт, но Гриффин немедленно стал защищаться.

— Если бы я знал, что ей угрожает опасность...

Джоанна мрачно кивнула.

— Да, конечно, тогда бы ты пришел на помощь. Я думаю, что и те двое тоже. Похоже, она имела мощную власть над некоторыми своими мужчинами.

И опять, хотя она говорила спокойно, не обвиняя, Гриффин поторопился заметить:

— Я не был ее любовником, Джоанна.

Она внимательно посмотрела на него, но он так и не понял, что она хотела увидеть в его лице и что увидела.

— Но должна же быть причина, почему она обратилась к тебе за помощью?

— Должна, — согласился он. — Однажды, очень давно, был один случай... А может быть, она послала мне эту записку, потому что я шериф, то есть человек, к которому и нужно обращаться за помощью.

Джоанна кивнула.

— Конечно, я думала об этом, должно быть, ты как шериф был ее последней надеждой, когда эти двое от нее отвернулись. Если она была замешана во что-то действительно опасное или противозаконное, она, наверное, страшно боялась написать эту записку.

Гриффин покачал головой.

— Последняя надежда? То есть она заранее была уверена, что я сделаю все для ее защиты, если ей угрожает убийство? Мы ведь говорим об этом, да?

— Да, мы говорим об этом, — подтвердила Джоанна, глядя в огонь. — В последнюю неделю своей жизни Кэролайн была чем-то взволнована, а возможно, и напугана. Она не пришла к тебе сразу. Мне кажется, это означает, что она боялась ареста или скандала, а может быть, узнала что-то страшное про того, кто был ей дорог, или, возможно, не могла решить, что ей делать, потому что ее предал человек, которого она любила. Я думаю, что перед смертью или чуть раньше у нее была с кем-то связь, и, вероятно, ее последний любовник знает многое, если не все.

— Предположения, предположения... — предостерег он. — И ни одно ничем не доказано.

— Я понимаю. Но что мне остается? Я стараюсь сложить эту головоломку. А кто-то не хочет, чтобы я

увидела картину в целом, и сегодня попытался меня убить.

— И пытался убить тебя ночью в воскресенье.

Она быстро повернула голову.

— Ты хочешь сказать, что Амбер погибла, потому что ее приняли за меня? — тихо спросила она.

— Хотел бы я ответить «нет». — Гриффину хотелось прикоснуться к ней, но он удержался. — Но другие варианты не выдерживают критики. Не говоря уже о том, что я давно знаю Кейна и просто не могу заставить себя поверить, что он способен убить девушку только за то, что она вешается ему на шею. Сегодня кто-то испортил твою машину. И как только это случилось, я понял, что все взаимосвязано, как ты и утверждала с самого начала. А что же может связывать Амбер со всей этой историей? Ничего, кроме того обстоятельства, что со спины она удивительно похожа на тебя.

— Но Амбер погибла ночью и в шторм. Неужели кто-то всю ночь, под дождем, собирался ждать возле отеля, не выйду ли я прогуляться в этакую прекрасную погодку?

— Нет, навряд ли. Но кто-то вполне мог сидеть в отеле и увидеть, как Амбер выходит. Кто-то из постояльцев, да вообще кто угодно. В этот вечер там мог оказаться любой — наверное, еще продолжали играть в покер, — значит, скорее всего, заходил и кто-то из горожан. Или... может быть, Кейн.

— Но ты только что сказал...

— Я сказал, что не верю, что он убил Амбер за то, что она вешалась ему на шею, но я не говорил, что он в принципе не способен на убийство. Если существует достаточно серьезный мотив... Кстати, тогда становится понятно, зачем он уехал ночью — чтобы обеспечить себе алиби. Но понял он или не понял, кого столкнул, он никак не мог предположить, что мы найдем дневник Амбер и таким образом установим точное время, когда она вышла из отеля.

— Тогда почему же он не предъявил тебе это алиби, когда ты беседовал с ним? Почему же он говорил, что провел всю ночь в своем доме, один?

— Если бы мне нужно было алиби для убийства, я бы решил, что его хорошо придержать про запас; по крайней мере, пока я не стану главным подозреваемым. Особенно если, скажем, я бы провел эту ночь с другой женщиной. Всегда можно сказать, что не говорил об этом, потому что не хотел впутывать сюда отношения с Холли — ведь когда я с ним разговаривал, она сидела рядом. Черт, это весьма правдоподобно! Может быть, такую игру он и ведет.

— Но Амбер послала ему записку, — возразила Джоанна. — Если он и ждал кого-то у отеля, так только ее.

— Это если он прочел записку.

— А он ее не прочел?

Гриффин кивнул.

— На всякий случай я послал одного из своих людей осмотреть его коттедж — сегодня, как только ты от меня ушла. Он нашел конверт с запиской под цветочным горшком на веранде, и совершенно очевидно, что его никто не трогал, и, разумеется, он не был распечатан.

— А был ли Кейн в отеле в воскресенье вечером? Я его там не видела.

— Он обедал с Холли, это я точно знаю. Может быть, он бродил вокруг отеля, особенно если шторм приутих, и, увидев, как Амбер вышла, решил, что

это ты. Потом прокрался за ней до обрыва и столкнул, как следует не разобравшись, кто это.

— Вынуждена огорчить тебя: слишком много предположений, — сказала Джоанна, повторяя его же фразу.

— Да, я знаю, — со вздохом произнес Гриффин. — Я обязательно должен с ним поговорить. Я должен заставить его сказать мне, где он был ночью в воскресенье. Еще надо бы выяснить, был ли у них с Кэролайн роман и продолжался ли он до тех пор, когда произошла авария. И если все так и есть, то он должен что-то знать — по меньшей мере, в каком состоянии души она была тогда.

— А разве у него тогда еще не было романа с Холли?

Гриффин кивнул.

— Был. И это зачтется в его пользу, поскольку я не знаю таких дураков, которые крутят одновременно с двумя женщинами, живущими в одном маленьком городке.

— А Кейн отнюдь не дурак.

— Не сомневаюсь. Но пока он у меня главный подозреваемый. Если бы он внятно объяснил, где он был ночью в воскресенье, а также убедил меня в том, что не состоял с связи с Кэролайн и не знает, чего она так боялась перед смертью, тогда бы я вычеркнул его из своего списка.

— А кто еще у тебя в списке? — И, опередив его, Джоанна предположила: — Наверное, Скотт.

— Если Амбер погибла, потому что ее приняли за тебя, а теперь я уверен, так оно и было, это должно быть как-то связано с Кэролайн и ее смертью, тогда, получается, он под подозрением. Он вполне способен убить, если найдется веская причина.

— Что ты считаешь веской причиной? Вряд ли ею может стать открытие, что у Кэролайн есть любовник. Возможно, Скотт и приложил руку к гибели жены, но зачем ему убивать меня? — Она с сомнением покачала головой. — Я думаю, если мы узнаем, чего боялась Кэролайн, все сразу встанет на свои места.

— Да, это бы хорошо, — сказал он. — Есть на примете хороший медиум?

Джоанна, глядя в огонь, улыбнулась. Гриффин рассматривал ее профиль. «Ей легче, когда мы разговариваем, — подумал он. — Когда она может сосредоточить свой острый ум на разгадывании головоломок из жизни Клиффсайда. У нее это отлично получается, именно так работают лучшие полицейские детективы: проговаривая ситуацию, часто удается отстраниться, что порой бывает необходимо. А кроме того, за разговорами она забывает о своих боли и страхе. Но эту тему мы уже, кажется, исчерпали».

— Когда сегодня я открыл дверцу твоей машины, — внезапно вспомнил он, — ты сказала, что это третий раз. Что ты имела в виду?

— Третий раз я обманула смерть, — тихо и как-то отрешенно произнесла она. — Но раз бедная Амбер умерла вместо меня, то это получается уже четвертый. — Она посмотрела на него и слабо улыбнулась. — Как ты думаешь, сколько попыток у меня еще осталось?

На сей раз Гриффин не стал бороться с искушением коснуться ее. Он придвинулся к ней и обхватил ее лицо ладонями. Ее теплые губы подрагивали под его губами, и он чувствовал, как у нее на шее учащенно бьется пульс. Она тихо всхлипнула и прильнула к нему, откинув прочь разделявшую их подушку.

Он понимал, что сейчас она беззащитна и нуждается просто в утешении, — но, ощутив, как приоткрылись ее губы и язык обжигающим касанием скользнул по его губам, он ни о чем уже не мог думать, кроме того, что безумно хочет ее.

— Джоанна... — Гриффин с трудом оторвался от ее губ, чтобы произнести ее имя, при этом чувствуя, как это ему необходимо, что он именно хочет шепнуть ее имя, и снова стал жадно целовать ее.

Издав низкий, чувственный стон, Джоанна еще сильнее прижалась к нему, отвечая на его ласки так страстно и горячо, что он тоже едва не застонал, совершенно теряя голову. Чуть отодвинувшись, он посмотрел на нее и снова взял ее лицо в ладони.

— Не только док сегодня вошел не вовремя, — хрипло сказал он, в упор глядя на нее. — Джоанна, ты сегодня вырвалась из такого кошмара, и я не хочу, воспользовавшись твоей слабостью...

Ее глаза, огромные, потемневшие, еще влажные от недавних слез, распахнулись навстречу ему, и она неожиданно радостно улыбнулась.

— Спасибо, — мурлыкнула она, — но, Гриффин, я уже несколько дней назад поняла, что это должно случиться. А ты?

Он нежно поглаживал пальцами ее скулы.

— И я, — ответил он. — Но...

Она не позволила ему договорить, опять тесно прижавшись к нему и прильнув к его рту жаждущими губам.

— Я хочу тебя. И я знаю, что делаю. Не оставляй меня сегодня одну, пожалуйста.

Возможно, какой-то другой мужчина и нашел бы в себе силы не внять этой нежной мольбе — но не Гриффин. Он обнял ее еще крепче — и поцелуй их был долог и сладок. Джоанна, ласкавшая его шею, плечи, спину, уже не казалась ему беззащитной — перед ним была женщина, полная страсти, которая твердо знает, чего хочет.

Он поднял ее на руки — она была легкой, как перышко. Его пронзило ощущение ее физической слабости, вызвав целую бурю чувств: безумный страх за нее, ведь на ее жизнь дважды покушались, и желание ее защитить, сильное, как никогда прежде, — примитивная, железная решимость обеспечить ей безопасность любыми средствами. Никогда его чувства не были так мощно сконцентрированы лишь на одном: видеть ее, слышать, обонять, осязать...

Он перенес ее в спальню и осторожно поставил на ноги у кровати, вслепую одной рукой отодвигая одеяло и не переставая ее целовать, движимый неутолимой жаждой, которой не знал раньше. Ее теплые губы, терзаемые им, безумствовали так, словно она испытывала ту же жажду.

Но этого им становилось уже мало: она расстегивала его ремень, а он чуть ли не рвал пуговицы на ее пижаме, стремясь скорее смести все барьеры, их разделяющие; наконец она со стоном нетерпения прижалась к нему обнаженной грудью, затвердевшие соски обжигали — и внутри у него разгоралось такое пламя, что он, не в силах сдержаться, присоединил свой из глубины идущий низкий стон к ее страстному голосу.

— Боже, Джоанна... Как я хочу тебя... — Он едва узнавал себя. Будто до этой минуты в его жизни не было ничего. Ее глаза блеснули, она потерлась грудью об его грудь, и ему показалось, что он вот-вот взорвется от наслаждения.

Ему хотелось на нее смотреть долго-долго — уложить ее, обнаженную, и смотреть, смотреть и смотреть, запоминая каждый дюйм, каждый изгиб ее прекрасного тела, но потребность полностью слиться с ней была куда более настоятельной. Он потянул поясок пижамных брюк, и они упали к ее ногам, а ее нежные пальчики, не теряя времени, ловко расстегивали ему джинсы.

Это интимное касание заставило каждый его мускул напрячься в сладостном предвкушении, а потом она прижалась к нему мягким шелковистым животом, и его пронзил приступ чистой и мощной страсти. Она переступила с ноги на ногу, пытаясь избавиться от носков, и это ее почти неуловимое движение стало последней каплей. Поток неистового желания перехлестнул все возможные и невозможные преграды, затягивая их в свои водовороты.

Отшвырнув в сторону такую неуместную сейчас одежду, Гриффин поднял Джоанну и нежно опустил на кровать. Освещенное лампой, тело ее было прекрасно, еще прекраснее, чем он думал. Джоанна, стройная, тоненькая, с небольшой упругой, красивой формы грудью и мягко закругленными линиями бедер — воплощенная женственность. Глаза, влажные и слепые от страсти, мерцали, губы чуть распухли от его поцелуев.

Ему хотелось рассказать ей, какой он ее видит и что чувствует. Ему хотелось сказать, что он никогда не видел никого прекраснее, что он не может ни о чем думать, так его влечет к ней. Но язык его не повиновался ему.

Зато говорили его губы, говорили его руки. Он

покрывал поцелуями ее лицо, шею, гладил ее теплые, упругие груди, чуткими пальцами тревожил твердые розовые соски; потом повторял путь своих рук губами, и желание переполняло его. Он слышал, как бьется ее сердце — так же сильно и быстро, как его; она учащенно дышала, и порой с ее губ срывался слабый стон. Желание разгоралось все сильнее, и сдерживаться дальше он уже не мог. Обуревавшие его чувства выходили из-под контроля, а тело жаждало иных утех.

Его рука скользнула вниз, к ее гладкому шелковистому животу; ощутив предвкушающий трепет, спустилась еще ниже и, поблуждав в нежных светлых завитках, нашла увлажнившееся, ждущее его лоно и стала нежно ласкать. Ее бедра с готовностью приподнялись ему навстречу, она чуть вскрикнула.

Гриффин со стоном проник в нее. Она обнимала его и слегка царапала ногтями спину и плечи, и это казалось ему восхитительным. Ее глаза потемнели от страсти, тело медленно и как бы неохотно раскрывалось, принимая его, и это неторопливое слияние было исполнено бесконечного наслаждения. Ему хотелось раствориться в ней, слиться с ней воедино, дышать в одном ритме, не различая, где кончается он и начинается она.

Он начал двигаться, сначала неспешно, и ее тело чутко отвечало ему. Ее стоны и всхлипы подстегивали, ритм его движений все учащался, она крепко вцепилась пальцами ему в плечи, метаясь и изгибаясь под ним. Лицо ее, освещенное пламенем страсти, было прекрасно.

Их словно бы уносило бурей — бурей их собственных необоримых и упоительных ощущений в океан чувственности, и, не сопротивляясь, они плыли к вершине наслаждения, которая все приближалась. Джоанна вскрикнула, и ее последнее содрогание отозвалось в нем вспышкой столь ослепительной, что он перестал видеть, слышать и чувствовать что-либо, кроме мощи собственного блаженного освобождения.

* * *

— Как ты молчалива, — произнес Гриффин.

Джоанна открыла глаза; опершись на локоть, он спокойно разглядывал ее. Она и не заметила, когда он успел укрыть их одеялом, — и теперь мирно дремала в теплом коконе из одеяла и его объятий, слушая отдаленный грохот прилива, бьющегося о скалы.

— За последнее время я сильно изменилась, — пробормотала она, еще не совсем проснувшись. Она не могла понять по его лицу, беспокоит его ее молчаливость или он просто констатирует факт. Лицо было серьезно, темные глаза — черные? синие? — не отрываясь, смотрели на нее.

— Ты... всегда такая? — спросил он чуть напряженно.

Джоанна немного подумала, удивленно подняв бровь. Что он, собственно, хочет узнать? Для некоторых мужчин предшествующий сексуальный опыт женщины — это тема, которую нельзя затрагивать, другие же, наоборот, хотят изучить каждую главу, каждую строчку — и чтобы сравнение с предыдущими любовниками было непременно в их пользу.

— Я была постоянной подругой моего школьного возлюбленного три года, — тихо заговорила она. — Два последних года в школе и первый год в колледже. И только в колледже мы легли в постель, и... у нас не вполне получилось. В самом деле, — она чуть улыбнулась, — я совершенно не понимала, о чем весь этот неоправданный шум. Я не знаю, действительно ли мы оказались в этом смысле несовместимы, может быть, мы просто были молоды. У него, скорее всего, было не больше опыта, чем у меня. Так или иначе, со временем лучше не стало, во всяком случае мне. И, вероятно, такое отсутствие у меня энтузиазма было замечено и неприятно поразило моего парня. Так что через полгода мы уже расстались. О своем следующем романе я уже рассказывала. Он, если ты помнишь, был неудачным и длился всего несколько месяцев. Поэтому я просто не знаю, насколько мне свойственна молчаливость во время столь бурной ночи.

Он глубоко вздохнул.

— Я никогда не понимал, что значит сходить с ума от страсти — до сегодняшнего дня.

Свободной рукой он отвел прядь волос с ее лица и нежно погладил по щеке.

— Мы подходим друг другу, правда? — по-прежнему очень серьезно сказал он.

Если даже простое поглаживание щеки пробуждало в ней желание — то это настолько само собою разумелось, что Джоанна только слабо улыбнулась.

— Да. — И добавила: — Ты тоже не много говоришь. Ты всегда такой?

— Нет, — просто ответил он.

Джоанна ждала, наблюдая за ним.

— Для меня это так неожиданно, — сказал он, зачарованно гладя ее щеку. — Просто как гром среди ясного неба. Когда я увидел тебя в первый раз, ты повернула голову...

— И оказалась так похожа на Кэролайн, — вставила она, с трепетом ожидая его реакции.

Пальцы Гриффина замерли на ее щеке, брови чуть нахмурились, но голос оставался спокойным по-прежнему.

— Да, это была моя первая мысль. Это естественно. Но и отличия сразу бросились в глаза. Твой голос, твои волосы. Но такое достаточно невероятное сходство меня настораживало. Я не верил в простое совпадение, и мне было непонятно, зачем ты приехала. А потом, когда я увидел, что ты очень целенаправленно ведешь расспросы о Кэролайн, я просто не знал, что и думать.

— И ты решил меня предостеречь?

— Мне было очень не по себе, Джоанна. Из-за тебя. Я, конечно, ни секунды не думал о том, что ты можешь стать причиной трагедии, — видит бог, я никак не ожидал убийства, — но я знал, что многие в этом городе не примирились со смертью Кэролайн.

Джоанна молча кивнула.

— Я не понимал, что со мной, — продолжал он. — Я не могу даже точно сказать, когда мои чувства проснулись. Наверное, тогда, когда я совершенно перестал видеть ваше сходство с Кэролайн.

Джоанна не знала, верить или не верить, но вопросов не задавала. Ей хотелось думать — ей очень хотелось думать, — что сегодня он лег в постель именно с ней — с ней, а не с двойником Кэролайн.

Вдруг он широко улыбнулся.

— И тогда я понял, что я в опасности.

— Прямо-таки сбит с ног? — улыбнулась она.

— Прямо-таки пинком в зад! — мрачно ответил он.

Джоанна не могла удержаться от смеха.

— А я не шучу, — сказал он обиженно. Почему-то сразу стало понятно, что для него это и в самом деле очень серьезно. — Мне тридцать семь лет, Джоанна. Я думал, что я выше этой чепухи.

— Чепухи? — невинно спросила она.

— Ты прекрасно понимаешь, о чем я говорю. Грезы наяву. Всякие там смешные порывы.

Джоанне очень хотелось попросить его описать эти смущающие его грезы и порывы, но она настолько была не готова к тому, о чем он, как ей казалось, говорит, что не нашла ничего лучшего, как ляпнуть:

— Сладострастие и вожделение, да?

Гриффин вдруг наклонился над ней, и в его темных глазах сверкнул неожиданный гнев.

— Я знаю, что такое вожделение. Это другое.

Она не сумела достойно ответить, да он и не дал ей никакой возможности. Он приник ртом к ее губам — властно, но не грубо, снова пробуждая желание, зажигая в крови огонь, который охватил ее так быстро и неодолимо, что она потеряла всякий интерес к каким-то словам.

Она потянулась к нему, вслепую, пальцами касаясь покуда неизученного, но такого желанного тела. Трогать его было упоительно. Оно было тверже, чем она думала, под гладкой кожей перекатывались крепкие мускулы. Она ласкала его плечи и спину, проводила пальцем по четкой линии позвоночника, потом медленно поглаживала его грудь, покрытую мягкой порослью черных волос. Когда она к нему прикасалась, кончики пальцев покалывало — почти буквально, они словно наэлектризовывались, как

будто желание через них перетекало из тела в тело, все усиливаясь, и напряжение нарастало, так что становилось жарко и трудно дышать.

После их первого соития ей показалось, что она совершенно опустошена: нет сил, нет воли и ничего уже больше не хочется. Но стоило ему только поцеловать ее, как она мгновенно воспламенилась вновь, и, когда он коснулся рукой ее груди, она едва не подпрыгнула, от обжигающего наслаждения перехватило дыхание, и беспомощный сладостный всхлип вырвался из горла.

Она молчалива? Вряд ли сейчас про нее можно было это сказать. Она не могла сдержать непроизвольные хриплые стоны первобытного наслаждения. Выражение чувств не облекалось в слова, но он вызывал в ней ощущения столь сильные, столь ошеломительные, что никакие слова здесь не годились.

Он целовал ее грудь, а рукой, скользнув по ее животу и ниже, стал ласкать самое нежное и чувствительное место, пробуждая в ней столько доселе неведомых сильных ощущений, что она почувствовала, как ее ноги сами раздвигаются ему навстречу. Это тоже было совершенно новое для нее чувство: раньше она не знала, как невыразимо сладостно раскрываться для него, сколько в этом свободы на грани распутства, сколько соблазна.

Он продолжал ее ласкать, и ей казалось, что она вот-вот сойдет с ума. Она вскрикивала и извивалась и, когда он наконец в нее вошел, едва не всхлипнула от облегчения. Она обхватила его ногами и руками, сплелась с ним воедино и видела над собой только его напряженное, словно высеченное из камня, лицо. И это тоже было ново — ощутить радость того, что он заполнил ее собой без остатка; такая близость пробуждала самые глубинные и первобытные ее инстинкты.

Он начал двигаться, медленнее, чем в первый раз, и она очень скоро оказалась на пределе своих возможностей — просто удивительно, как быстро он заставлял ее терять рассудок и превращаться в клубок обнаженных нервов, в сгусток чистого желания. Этот упоительно ленивый, сводящий с ума темп давался ему нелегко: мускулы под ее пальцами дрожали от напряжения, дыхание было хриплым и неровным, лицо превратилось в застывшую маску. Но его невероятная сдержанность не утоляла ее сладких мук: она слышала свой собственный голос, издававший звуки, вовсе ей не свойственные; она царапала его спину ногтями, а напряжение за гранью невозможного все росло, и ей казалось, что она уже больше не выдержит.

Вдруг он зарычал и вонзился в нее с дикой силой, и она ответила экстатическим воплем; волны ее содроганий совпали с его толчками, и они одновременно взлетели к вершине ошеломляющего блаженства.

* * *

Когда Джоанна наконец пришла в себя, она опять покоилась в теплом уютном коконе из одеяла. Гриффин обнимал ее обеими руками, ее голова удобно лежала у него на плече. На сей раз она знала совершенно точно, что двигаться у нее нет сил. Она засыпала.

— Джоанна?

— М-м?

— Может быть, тебе лучше вернуться в Атланту, пока здесь все окончательно не утрясется?

Она подняла голову и оперлась на локоть, чтобы лучше видеть его лицо, но прежде, чем успела ответить, он заговорил опять:

— Я за тебя волнуюсь.

Как ни трудно было сказать ему «нет», Джоанна все же отрицательно покачала головой.

— Я не могу уехать, пока все это не кончится. Даже если бы и хотела. Мне трудно это объяснить, но я чувствую, что должна быть здесь.

Он мгновение смотрел на нее своими темными глазами, потом неохотно кивнул.

— Я так и думал. Но ради бога, будь осторожна, очень тебя прошу!

Джоанна мягко улыбнулась.

— Клянусь, я буду очень осторожна. — Она легонько прикоснулась к его рту губами и снова примостилась к нему под бок. Было еще совсем не поздно, но день был такой длинный, да и вечер, без сомнения, отнял последние силы; она уснула.

* * *

Сон начался так же, как и всегда. На фоне оглушительного рева океана постепенно возникло уже знакомое изображение красивого дома, одиноко высящегося над обрывом. Потом дом как бы заволокло туманом, его сменили другие привычные образы. Нечеткая, слегка размытая, перед ее мысленным взором проплыла картина, стоящая на мольберте. Откуда-то издалека донесся жалобный, испуганный детский плач — эти звуки терзали ей сердце. Тихо, но неумолимо тикали часы. Бумажный самолетик парил и кувыркался над берегом, потом наконец упал. Возник туманный образ вазы с прекрасными нежнейшего оттенка розами, роняющими лепестки, — и исчез. Чуть-чуть покружилась ярко раскрашенная карусельная лошадка. Она четко и ясно выделялась на фоне смутного окружающего пейзажа; а детский плач приближался, становясь все более отчетливым, и тиканье часов раздавалось все громче.

НЕ ОСТАВЛЯЙ ЕЕ ОДНУ!

Тиканье часов звучало грозным набатом, заглушив все остальное. Оно совпало с ритмом ударов ее сердца, стало ускоряться...

Джоанна с криком села в постели, вытянув руки вперед, словно бы стараясь схватить что-то. Она едва могла дышать, сердце колотилось как сумасшедшее, от ужаса у нее сдавило горло. Щеки были мокры от слез — слез боли, безысходного горя и сожаления, и ей хотелось громко зарыдать, чтобы дать выход этой безысходности — может быть, хоть это принесет облегчение... Все, все начиналось сначала.

— Джоанна, милая...

Услышав низкий голос Гриффина, она стала успокаиваться. Учащенное дыхание замедлилось и стало ровнее, плакать больше не хотелось. Ужас, который всегда внушал ей этот сон, прошел, как только Гриффин обнял ее, и она прижалась к его сильному телу.

— У нас, похоже, мало времени, — прошептала она.

Слабый свет раннего утра заполнял спальню, и в этом свете нахмуренное лицо Гриффина казалось особенно осунувшимся и озабоченным.

— Снова сон?

— Как всегда. Каждую ночь. — Она поудобнее устроилась на подушке. — Вот причина, почему я не могу уехать: этот сон не отпускает меня. — *Кэролайн не отпускает меня.* — Все... все в нем как-то ускорилось. Все говорит о том, что времени нет, нет, нет!.. И каждый раз чувство ужаса все сильнее. Что-то должно случиться! Скоро! Я чувствую.

Он нежно коснулся ее щеки, стирая последние следы слез. Лицо его оставалось хмурым, но голос звучал спокойно и ласково.

— Если ты каждое утро просыпаешься вот так, то нет ничего удивительного в том, что этот сон тебя так измучил. Скажи, тебе показалось сегодня, что он изменился? В нем появилось что-нибудь новое?

— Нет. Да! Да, появилось.

Карусель крутилась дольше. Бумажный самолетик улетел дальше и приземлился в другом месте. И этот полный отчаяния крик — женский крик, — молящий не оставлять ЕЕ одну. То есть Риген? Если это голос Кэролайн, то, вероятно, Риген. НЕ ОСТАВЛЯЙ ЕЕ ОДНУ! Но что значит не оставлять ее одну? Поговорить, утешить? Или девочке угрожает физическая опасность?

Это маловероятно, но Джоанна была слишком взволнована, чтобы суметь разложить все это по полочкам.

— Каждую ночь сон почти один и тот же, — наконец собрала она свои смятенные мысли воедино. — Одни и те же образы, одни и те же звуки. Но в этот раз прибавилось... прибавилась мольба, чтобы я не оставляла кого-то — ЕЕ — одну.

— Ее? — Гриффин нахмурился сильнее. — Ты думаешь, что это голос Кэролайн, что это она обращалась к тебе?

— Я не знаю. Я думаю — то есть я чувствую, — что Риген нужна моя помощь. Я уверена, что Риген в опасности. Но я не знаю, откуда ждать беды. Но часы во сне тикают громче и чаще, и наше время истекает.

Глава 12

Тик-так. Тик-так. Тик-так.

Проклятое тиканье теперь всегда звучало у нее в голове, время, судя по этим часам, шло все быстрее и быстрее, в том же темпе росло и беспокойство Джоанны. Хотя ей и хотелось побыть с Гриффином, она все же отказалась ехать с ним на станцию техобслуживания — она чувствовала, что должна кое-что сделать. Несмотря на уверения Гриффина, что Риген у себя дома в полной безопасности, Джоанна все равно волновалась за девочку и хотела подойти к любимой беседке Кэролайн в тот момент, когда у Риген будет перерыв в занятиях. Конечно, не было никакой гарантии, что Риген непременно придет в беседку, но мучительное беспокойство Джоанны настоятельно требовало собственными глазами убедиться, что с Риген действительно все в порядке. Дело дошло до того, что она готова была подойти к дому, постучать в дверь и спросить, как чувствует себя девочка, наплевав на все приличия.

— Надеюсь, ты обойдешься пока без машины, — сказал Гриффин, когда они ехали по Главной улице. — Вчера я велел отогнать ее подальше за город, а не в местный гараж.

Джоанна чуть нахмурилась, стараясь мыслить

логически и всячески сопротивляясь желанию грызть ногти.

— Но ты ведь сказал доку, что она вдребезги разбита?

— Да, сказал, но на самом деле это не так. Большая вмятина впереди — это когда ты снесла столб ограды, и еще в нескольких местах машина ободрана и поцарапана. Но когда мои люди установили, что она испорчена специально, я приказал поместить ее в один гараж в нескольких милях от города, владельцу которого я полностью доверяю. Там она будет спокойно стоять, и никто не будет ничего знать, пока мы не предъявим ее в качестве вещественного доказательства. Однако поскольку я не хочу, чтобы стало заранее известно, что кто-то ее испортил, официальная версия такова: авария произошла вследствие короткого замыкания в системе электропитания, которое вывело из строя клапан инжектора.

— Клапан инжектора, — недоуменно повторила она. — Надеюсь, мне не придется объяснять, что это значит?

Он усмехнулся, пускаясь в разъяснения тоном заправского ментора.

— Клапан инжектора управляет устройством, которое регулирует поступление топлива в двигатель. То есть если на полной скорости вдруг отказывает клапан, то машина начинает нестись на пределе возможного. Тетушка Сара, видимо, не объясняла тебе, как работает машина?

— Тетушка Сара рассматривала автомобиль как средство, переносящее ее из одного места в другое. И я отношусь к машинам точно так же. Но у меня хорошая память, и я вполне способна серьезно отве-

тить всем, кто спросит, что короткое замыкание вывело из строя клапан инжектора.

Гриффин удовлетворенно кивнул.

— Вот и славно. Добавь еще, что, поскольку автомобиль был взят напрокат, ты его отправила назад, в агентство в Портленде. Пусть у них голова болит.

— А вчера разве никто не подъезжал туда, чтобы посмотреть, во что превратилась машина? Кажется, людям свойственно проявлять такого рода любопытство — и не только в маленьких городках, — сказала Джоанна.

— Да, несколько человек интересовались, — признал он. — Но мои люди никого не подпускали близко. Все, что любопытствующие могли видеть, — это машину, на три четверти заваленную сеном. Кроме того, уже темнело. Сильно сомневаюсь, что кто-нибудь понял, что машина пострадала совсем не так сильно, как мы хотим это представить.

— М-м. А у убийцы не возникнет подозрений, если мы сделаем вид, что не заметили умышленных повреждений?

Гриффин искоса посмотрел на нее.

— Полицейские в маленьких городках порой могут чего-то и не заметить. Они обычно видят лишь то, что лежит на поверхности, и выбирают наиболее вероятную из возможных причин аварии. А согласись, гораздо вероятнее то, что в машине случилось короткое замыкание, чем то, что она была специально испорчена с целью покушения на твою жизнь.

— Если он хоть сколько-нибудь знает тебя, он ни за что не поверит, — уверенно сказала Джоанна.

— Давай лучше надеяться, что поверит, — с улыбкой ободрил ее Гриффин. — А пока что мне будет полегче, если ты пообещаешь не подходить к обрыву и держаться подальше вообще от всех возможных автомобилей — кроме вот этого и городского такси.

— Да, конечно, — поспешила согласиться Джоанна, чувствуя себя чуть виноватой. Но все же она не стала посвящать его в свои планы: прогуляться до беседки, которая стоит как раз на краю обрыва. Ей не хотелось его попусту беспокоить, она ведь будет очень внимательна и осторожна.

— Хотел бы я тебе поверить, — с сомнением в голосе пробормотал Гриффин. — Но я слишком хорошо знаю, как тебе хочется скорей все это распутать.

Этого Джоанна не отрицала, но постаралась его успокоить:

— Гриффин, я не так глупа, чтобы выбегать из отеля в одной ночной рубашке, подобно взбалмошной героине романа, которая, заслышав какой-то зов, сломя голову мчится в ночь.

— Что я могу об этом сказать, — спокойно заметил Гриффин, — тебе больше не придется проводить ночи в одиночестве, а я уж точно не позволю тебе никуда выбегать в ночной рубашке. Во всяком случае, без меня.

Джоанна, не удержавшись, улыбнулась.

— Представляю, как это потрясет аборигенов. Ты, разумеется, понимаешь, что тогда мы станем — а может быть, уже стали — темой нового круга сплетен.

— Да, мне приходила в голову эта мысль. — Он повернул к «Гостинице». — Ты этого боишься?

— С какой стати? — нарочито бодро заявила Джоанна. — По-моему, нам нечего стыдиться, коль скоро мы оба свободны и старше двадцати одного года.

— Но ты боишься этого, — тихо повторил Гриффин.

Джоанна посмотрела на него — он был абсолютно серьезен. Может быть, он действительно ее любит? Если мужчина начинает заботиться о репутации женщины, то значит, он чувствует к ней нечто большее, чем просто вожделение, — во всяком случае, так учила тетушка Сара.

Но сегодня утром они не возвращались к этому странному ночному разговору, который так ее озадачил. Сейчас Джоанна подумала, что, вероятно, Гриффина задело ее явное нежелание говорить о своих чувствах. Но она была еще не готова. Во-первых, раздумья о Кэролайн отнимали у нее слишком много душевных сил, и пока она не избавилась от постоянного томящего присутствия призрака этой женщины, было бы просто нечестно по отношению к Гриффину рассуждать о каких-то чувствах, думая при этом совсем о другом. И по отношению к себе это тоже нечестно, потому что слишком недавно приехала она в Клиффсайд и не все еще поняла про этот город, про его жителей и про то, что же здесь все-таки произошло. Не разобравшись с этим, она не сможет разобраться и в своих чувствах к нему. С этим Джоанна ничего не могла поделать.

Во-вторых, всякий раз, как она пыталась, несмотря ни на что, разобраться в своих чувствах к нему, все упиралось опять-таки в Кэролайн. Может быть, Гриффин и не был ее любовником, но он признал, что между ними что-то было, пусть и давно. Так что пока она не узнает, каковы в действительности были их отношения, она будет бояться, что его чувства к ней — лишь отражение прежней любви к Кэролайн. Особенно если вспомнить, какой глубокий след оставила Кэролайн в памяти других своих мужчин.

— Джоанна?

«Блейзер» остановился у главного входа в «Гостиницу», и швейцар бросился открывать дверцу перед Джоанной. Она серьезно посмотрела на Гриффина.

— Нет, я не боюсь. А ты? Ведь шериф в маленьком городке должен быть безупречен.

Он весело улыбнулся.

— Кто же способен упрекнуть меня за то, что ты мне так нравишься? Даже судья позавчера спросил, чего я, собственно, дожидаюсь. А Кейн в понедельник предложил нарисовать мне сердце на рукаве, чтобы все видели. Боюсь, что о моих чувствах знает уже весь город.

Джоанна улыбнулась, почти не заботясь о том, что дверца машины открыта.

— Может быть, не стоит так уж афишировать...

— Боюсь, что поздно думать об этом, — сказал Гриффин и, наклонившись, не спеша поцеловал ее под профессионально невозмутимым взором швейцара, который так и стоял, держа дверцу машины открытой.

Когда Гриффин оторвался от ее губ, она посмотрела на него изумленно.

— Очевидно, ты прав, — пробормотала она. — Э... ты что-то сказал насчет того, что ночью я не останусь одна? У тебя или у меня?

Он ласково погладил ее по щеке.

— Позже решим. Может быть, ты выберешься в город между двенадцатью и часом и мы пообедаем вместе?

Джоанна с трудом перевела дыхание.

— Хорошо, обязательно.

— И будь осторожна, ладно? Помни об этом.

— Ладно. — Понадобилось страшное усилие, чтобы оторвать от него взгляд и вылезти из «Блейзера», — даже терпеливо ждущий швейцар, который, без сомнения, все видел и слышал каждое слово, не слишком помог ей взять себя в руки. Но все же она вылезла и вошла в двери, ни разу не оглянувшись, и ноги у нее не подкосились — она сочла это крупной победой над собой.

Вестибюль был пуст, лишь Холли одиноко сидела за конторкой.

— Как вы себя чувствуете? — спросила она заботливо, когда Джоанна подошла ближе.

Джоанна оперлась локтем о высокую конторку.

— А что, я выгляжу так, словно на меня обрушился дом?

— Да, выражаясь фигурально, очень похоже.

— Гриффин, — произнесла Джоанна.

Холли повторила ее позу — точно так же оперлась локтем о конторку с другой стороны. Лицо ее было серьезно.

— Я всегда считала его мужчиной осторожным. Но с вами он, похоже, не терял времени даром.

— Я думаю, вы уже в курсе, что эту ночь я провела у него?

— Ну, поскольку Грифф не делает из этого тайны — я думаю, он сообщил по крайней мере одному из своих помощников, куда он вас везет и где его искать в случае чего, — то теперь уже весь город знает. И общее мнение, по слухам, таково: вы не воспользовались второй спальней.

— Не воспользовались, — не стала отрицать Джоанна.

Холли улыбнулась.

— Вот и выглядите теперь, прямо скажем, несколько утомленно.

— Все было нормально, пока мы не стали прощаться, буквально минуту назад, — несколько обиженно сказала Джоанна. — Я заметила, что, поскольку он шериф, нам не стоит афишировать наших отношений. Он ответил, что это невозможно, — а ваш швейцар стоял рядом и пялил на нас глаза.

— А, — кивнула Холли с пониманием. — Ну, так или иначе, Джоанна, скрывать что-либо не имеет никакого смысла. Единственное, о чем спорят в городе сейчас, — уедете вы в Атланту в конце отпуска или останетесь здесь, с Гриффом.

— И к чему же склоняется общественное мнение? — заинтересованно спросила Джоанна.

— Что останетесь с Гриффом. Понимаете, мы достаточно хорошо знаем нашего шерифа. Он очень решительный человек и обычно добивается того, чего хочет. А хочет он, безусловно, вас. — Видно было, что Холли и сама весьма заинтересована этим разговором. — Как думаете, вы смогли бы жить здесь? После Атланты, я имею в виду?

— Да. — Джоанна и сама удивилась, как быстро и уверенно она ответила на этот вопрос. Она действительно успела полюбить этот городок и его жителей, несмотря на постоянное беспокойство и опасения. Но, надо сказать, до этой минуты не отдавала себе отчета в том, насколько она чувствует себя здесь как дома. — Да, думаю, что смогла бы, — повторила она, поразмыслив.

— Рада это слышать, — улыбнулась Холли. —

Здешний народ вас тоже полюбил, насколько мне известно.

Но за одним исключением!

— Я, наверное, в душе просто провинциальная девчонка, — чуть пожав плечами, сказала Джоанна. — Но так или иначе, мы с Гриффином пока не говорили о будущем, так что я стараюсь об этом и не думать.

Мне и без того есть о чем подумать — и мысли эти мучительны и беспокойны. Как там Риген? Действительно ли ей ничего не угрожает? И черт возьми, Кэролайн, чего же ты от меня хочешь?

— Как я вас понимаю, — прошептала Холли, и было видно, что мысли ее потекли совсем в другую сторону. — Джоанна, мне неловко вас спрашивать, но Грифф действительно думает, что Амбер убил Кейн?

Рано или поздно Джоанна ожидала этого вопроса, и потому ответ у нее был готов.

— Холли, у него просто есть список подозреваемых, в котором, естественно, значится и Кейн. Уверяю вас — он там не один. И как раз сейчас шериф занят тем, что вычеркивает фамилии из этого списка, чтобы в итоге понять, как все произошло на самом деле. Не волнуйтесь.

— Как же не волноваться? Весь город говорит, что в воскресенье ночью он куда-то ездил, причем скрыл это от Гриффина; и по меньшей мере половина наших добрых горожан уже подписала ему приговор.

— А вы знаете, куда он ездил? — спросила Джоанна.

— Нет. — На лице Холли появилась страдальческая гримаса. — Я... мне кажется, он с некоторых пор избегает меня. Вчера он звонил и сказал, что на всю неделю уезжает работать.

— Такое уже бывало?

— Чтобы он уезжал работать? Ну конечно, постоянно! Но я его знаю. В его голосе было что-то такое, чего не было раньше, что-то неуловимое... Мне показалось, что он говорит неправду.

Джоанна чуть подумала.

— Он ведь иногда уезжает в Портленд, да?

— Да. Конечно, ведь там галереи, там у него квартира и мастерская. Раньше он проводил в городе всю зиму и только летом жил здесь. Но я не понимаю, для чего бы ему ехать в Портленд так поздно, в воскресенье ночью? Неужели чтобы несколько часов поработать в мастерской? Ведь рано утром он был уже здесь, вспомните. А если он все-таки туда ездил, то зачем ему скрывать это от Гриффа?

Джоанна тоже не могла придумать никакой причины. Она не собиралась говорить Холли, что Гриффин намерен снова допросить Кейна, на сей раз официально, у себя в кабинете. И уж конечно, не стала вспоминать версию Гриффина, что Кейн выехал так поздно, чтобы встретиться с другой женщиной.

— Не знаю, что и делать, — сокрушенно пожаловалась Холли. — Я всегда старалась не загонять его в угол. Боюсь, что если я начну требовать отчета о том, как он проводит время без меня...

Джоанна понимающе кивнула.

— Послушайте, если хотите моего совета, то подождите еще некоторое время. Гриффин только начал расследование; через несколько дней мы, вероятно, будем знать гораздо больше, чем сейчас. Я больше чем уверена, что у Кейна была веская причина и на то, чтобы уехать в воскресенье, и на то, чтобы скрыть это от Гриффина. Я думаю, вы ее скоро узнаете — никого не загоняя в угол, надо только немного потерпеть.

Холли благодарно улыбнулась.

— Наверное, вы правы.

— Конечно. Пусть городские сплетники говорят, что хотят, — когда правда откроется, им будет очень стыдно, а вы сможете над ними посмеяться с легким сердцем.

— Спасибо, Джоанна.

— Не за что. — Джоанна улыбнулась. — А сейчас я, пожалуй, поднимусь к себе. Немного отдохну и пойду погуляю.

— Хорошая мысль. Да, подождите!

Джоанна, отойдя уже от конторки, остановилась.

— Что?

— Эта вчерашняя авария — что там случилось?

— Не смогла остановить эту чертову машину. Гриффин сказал, что полетел клапан инжектора, — правдиво глядя на Холли, ответила она. — От короткого замыкания.

— Какой ужас! — посочувствовала Холли. — Хорошо еще, что вы остались целы и невредимы. Я слышала, машина совершенно разбита.

— Да. И толку от нее теперь никакого. Мы отправили ее в Портленд, в бюро проката. И отныне я передвигаюсь пешком или беру такси. Да еще, конечно, езжу с Гриффином. — Она вновь улыбнулась. — Хорошо, что Клиффсайд такой маленький, можно куда угодно дойти ногами.

— И правда, удобно, — согласилась Холли. — Ну, я рада, что все обошлось. Счастливо, Джоанна.

Джоанна помахала ей рукой и направилась к лифту.

* * *

Гриффин вошел в кабинет и сразу набрал номер Кейна. Телефон не отвечал; и автоответчик не работал. Впрочем, Кейну свойственно было исчезать на целые дни, когда он находил натуру — человека или пейзаж, — которую хотел писать.

Гриффин чертыхнулся и положил трубку. Потом вызвал своего помощника.

В кабинет вошел Кэси, его мрачное индейское лицо было, как всегда, бесстрастно.

— Что нужно, босс?

— Кроме фунта аспирина? — Гриффин обреченно махнул рукой, отметая необходимость отвечать на шутку. — Дело Роберта Батлера; я хотел бы, чтобы оно двигалось побыстрее. Можешь взять себе в помощь Ли или Шелли. Надо как следует покопаться в его прошлом, даже если для этого придется съездить в Сан-Франциско. Мне нужны любые его связи, подчеркиваю: любые, сколь угодно слабые, сколь угодно смутные, с людьми из нашего города. Как только хоть что-то появится — сразу ко мне.

— То есть теперь это срочно? — уточнил Кэси.

Гриффин вспомнил, как сам же недавно сказал «не срочно», когда распорядился взять дело на доследование, и с горечью подумал, что, если бы не эти слова, возможно, покушение на жизнь Джоанны удалось бы предотвратить.

— Да, — сказал он. — Да, это срочно. Сделайте все, чтобы добыть подробности жизни этого парня, и поскорее.

— Есть, — привычно произнес Кэси, не задавая лишних вопросов.

— И вот еще что. — Гриффин нервно забарабанил пальцами по столу, но, поймав внимательный взгляд Кэси, тотчас перестал. — Скажи Марку, пусть съездит к Кейну и посмотрит, нет ли его поблизости, может быть, он работает где-нибудь неподалеку; если не найдет там, пусть продолжает поиски. Да, и не надо расспрашивать соседей — в городе и так уже сплетничают вовсю.

— Я ему скажу, — ответил Кэси и вышел.

Через минуту Гриффин заметил, что опять барабанит пальцами по столу, но на сей раз некому было его остановить.

* * *

Когда Джоанна быстро шла к беседке, солнце скрылось за тучами. Может быть, поэтому она так дрожала — вместе с солнцем исчезало и тепло. А может быть, и не поэтому. Просто обрыв был слишком близко. Она шла осторожно, беспрестанно оглядываясь, нет ли кого вокруг, стараясь держаться как можно дальше от края, но шум прибоя никак не давал забыть, как близок этот край.

Ритмичные удары волн напоминали биение сердца. Или тиканье часов. Они отдавались у нее в мозгу, и на этом фоне разворачивалась бесконечная череда фактов, догадок и домыслов, которые по-прежнему не давали ей покоя.

Кто мог испортить ее машину? Доктору, конечно, не хотелось отвечать на вопросы, тем более рассказывать то, о чем не спрашивали, но не настолько же, чтобы он пытался ее убить? Адам Харрисон рассказывал ей о Кэролайн по собственной воле. Это никак не могло быть его рук дело. Даже если предположить, что рассказывал он все это не без задней мысли. Лисса Мейтленд смотрела ей вслед со странным выражением лица, но разве это обязательно значит, что она желает ей смерти?

Кроме того, мимо ее машины, припаркованной в городе, за несколько часов ее отсутствия прошло множество людей, и с большинством из них она беседовала о Кэролайн — одни настораживались и замыкались, другие говорили легко и открыто, но, насколько она могла понять, никто не испытывал страха. Но как узнаешь, что в действительности скрывается за внешним расположением — и в жизни, и в сказках полно чудовищ с обезоруживающей улыбкой на лице.

Кто угодно мог испортить ее машину, оставшись незамеченным. Кто угодно.

В списке подозреваемых — весь город Клиффсайд.

«Потому что если обозначить мотив покушения как просто «сохранить тайну», — размышляла Джоанна, шагая к беседке, — то можно найти сколько угодно людей, под него подпадающих. Слишком уж это неопределенно, слишком много открывается возможностей. У подавляющего большинства есть те или иные тайны, но какой же должна быть тайна, чтобы за нее можно было убить? Наверняка таких тайн в этом маленьком городке немного. Наверняка!»

Но даже если их и немного, это никак не сужает поля деятельности, ибо в итоге непонятно, что искать. Не зная, что беспокоило Кэролайн перед смертью и чем она была так напугана, Джоанна не имела ключа к этой единственной тайне, раскрытие которой могло дать ей желанный покой.

Когда она пришла к этому выводу, беседка уже была видна, и Джоанна остановилась на опушке.

Удивительно, но Риген сидела там, на карусельной лошадке, она смотрела на море, и ее личико было так же неподвижно и бесстрастно, как у ее отца.

Я здесь из-за тебя.

Джоанна вдруг поняла это с хрустальной ясностью и изумлялась только, почему же так поздно пришло к ней прозрение. Она здесь из-за Риген. Сон влек ее сюда, потому что Риген нужна ее помощь.

НЕ ОСТАВЛЯЙ ЕЕ ОДНУ.

Значит, это мольба Кэролайн каким-то образом зазвучала в мозгу Джоанны в тот момент, когда обе они были в состоянии клинической смерти? Значит, это Кэролайн выкрикнула мольбу о помощи своей дочери через три тысячи миль, через пропасть самой смерти, значит, ее ужас и отчаяние в тот момент были столь велики, что она как-то смогла проникнуть в подсознание Джоанны и вложить туда сгусток зрительных образов — и свой безумный страх?

Джоанна понимала, что подсознание работает по своим собственным законам, преломляя реальность в некие абстракции. Например, сны редко толкуют буквально, гораздо чаще символически. А раз в ее сне большинство зрительных образов существует на самом деле, значит, и толковать его нужно буквально.

Рев океана и дом Кэролайн — вот они! В их существовании не усомнишься. Реально существует картина, написанная Кейном. И карусельная лошадка вертится перед глазами. В оранжерее обнаружилась и роза «Кэролайн». Там же Адам поведал Джоанне свою печальную историю. Тиканье часов должно напоминать об уходящем времени, о том, что надо спешить.

Но бумажный самолетик?! Этот образ — пока загадка.

Детский плач — это, должно быть, Риген.

Риген была единственной, кого Кэролайн действительно любила, и естественно, что последней отчаянной мыслью матери перед смертью была мысль о ее ребенке — особенно если смерть была насильственной и мать знала, что ребенок в опасности.

Но почему?! Почему Риген нужна помощь Джоанны? Потому что она горюет по матери? Нет, если бы Кэролайн беспокоилась только об этом, сон, пожалуй, не был бы проникнут таким леденящим кровь ужасом. Потому что ей угрожает опасность? Может быть, то, что так страшило Кэролайн, каким-то образом затрагивает и Риген? Это, пожалуй, логично. И даже придает веса достаточно неправдоподобной мысли, что некая часть души Кэролайн достигла сознания Джоанны; ибо что в мире сильнее материнской любви — опасность, угрожающая ребенку, часто подвигает мать на вещи невозможные, только бы защитить любимое дитя.

НЕ ОСТАВЛЯЙ ЕЕ ОДНУ!

Но как следует это понимать? В том смысле, что Джоанна постоянно должна быть около Риген? Или Кэролайн пыталась сказать, что ее дочери нужен человек, который уравновесил бы и как-то оправдал холодность отца?

— О черт, чем это я занимаюсь? — чертыхнулась про себя Джоанна.

Реплика была совсем негромкой, но Риген тотчас повернула голову, и ее личико просветлело.

— Джоанна, — сказала она с явной радостью, и ее губы сложились в неповторимую очаровательную улыбку.

— Привет, Риген. — Джоанна вошла в беседку и прислонилась к перилам. — Как поживаешь?

Риген приподняла плечи, продолжая улыбаться.

— Нормально. Я... вчера села в папину машину и побыла там немного.

Это громадный шаг вперед для ребенка, который панически боялся машин. Джоанна ласково улыбнулась.

— Я рада за тебя. Это очень смелый поступок, ведь ты, наверное, все равно боялась. Твоя мама гордилась бы тобой.

— Мне не с кем поговорить, кроме вас, — пожаловалась Риген.

— А с папой?

— Нет. Ему на меня наплевать.

— Риген, — помедлив, заговорила Джоанна. — Я, конечно, не очень хорошо знаю твоего папу, но я уверена, что ему не наплевать. Этого просто не может быть.

— Ему на всех наплевать. Так сказала мама.

— Мама сказала это — тебе?!

Риген чуть нахмурилась.

— Нет. Я случайно слышала, как она сказала это папе.

— Риген, — очень мягко произнесла Джоанна, стараясь достучаться до маленького сердечка. — Я знаю, тебе трудно это понять, но иногда взрослые говорят друг другу обидные вещи, и это совсем не обязательно правда. Особенно когда ссорятся. Возможно, твои мама и папа не очень ладили между собой, но это не значит, что кому-то из них было на тебя наплевать.

Риген нахмурилась еще сильнее.

— Мама вовсе не кричала на папу, когда это сказала.

— А она вообще-то кричала, когда сердилась?

— Нет.

— Значит, вполне возможно, что она просто рассердилась на него и поэтому так сказала. Даже если и не кричала. И, скорее всего, она так не думала на самом деле.

Риген подняла плечи, став похожей на нахохлившуюся птицу.

— Наверное.

— А тебе она когда-нибудь говорила, что твоему папе на всех наплевать?

— Нет.

Джоанна улыбнулась.

— Послушай, Риген, я хочу сказать только одно: возможно, твой папа из тех мужчин, которые не любят показывать своих чувств, но это не значит, что они ничего не чувствуют. И ты вовсе не должна на него сердиться только потому, что мама, может быть, на него сердилась.

Наступила пауза. Риген выглядела неуверенной и смущенной.

— Я поэтому все время хочу закричать на него, Джоанна? Потому что я на него сержусь? Потому что я... я хотела бы, чтобы он умер вместо мамы?! — выпалила Риген, сама испугавшись своих слов.

Джоанна не ужаснулась, но острая жалость к ребенку Кэролайн сдавила ей горло, так что она не сразу смогла ответить.

— Малышка, мне кажется, на самом деле тебе бы хотелось, чтобы этой катастрофы просто не было. Ты ведь не хочешь, чтобы папа умер, ты хочешь, чтобы мама осталась жива. А понимая, что маму уже не вернуть, ты начинаешь злиться. Раз он папа — он должен был защитить маму. Правда? Он должен был сделать так, чтобы не было этой аварии.

Риген кивнула. В ее темных глазах блестели слезы.

— Я это понимаю, — продолжала увещевать ее Джоанна. — Я думала то же самое о своем папе, когда случилось несчастье. Я долго его проклинала, потому что проклинать было больше некого. Но мой папа сделал все, что мог, чтобы спасти маму. И твой папа тоже сделал бы все, что мог, если бы он там был. Но его там не было, Риген. Он был дома, он не знал, что мама в опасности. Как он мог ее спасти? Как он мог ей помочь?

После долгого молчания Риген сказала:

— Я все равно сержусь на него, Джоанна.

— Это ничего, малышка. Если ты немного подумаешь, то поймешь, что он не виноват в том, что мама умерла. Пройдет время, и ты перестанешь на него злиться. Пройдет время, и тебе уже не будет так тяжело.

— Не будет? Правда?! — В этом детском голосе было столько неизбывной боли, что у Джоанны едва не разорвалось сердце.

— Клянусь тебе! Ты всегда будешь тосковать по своей маме, но наступит день, когда тосковать о ней не будет так больно.

— А ты до сих пор тоскуешь по маме и папе?

— Очень, — кивнула Джоанна. — Но теперь это уже по-другому. Мне грустно, и мне хотелось бы, чтобы они были со мной, но я уже не просыпаюсь в слезах каждую ночь.

— А я просыпаюсь, — призналась Риген. — Каждую ночь.

— Вот и хорошо, что ты плачешь. Это помогает преодолеть боль.

Риген кивнула и снова замолчала, скользя ладонями по блестящему хромированному штырю перед седлом карусельной лошадки. Вдруг ее лицо стало очень серьезным, и она повернулась к Джоанне.

— Вчера ваша машина разбилась, да?

Хотя Джоанна и рада была сменить предмет разговора, она насторожилась: взрослые сплетничают — это естественно, но откуда про это знает Риген, которая так далека от жизни города?

— Господи, где же ты это услышала?

— Сегодня утром миссис Портер рассказывала миссис Эймс, — ответила Риген, с уважением произнося полные имена учительницы и экономки. — Вы... вы ведь не пострадали, Джоанна?

— А как ты думаешь? — Джоанна улыбнулась и приняла позу типа «вот я какая».

Риген некоторое время серьезно и внимательно изучала ее, потом улыбнулась.

— Вы в порядке. Я рада.

— Я тоже. Ты знаешь, это было не так уж страшно. Я вовремя свернула на пастбище и всего-то снесла несколько стогов сена.

— Хорошо, что лошади мистера Кука в это время там не паслись, — серьезно заметила Риген.

— Да, это хорошо.

Джоанна смотрела на девочку, решая, как вести себя с ней дальше. Ей очень не хотелось расспрашивать Риген о матери, но больше спросить было некого. Она подумала о мистере Маккенне, но он наверняка не захочет говорить о своей жене.

Тем не менее, этот одиноко стоящий дом — тоже часть сна и, возможно, играет куда более значительную роль, чем просто указывает на место, где жила Кэролайн, а теперь живет Риген.

— Джоанна?

Джоанна заморгала и улыбнулась.

— Прости. Я задумалась.

— Мама говорила, что здесь хорошо думается, — сказала Риген, снова глядя на море. — Когда ей хотелось побыть одной, она приходила сюда. Как вы думаете... ее душа все еще здесь, Джоанна? Она меня хранит?

— Не знаю, здесь ли ее душа, — честно ответила Джоанна, — но она точно хранит тебя, Риген. Она тебя очень любила.

Почти тотчас они услышали отдаленный звон колокольчика.

— Ты не возражаешь, если я пойду с тобой? Я бы хотела поговорить с твоим папой, если, конечно, он дома, — сказала Джоанна.

— Он дома, — ответила Риген.

«Гриффин бы этого не одобрил», — подумала Джоанна. Скотт Маккенна входит в список подозреваемых, и Гриффин, конечно, будет в ярости, если узнает, что она разговаривала с ним наедине. Джоанна и сама чувствовала себя не лучшим образом, особенно если учитывать, что, возможно, именно Скотт хотел убить ее вчера.

Но она считала своим долгом узнать правду о Кэролайн, и если есть надежда узнать ее от Скотта, то, значит, нужно поговорить с ним. В конце концов, кто, как не он, знал свою жену лучше всех. Он прожил с ней больше десяти лет, а истинный характер человека ярче всего проявляется в рутине повседневной жизни.

Джоанна и Риген шли через небольшую рощицу, отделявшую беседку Кэролайн от дома, и Джоанна лихорадочно думала, как построить беседу со Скоттом.

Вы любили свою жену?

Не вы ли стали причиной смерти вашей жены?

Не вы ли пытались меня убить?

Нелепо, что и говорить!

Она так ничего и не придумала, а между тем они прошли по замечательно ухоженному двору и уже поднимались по лестнице. Риген открыла перед ней дверь, провела через фойе, а потом и через холл к левой лестнице.

— Его кабинет здесь, — бросила Риген через плечо. — Кабинет Дилана в том конце холла, но Дилан, кажется, сейчас в городе, а Лисса приходит сюда редко. Так что папа сейчас один. Я провожу вас, а потом пойду к миссис Портер.

Джоанна не возражала. Однако она таки растерялась, когда Риген открыла дверь отцовского кабинета и без всякого предисловия объявила:

— К тебе Джоанна.

Скотт был в комнате один. Он поднялся из-за стола, как всегда бесстрастный и невозмутимый.

— Здравствуйте, Джоанна. Проходите.

Сказал паук мухе.

Так она должна бы себя чувствовать, но почему-то все ее опасения мгновенно рассеялись. Она не смогла бы объяснить почему, и даже сама этого толком не поняла, но от Скотта не исходило абсолютно никакой угрозы.

— Пока, Джоанна, — попрощалась Риген, уходя.

— Пока. — Джоанна проводила глазами девочку, которая, больше ни слова не сказав отцу, исчезла в холле. Потом, закрыв дверь кабинета, Джоанна подошла к стулу, стоявшему у стола Скотта. Интерьер кабинета ее не удивил, примерно этого она и ожидала: очень чисто, оптимально организовано и очень по-мужски. На полках дорогие, переплетенные в кожу книги; прекрасно натертый паркет; на столе идеальный порядок.

— Вы полагаете, это разумно — так часто видеться с Риген? — спросил он.

— Вас это заботит? — ответила она вопросом на вопрос.

Скотт на мгновение растерялся, потом, пожав плечами, сказал то, чего Джоанна предпочла бы не слышать:

— Туше. Садитесь, Джоанна.

Как он может так бессердечно относиться к этой девочке? Джоанна искренне не понимала, в чем тут дело. Она села, подождала, когда он тоже усядется, размышляя при этом, есть ли у нее хотя бы слабая надежда разобраться в этом холодном и загадочном человеке.

— Чем могу быть полезен? — вежливо спросил он.

— Тем, что расскажете мне о Кэролайн, — с места в карьер заявила Джоанна.

Скотт откинулся на спинку стула и в упор посмотрел на нее, совершенно не выказывая удивления ни такому требованию, ни ее внезапному, без приглашения, появлению в доме.

— Не будете ли вы так добры объяснить мне свой настойчивый интерес к моей жене?

— Сначала я интересовалась ею, потому что мы очень похожи, — ответила Джоанна.

— Это сначала. А теперь?

— Теперь... — Джоанна покачала головой. — Не

могу объяснить; боюсь, вы сочтете меня сумасшедшей.

— Тем не менее попробуйте, — предложил он.

Джоанна медлила, оценивая опасность сказать слишком много. Помимо риска довериться не тому, кому нужно — например, убийце, — она не знала, сможет ли и захочет ли Скотт сказать что-нибудь ценное. В то же время, он знал Кэролайн лучше, чем кто бы то ни было, и понятно, что без объяснений, зачем ей это нужно, он не будет разговаривать вообще.

Нет, Гриффин определенно не одобрил бы ее поступков.

— Вы были в городе вчера днем? — спросила она.

Скотт удивленно поднял бровь.

— Нет. Почему вы спрашиваете?

— Вы были здесь?

— Нет, я был в Портленде, — произнес он бесконечно терпеливо. — В юридической фирме, которая ведет мои дела; мне нужно было закончить работу с документами. Вернулся я сюда не раньше семи вечера. Итак, еще раз: почему вы об этом спрашиваете?

«Такое алиби легко проверить, — подумала Джоанна. — Хотя он мог нанять кого-нибудь для грязной работы. — Впрочем, на это непохоже».

— Вчера кто-то испортил мою машину, — решилась она на объяснение. — Причем таким образом, что заклинило акселератор, и я не могла ее остановить. Промчалась через весь город, как всадник Апокалипсиса. И если бы мне не удалось повернуть автомобиль на пастбище, а там — воткнуться в сено, я бы неминуемо погибла.

На сей раз обе его брови взлетели вверх.

— И вы подозреваете меня? Джоанна, не говоря

уже о том, что я не представляю, для чего бы мне на вас покушаться, я не знаю о машинах даже самых элементарных вещей — умею только на них ездить.

— Понятно.

— А это не могло быть просто техническое повреждение?

Джоанна мысленно извинилась перед Гриффином (чего он все равно не услышал бы) и ответила:

— Мы уверены, что машину испортили сознательно. Что означает покушение на мою жизнь. Теперь стало понятно, почему погибла Амбер Уэйд: ее приняли за меня. Со спины мы очень похожи.

Он чуть нахмурился.

— За столь короткое время вы нажили себе здесь серьезных врагов?

— Чем? Единственное, что я делала, — это расспрашивала о Кэролайн.

Он нахмурился сильнее.

— Что вы хотите сказать?

— Видите ли, получается, что смерть Кэролайн — это вовсе не несчастный случай. С ней что-то случилось в последнюю неделю ее жизни, что-то, очень ее обеспокоившее. Возможно даже, она была напугана.

— Откуда вы это знаете?

— Приехав сюда, я стала составлять картину того, что произошло, из мелких штрихов и деталей, из разговоров с людьми, из расспросов. Образ еще не сложился до конца, но то, что я вам сказала, уже понятно. — Она помолчала. — А вам не показалось, что в эту последнюю неделю настроение ее в чем-то изменилось?

Скотт все еще хмурился, но ответил с готовностью.

— В ту неделю я был очень занят, и мы почти не

виделись. Но... в тот самый день, когда она погибла, я случайно выглянул в окно: она как раз уезжала, это было примерно за час до аварии. И я тогда подумал, что она чем-то расстроена или рассержена, потому что она прямо-таки пулей вылетела со двора — она ехала гораздо быстрее, чем обычно.

Джоанна подумала: «Кэролайн тогда уже послала Гриффину записку с просьбой о встрече, то есть уже готова была доверить ему свои проблемы. То есть мосты были сожжены, так что естественно, что она нервничала и даже боялась. Но возможно, перед тем как Кэролайн поехала к Гриффину, что-то случилось здесь, что-то такое, что еще больше расстроило ее».

Джоанна набралась решимости.

— А вы не поссорились в тот день?

— Мы никогда не ссорились, — спокойно ответил Скотт.

— Никогда? В это, знаете ли, трудно поверить.

Скотт невесело улыбнулся.

— Все же попробуйте. Люди ссорятся, когда их связывают какие-то чувства.

— А вас никакие чувства, значит, не связывали?

Он пожал плечами в ответ на ее неуместную иронию.

— Представьте себе, бывает и такое.

— Тогда почему вы оставались вместе? Из-за Риген?

— Нет. Потому что не было особых причин расходиться.

Джоанне трудно было понять, зачем нужно сохранять брак без любви. К тому же она не слишком верила Скотту. Он, безусловно, гордый мужчина, а гордые мужчины не позволяют себе страдать, когда им изменяют жены. Во всяком случае, они в этом не сознаются. Если, конечно, знают об этом.

— Когда мы познакомились, вы, помнится, представились чудовищем из сказки, — напомнила она. — Вы действительно таковы?

Он пожал плечами.

— Конечно — для Кэролайн. Она говорила, что я бесчувственное чудовище, что мне нет дела ни до кого, что я не могу сделать ее счастливой.

— Вы не падали ниц перед ней? — пробормотала Джоанна.

Он чуть прищурился, словно она ненароком задела больное место, но повторил только:

— Я не смог сделать ее счастливой.

Джоанна задумалась. Кажется, она попала в яблочко. Если роман с Адамом Харрисоном не был единственным у Кэролайн, то, вероятно, ей нравилось быть объектом страстной любви и неуемного желания мужчин, но при этом каждый новый партнер быстро ей надоедал, и она разрывала связь. Так не удерживал ли Скотт свою жену невозмутимым лицом и холодным безразличием к ее романам? Может быть, он был единственным мужчиной в ее жизни, который любил ее настолько, что держал свою любовь в тайне, и эта тайна ей так и не открылась?

Ее явно задевала такая отрешенность и невозмутимость — судя по тому, что подслушала Риген. И, возможно, иметь мужа, не подвластного ее чарам, было для нее гораздо интереснее, чем если бы муж любил ее с преданностью Адама Харрисона.

Джоанна ни за что не пожелала бы себе такого брака, и ее безмерно удивляло, каким образом Скотту было этого достаточно. Может быть, узнавая о ее очередном романе, он утешался сознанием того, что он для нее единственный и неповторимый — потому что только его чувствам она бессильна нанести сокрушительный удар.

Отбросив эти размышления, Джоанна спросила совершенно нейтральным тоном:

— Может быть, у нее был роман?

— Вероятно, — ответил он без промедления и видимого изумления. — Но я не знаю, с кем.

— И вас это ни в какой степени не волновало?

Скотт пожал плечами.

— Я принимал Кэролайн такой, какой она была, Джоанна. Постарайтесь это понять. Наш брак достаточно рано... в общем, достаточно рано стало очевидно, что одного мужчины ей недостаточно. Она не делала из этого секрета — во всяком случае, от меня. Должно быть, ее романы были нечасты и недолги. Не думаю, что их было больше полудюжины. И пока в городе не сплетничали, я смотрел на это сквозь пальцы.

Джоанна кивнула, гадая про себя, правильно ли она поняла их отношения, но вслух говорить об этом не стала.

— Как вы думаете, сказала бы она вам, если бы, скажем, ее роман плохо кончился? Если бы она по какой-то причине стала бояться своего любовника?

Он опять нахмурился.

— Бояться? Не знаю, вероятно, нет. Она не рассказывала мне о своих романах. Одно дело смотреть сквозь пальцы — но никаких подробностей я знать не желал, и достаточно ясно дал ей это понять. Но я, безусловно, никогда не видел ни малейших следов физического насилия.

— И вы не знаете, чем она была обеспокоена примерно за неделю до гибели?

— Я не заметил, что она обеспокоена. Но как я уже сказал, мы почти не видели друг друга в то время. — Он помолчал. — Вы убеждены, что ее смерть не была несчастным случаем?

— Да, — твердо сказала Джоанна. — Я убеждена, что на мою жизнь покушались, потому что я слишком близко подобралась к причине смерти Кэролайн. Прямо или косвенно, но кто-то приложил руку к тому, что ее машина упала с обрыва. И я должна найти этого человека.

Скотт внимательно посмотрел на нее.

— Сожалею, но я ничем не могу вам помочь. — Он поднялся.

Джоанна тоже встала.

— Кэролайн вела дневник? — спросила она.

— Нет.

— Вы уверены?

— Абсолютно.

Она кивнула и протестующе подняла руку, когда он хотел выйти из-за стола.

— Не нужно — я помню, как отсюда выйти.

Скотт молча повернулся к окну и стал в него смотреть.

Уже у двери Джоанна вдруг остановилась.

— Вы знаете, что интересно. Вы единственный в этом городе, единственный из всех, кто знал Кэролайн, не были потрясены и даже не удивились при виде меня.

— Меня предупредили, — невозмутимо произнес он, не глядя на нее. — Для меня это не было неожиданностью.

Она покачала головой, явно не веря ему.

— Других тоже предупредили, но они все равно были изумлены, а некоторые просто столбенели, увидев меня, а вы нет. Я думаю, это потому, что вы почти и не заметили сходства. Вы знали Кэролайн, как никто другой. Вам вовсе не нужно было присматриваться ко мне, узнавать меня получше, чтобы заметить разницу. Вы ни на секунду не отождествляли меня с Кэролайн. Потому что вы любили ее.

Скотт не повернул головы и вообще никак не отреагировал. Она услышала только вежливое:

— Всего доброго, Джоанна.

Джоанна не поняла, удалось ли ей задеть его за живое. Но, выйдя из дома, где так никого и не встретила, она, поддавшись необъяснимому желанию, завернула за угол, откуда были видны окна кабинета. И почему-то не удивилась, увидев, что окно, в которое он смотрел в течение всего разговора, выходит в прекрасный розовый сад.

* * *

— Ты думаешь о другом, — сказала Лисса, закрывая папку со списками товаров магазина. Он не только не мог сосредоточиться на делах — он был явно не в своей тарелке, что было совершенно на него не похоже. За десять минут он уже трижды подходил к камину.

— Мы можем закончить инвентаризацию потом, — сказал он.

Лиссе приятно было бы думать, что причина этой его рассеянности — она, но увы — это было не так. Он почти не смотрел на нее, не смотрел уже целый час.

— Нам нужно закончить скорее, чтобы ясно понимать, что в следующем месяце увидят бухгалтеры, — напомнила она.

Он пожал плечами, хмуро глядя в огонь.

— Что-то случилось? — осторожно спросила она, понимая, что отступает от заведенного порядка.

— Нет.

Чуть помолчав, она сказала:

— Если хочешь, я уйду.

— Но мы собирались пообедать, — сказал он.

По сценарию они должны были поехать в Портленд обедать, оставив Риген на попечение миссис Эймс.

— Это не обязательно, — ответила Лисса.

После короткого молчания он сказал чуть виновато:

— Я немного устал.

Стараясь скрыть разочарование, Лисса улыбнулась.

— О'кей. Тогда я, пожалуй, скопирую две дискеты для общего отчета. Не возражаешь, если я поработаю здесь часок? — В магазине у нее, конечно, был компьютер, и дома тоже — портативный, но вся деловая информация должна быть сосредоточена в компьютере Скотта — особенно сейчас, когда близится время годового отчета.

— Конечно, нет. Давай, — ответил он и с неожиданной живостью устремился к двери. — Я пойду.

Лисса не успела даже с ним попрощаться, так быстро он вышел из кабинета.

Через несколько минут компьютер уже ровно гудел, переписывая первую дискету, и Лиссе пока было нечего делать. Она немного нахмурилась, потом вздохнула — и вышла из-за стола, а потом и из кабинета.

Она опять нарушала правила, предписанные традиционным сценарием, и, отдавая себе отчет, шла на это совершенно сознательно. Она никогда раньше не видела Скотта в таком волнении и была полна решимости понять, что происходит.

Она неслышно поднималась по лестнице — потому что в доме было очень тихо, а еще потому, что прекрасно понимала: она вторгается на запретные территории, что, безусловно, не будет одобрено.

Сворачивая в коридор, она застыла от удивления: дверь в спальню Кэролайн, закрытая со дня ее смерти, сейчас была приоткрыта. Лисса подошла ближе, и то, что она увидела, поразило ее в самое сердце. Среди этого подчеркнуто женского интерьера на кровати сидел Скотт, держа в руках ночную рубашку Кэролайн. Лисса мрачно смотрела, как он поднес к лицу прозрачную бледно-салатовую материю, вдыхая едва уловимый запах своей жены. Вдруг его широкие плечи затряслись, и из горла вырвался низкий, хриплый, полный боли стон.

Ничего не видя, Лисса бросилась прочь от этой двери. Наверху лестницы она остановилась, расширенными глазами глядя в никуда, и тихо прошептала:

— Будь ты проклята, Кэролайн!

Глава 13

— О чем, черт возьми, ты только думала?

Джоанна сидела у Гриффина в кресле для посетителей и покорно кивала, понимая и признавая его право сердиться.

— Да, конечно, это глупо.

— Тогда зачем ты это сделала?! Джоанна, Скотт у меня на подозрении! А ты идешь к нему в одиночку — не говоря уже о том, что ты выкладываешь ему как на духу все наши допущения...

— Все правильно, — твердила она упрямо. — Я знала, что тебе это не понравится. Но, Гриффин...

Он поднял руку и, по-видимому, сосчитал про себя до десяти. Или до двадцати. Потом откинулся на спинку стула и перевел дыхание.

— Что я могу сказать? Вероятно, у тебя была очень веская причина. Я не шучу, Джоанна! Потому что если Скотт имеет отношение к убийству Амбер, ты помешала расследованию, предупредив его.

— Не имеет.

— Да?! Это он так тебе и сказал, я полагаю? — Гриффин вложил в свой вопрос весь сарказм, на который был способен.

— Ничего говорить не понадобилось, — улыбнулась Джоанна. — Гриффин, я понимаю, это тебя бесит, но я точно знаю, что Скотт не имеет отношения ни к смерти Кэролайн, ни к смерти Амбер. — И поспешила добавить: — У меня, конечно, нет доказательств. Я просто это чувствую.

Гриффин на мгновение закрыл глаза.

— Хотел бы я видеть лицо судьи, когда он это услышит.

Джоанна приободрилась, потому что голос его определенно стал мягче, чем несколько минут назад.

— Это совершенно точно не Скотт. Пока я не вошла в его кабинет, я, конечно, не была в этом уверена, но ведь рано или поздно я должна была с ним поговорить. Я решила, что лучше рано.

Гриффин вздохнул.

— Он хоть сказал тебе что-нибудь полезное?

— Пожалуй, нет. — Она, немного подумав, пожала плечами. — Мне кажется, я стала немного лучше понимать его отношение к жене, но он не знает, чем Кэролайн была так напугана и была ли вообще. И предположение, что ее смерть — не несчастный случай, явилось для него полной неожиданностью.

— У него нет убедительного алиби, — напомнил Гриффин.

— Может быть, но вчера, когда испортили мою машину, он был в Портленде. Целый день. Свидетелей куча.

Гриффин нахмурился.

— Он мог кого-то нанять, — буркнул он.

Джоанна улыбнулась.

— В Атланте, вообще в больших городах — да, конечно. Но здесь? Кого реально он мог нанять для такой работы? Не говоря уже о том, что это должен быть человек, которому он стопроцентно доверял бы, просто — кто захочет с этим связываться?

— Не лишено смысла, — нехотя согласился Гриффин.

— Кроме того, зачем Скотту желать мне смерти? Я, конечно, расспрашиваю всех о Кэролайн. Но насколько я могу судить, ничего из того, что я узнала, его нимало не удивило. Он очень хорошо знал ее, Гриффин.

— Ладно. Я согласен. Скотт действительно последний человек, который станет сидеть под дождем около «Гостиницы», ожидая, не выйдешь ли ты случайно прогуляться. Да его никто и не видел в воскресенье в окрестностях отеля. Так что вычеркиваем его из списка, по крайней мере, пока не найдем каких-нибудь доказательств его причастности.

— Хорошо. Ты еще не говорил с Кейном?

— Нет. Он исчез, черт побери!

— Холли сказала, он часто уходит работать на целый день.

— Да, есть у него такое обыкновение. Но один из моих помощников сегодня все утро его искал — и не нашел.

— Ты отдаешь себе отчет в том, сколько народу в городе уверено, что Амбер убил он?

Гриффин кивнул.

— Такова специфика маленьких городков: как только сплетня пущена, немедленно формируется общественное мнение. Я постарался не обострять ситуации: мой помощник не спрашивал, не видел ли кто Кейна, а просто молча ходил по городу, высматривая его.

— Значит, ты будешь ждать, пока он не появится?

— Некоторое время да, но, отчаявшись ждать, объявлю розыск.

Джоанна, широко раскрыв глаза, посмотрела на него.

— Ты этого не сделаешь.

— Сделаю! Механик из гаража выяснил, что твою машину испортили виртуозно. А Кейн мог сделать это с закрытыми глазами, столько он копался в моторе своей малолитражки. Я хочу знать, где он находился вчера днем и в воскресенье вечером, когда уверял, что был дома один. И я не намерен долго ждать, когда твоя жизнь в опасности.

— Теперь на меня побоятся напасть, — рассудительно сказала она. — Согласись, это маловероятно.

С одной стороны, покушение не удалось, но с другой-то — все тихо, никаких подозрений. Со мной был просто несчастный случай. Глупый шериф ничего не понял, и все благополучно заглохло. Так зачем ему снова пытаться?

— Именно ты сказала, что у нас мало времени, — напомнил Гриффин. — Может быть, он должен убить тебя к определенному сроку. Или, может быть, его по-прежнему мучает страх, что ты раскроешь его тайну. Вот и причина.

Джоанна вздохнула и посмотрела на свои изгрызенные ногти — явное свидетельство беспокойства.

— Он может не бояться, — с горькой усмешкой произнесла она. — Похоже, я ничуть не приблизилась к разгадке. Не зная, с кем именно у нее был последний роман, я просто не представляю, где искать эту тайну.

— Ну ладно, — сказал он. — Я пока работаю по другим направлениям. Помнишь, ты сказала, что гибель первого туриста весной — начало всей этой цепочки. Сейчас мои люди копают его прошлое. Я велел обращать особое внимание на все связи, пусть самые неочевидные, этого Роберта Батлера с любым из жителей Клиффсайда.

— Отличная мысль. Что-нибудь нашли?

— Пока нет. Это займет день или два, и, может быть, даже придется послать кого-нибудь в Сан-Франциско. Но если такие связи были, я о них узнаю.

— Может быть, это даст нам ключ, — кивнула Джоанна.

— Может быть. — Он улыбнулся ей. — А теперь — ленч?

— С удовольствием, если ты больше на меня не сердишься.

— Разумеется, я все еще сержусь на тебя, — сказал он, выходя из-за стола и поднимая ее из кресла. — Если ты не перестанешь рисковать своей шкурой, как сегодня утром, я просто посажу тебя в тюрьму для твоей же безопасности. — Он взял в ладони ее лицо и поцеловал.

Когда к Джоанне вернулась способность дышать, она пробормотала:

— А постель здесь где-нибудь есть?

— Ужас! Какой пример мы подадим моим подчиненным? Не искушай меня, ладно?

— Я буду осторожна, обещаю.

— Кажется, наши представления об осторожности несколько не совпадают.

— Давай обсудим это за ленчем, — предложила Джоанна.

* * *

Остаток дня она провела с Гриффином в его кабинете, желая загладить свою вину за то, что так расстроила его утром. Занятие ей нашлось. Гриффин дал ей просмотреть дело Батлера и дело Кэролайн, и она удивилась, как много бумаг требуется для официального следствия.

К сожалению, сами бумаги не содержали ничего нового, во всяком случае, для нее. Как и говорил Гриффин, обе смерти были классифицированы как несчастный случай, без каких бы то ни было указаний на другую возможность.

Информация о Роберте Батлере стала приходить к концу дня, но в первой порции не оказалось ничего интересного. Это были обычные архивные сведения: где родился, кто родители, какую школу закончил. И, разумеется, никаких связей с Клиффсайдом.

В пять Гриффин закончил работу и предложил Джоанне поехать к нему. Но она заметила, что раз уж они не скрываются, то отель имеет целый ряд преимуществ, например, круглосуточное обслуживание. Они смогут заказать еду в номер. Если, конечно, он чувствует себя в силах пройти через вестибюль с гордо поднятой головой.

— Поехали, — решительно заявил Гриффин.

Гордо поднятая голова оказалась ни к чему, потому что вестибюль был совершенно пуст, если не считать дежурной за конторкой, которая на них даже не взглянула.

— Ничего, значит, эту новость разнесет по городу официант, — рассмеялась Джоанна, когда они уже поднимались в лифте.

— Мне безразлично, — подхватил шутку Гриффин. — Пожалуй, я даже сам открою ему дверь, повязав вокруг бедер полотенце, чтобы сплетня была достаточно пикантна.

— Ты этого не сделаешь, — изумилась Джоанна.

Он это сделал. Он заставил ее остаться в спальне, вне пределов видимости, разделся, и, когда официант привез им ужин, быстро сунул ему чаевые и едва не вытолкал молодого человека из номера, проявляя совершенно неприличное нетерпение.

— Не могу поверить, — смеялась она, выходя в гостиную.

Улыбаясь, он обнял ее за талию и притянул к себе.

— Я же говорю, в последнее время у меня бывают смешные порывы.

Джоанна положила руки ему на грудь, наслаждаясь ощущением твердости его мускулов и непроизвольно поглаживая густую поросль черных волос.

— Но я не могла себе представить, как далеко ты зашел. — Ей не хотелось разбираться в своих чувствах, не хотелось спрашивать о серьезности его намерений; она просто констатировала факт: — Я начинаю видеть в тебе совсем иное. Удивительно, шериф — любовник.

— Твой любовник, — подчеркнул он, целуя ее.

«Как преступно быстро он превращает меня в клубок трепещущих нервов, в сгусток чистого желания», — подумала Джоанна. И не стала бороться с собой. Приподнявшись на цыпочки, прильнула к нему и призывно приоткрыла губы.

Его руки скользнули по ее спине, он прижал ее к себе еще крепче...

— Ты все еще одета, — прошептал он.

— М-м. Так сделай с этим что-нибудь, — вдруг охрипнув, произнесла она. Потом, оторвавшись от его губ, посмотрела на него долгим взглядом. — Похоже, наш ужин совершенно остынет.

— Ну и черт с ним. Отошлем его назад на кухню разогреть. Я думаю, официант ожидает чего-то в этом роде.

Джоанна засмеялась и не протестовала, когда он поднял ее на руки и отнес в спальню.

* * *

— Для умных и взрослых людей мы ведем себя удивительно безрассудно, — сказал Гриффин позже. — Я полагаю, мы оба здоровы, но все же стоило позаботиться о противозачаточных средствах? Прости, Джоанна, я даже не подумал об этом.

Они сидели на диване, оба в гостиничных халатах, смотрели по телевизору новости и ели свой остывший ужин, который не стали отсылать на кухню — они настолько проголодались, что было вкусно и так.

— Я тоже, — ответила она. — Таблетки я не пью, они мне не подходят. Но раз уж так случилось... — Она пожала плечами. — А что касается здоровья, я же знаю, ты мужчина ответственный, вот и не опасалась. А я, когда летом попала в аварию, прошла полное медицинское обследование, в том числе и анализы крови. Так что ты тоже можешь не беспокоиться.

— Я просто подумал, что мы должны поговорить об этом.

— И ты прав. — Она потянулась к нему и коротко поцеловала. — Секс в наше время небезопасен.

Он нежно коснулся ее щеки.

— Для женщины, кажется, безопасного времени не было никогда. Все последствия достаются ей.

Засмеявшись, она чуть отодвинулась.

— Это верно. Но хорошо бы понять, как возник такой перекос. Ты знаешь, некоторые прогрессивные исследования опровергают наши прежние представления о первобытном человеке. Когда люди были охотниками и собирателями и еще не знали одежды, племенами руководили женщины — вот к чему теперь склоняется передовая научная мысль. Потому что многие виды животных — особенно приматов — матриархальны.

Гриффин засмеялся.

— А-а. Так что тогда о способах предохранения должны были заботиться мужчины. Не так ли?

Джоанна серьезно кивнула.

— Не знаю точно, когда и почему все изменилось, но, как только мужчины взяли власть, они перестали об этом думать. Больше того, женщины стали носить вредные и бессмысленные вещи — корсеты, бюстгальтеры, высокие каблуки и, выходя замуж, практически попадали в рабство. А не выходить замуж они не могли, потому что их отцы не оставляли им ни денег, ни имущества. Работающая женщина воспринималась как нонсенс. А теперь, когда положение вещей изменилось к лучшему, что происходит?

— Что? — послушно переспросил он.

Джоанна сурово нахмурилась.

— Нас постоянно критикуют. За то, что работаем — или не работаем; за то, что выходим замуж — или не выходим замуж; за то, что заводим детей — или не заводим детей. Женщина оказывается у власти — и все озабочены тем, как она одета. Боже мой, кому интересно, как одет мужчина?

— Мужчина одет в темный костюм. Ужасно скучно, смотреть не на что, — защищался Гриффин.

— М-м... Может быть, все дело в этом? Если бы мы вернулись к первобытным временам и ходили голые...

— При такой-то озоновой дыре? Но это страшно опасно для здоровья!

Она рассмеялась, не в силах больше удерживать серьезную мину.

— Я приношу глубочайшие извинения от имени всего своего пола за то, что когда-то давно мы стали

вести себя как гнусные сексисты, — торжественно заявил Гриффин. — Годится?

— Да, но запомни, я буду строго следить, чтобы тебе и в голову не пришло возвращаться на прежние позиции.

Он взял под козырек печеньем, которое держал в руке.

— Так точно, мэм!

Смеясь и болтая в том же духе, они продолжали есть, без малейшего интереса поглядывая на экран телевизора. Через несколько минут Гриффин заговорил опять.

— Джоанна...

Она как раз с сожалением рассматривала чисто обглоданную куриную ножку. Увы, мяса на ней больше не осталось.

— Да. — Положив кость на тарелку, она откинулась на спинку дивана.

— Ты сказала сегодня, что приехала сюда из-за Риген. Чтобы помочь ей.

— Я в этом уверена, — кивнула Джоанна.

— Каким образом помочь?

— Не знаю. Но если Кэролайн боялась так, что преодолела все возможное и даже невозможное, чтобы докричаться до меня, значит, Риген угрожает что-то серьезное, во всяком случае, в понимании Кэролайн. Честно сказать, мне трудно было сегодня утром уйти из дома Скотта; я себя просто уговорила, повторяя, что единственный способ помочь девочке — узнать, чего же так боялась ее мать. Меня словно что-то удерживало там.

Гриффин нахмурился.

— Почему-то у меня такое чувство, что, когда

речь заходит о Риген, ты забываешь об элементарной осторожности.

Джоанна не стала пытаться отрицать это.

— Если с Риген что-то случится, я никогда себе этого не прощу. У нее же больше никого нет, Гриффин! Скотт, кажется, не испытывает к ней никаких чувств. Она... она мне поручена!

— Послушай, я согласен, что ей нужен друг. Может быть, даже защитник. Я только прошу, чтобы ты имела в виду одну вещь. Ты никак не сможешь ее защитить, если с тобой что-то случится.

— Я понимаю. Я буду осторожна.

Должно быть, он услышал в ее голосе почти неуловимый намек на раздражение, потому что улыбнулся и обнял ее.

— Я слишком похож на наседку, да?

— Ну, предостеречь меня раз-другой не помешает, но надо же и меру знать, — серьезно ответила она.

— Я просто не хочу тебя потерять.

Он поцеловал ее, потом отстранился и, очень внимательно глядя на нее своими темными глазами, провел указательным пальцем по ее бровям, очертил скулы, нос, губы. Джоанна, почти не дыша, внимала этим гипнотическим легким касаниям.

— А хуже всего то, что ты мне и не принадлежишь, — пробормотал он, продолжая водить пальцем по ее лицу, словно стремясь навсегда его запомнить. — Между нами... что-то стоит, ты не позволяешь мне приблизиться. Почему так, Джоанна?

Она попыталась сосредоточиться на том, что он говорит, отвлекшись от низкого звука его голоса, который воспринимала как ласку.

— Гриффин, мы знакомы всего неделю, и за эту неделю слишком много чего случилось. Я просто... мне нужно время, вот и все.

— Дело только в этом?

— Не только, — честно ответила она. — Я не могу тебе объяснить, насколько моя голова занята всем тем, что здесь происходит. Все эти кошмарные сны, и вопросы, и предположения... Мистика какая-то! Что-то привело меня сюда, и пока я с этим не разделаюсь, у меня просто не будет сил на большее. Понимаешь? Дело не в тебе. Дело во мне.

Он вновь обхватил ее лицо ладонями, большим пальцем легонько проводя по нижней губе.

— Значит, я должен еще немного подождать.

Джоанне хотелось что-то сказать, к примеру, что это было бы самое лучшее, но он уже опять целовал ее. И отнюдь не коротко и не легко, а так, что ее тело тотчас ответило на этот чувственный призыв, ответило так же естественно, как цветок открывается навстречу солнцу.

А потом она просто не могла ни о чем думать — в следующие несколько часов. Но когда они наконец успокоились, тесно прижавшись друг к другу в ее постели в мирной тишине ночи, она уже знала, что ей не нужно больше времени, чтобы понять, любит ли она его. Любит.

Ей только нужно было понять, что для него значила Кэролайн, и перестать думать об этой женщине.

* * *

Утром Гриффин ушел первым, потому что ему нужно было на работу. Джоанна сказала, что пойдет в город позже. Она собиралась зайти в библиотеку поговорить с миссис Чандлер, сделать еще какие-то мелкие, но необходимые дела. Да, она будет очень осторожна.

Она вышла из отеля около десяти часов и невольно изумилась, заметив, сколько многозначительных взглядов было брошено на нее, пока она пересекала вестибюль, — то ли официант уже успел всем все рассказать, то ли отъезд Гриффина утром не прошел незамеченным. Опять-таки, его «Блейзер» всю ночь был припаркован около отеля.

Все на виду — живешь, как в аквариуме. Тем не менее Джоанне скорее нравилось то, что все всё про всех знают. Ей казалось, что неприкосновенность частной жизни — не слишком дорогая цена за обретаемое взамен чувство общности.

Она зашла в библиотеку поговорить с миссис Чандлер. Разговор был коротким, но, когда она, в очередной раз поддавшись необъяснимому импульсу, спросила библиотекаршу, не заметила ли та чего-то необычного в поведении Кэролайн, ответ ее удивил.

— Пожалуй, только одно. Она была здесь где-то за неделю, за две до аварии, и интересовали ее странные вещи: где можно посмотреть, какие страны не имеют с Соединенными Штатами договора о взаимной выдаче преступников.

Джоанна нахмурилась.

— То есть она хотела узнать, куда, не боясь ареста, может податься американский преступник?

— Да, именно такие сведения она желала получить. Сначала я очень удивилась, но ведь естественно, что люди приходят сюда именно с необычными вопросами, так что вскоре я выбросила это из головы.

— А она не показалась вам расстроенной или нервной?

Миссис Чандлер чуть прищурилась.

— Честно говоря, я не помню. А почему вы об этом спрашиваете, Джоанна?

— Я просто стараюсь узнать о ней все, что возможно, — пожала плечами Джоанна, не вдаваясь в подробности.

— Простите, но я в этом сильно сомневаюсь, — улыбнулась библиотекарша. — Но не волнуйтесь, я не буду требовать от вас правдивого ответа. Рано или поздно я все равно все узнаю.

— Одно из преимуществ жизни в маленьком городке?

— Ну, правда всегда выходит наружу независимо от места жительства. Но нельзя не согласиться, что порой сплетня — большое зло. Вот как сейчас. Я не стала бы осуждать Кейна Барлоу, если он уехал в Портленд.

— Вы его видели? — Джоанна насторожилась.

— Нет, и уже несколько дней. Вообще-то он часто исчезает, чтобы поработать, в этом нет ничего необычного. Но Кейн, безусловно, неглуп. Если ему стало известно, к чему склоняется молва, я не удивлюсь, что он уехал просто от сплетен.

Простившись с миссис Чандлер и направляясь к магазинам, Джоанна размышляла о ее словах. Если Кейн действительно сбежал от этой невыносимой болтовни, он не мог бы выбрать времени хуже. Чем скорее он оправдается, тем скорее все умолкнут. Джоанна достаточно хорошо знала Гриффина, она понимала, что если он уверен в невиновности Кейна, то рано или поздно докажет это и заставит весь город поверить. Но пока...

А вопрос к библиотекарше? Кажется, Кэролайн действительно была замешана в опасных вещах. Сама ли она совершила преступление? Или узнала, что ее любовник совершил преступление и собирается бежать из страны? Может быть, она обнаружила, что мужчина, с которым у нее связь, хочет уехать, не взяв ее с собой. Это могло стать последней каплей?

Мысленно исключив Скотта и не имея возможности поговорить с Кейном, Джоанна подумала о докторе. Был ли он любовником Кэролайн? Врач, безусловно, лучше других знает, как можно убить человека. И ему довольно легко осуществить задуманное. Может быть, Кэролайн обнаружила что-то в этом роде. Джоанна не занималась анализом так называемых случаев естественной смерти в Клиффсайде за последние полгода — а вдруг именно здесь кроется разгадка?

Или док замешан в чем-то другом? Как главный врач городка, он был, безусловно, посвящен во множество секретов; возможно, он кого-то шантажировал?

Погрузившись в эти невеселые размышления, Джоанна незаметно дошла до кафе. У входа стояли, болтая, Лисса и Дилан, потом Лисса побежала через дорогу к своему магазину «На углу»; увидев Джоанну, она лишь приветственно помахала рукой.

— Привет, Джоанна, — улыбнулся Дилан. — Позвольте угостить вас чашечкой кофе. У меня перерыв, и я собираюсь выпить кофе.

— Спасибо. — Они вошли в кафе. — Перерыв в чем?

— Перерыв в борьбе с бюрократией, — ответил он. — Скотт хочет как можно скорее начать пристраивать к больнице новое крыло, как завещала Кэролайн, и вы себе не представляете, сколько бумаг для этого требуется. Последние два часа я провел в суде.

Джоанна сочувственно улыбнулась.

— Совершенно как в Атланте. Оказываешься в маленьком городке и думаешь, что здесь все иначе, но ничего подобного.

К их столику подошла Лиз, и Джоанна заказала кофе. Дилан тоже. Кофе был принесен немедленно, и Лиз, приветливо улыбаясь, спросила, оправилась ли Джоанна после аварии.

— Спасибо, вполне, — ответила Джоанна. — Ни единой царапины.

— Рада за вас, — сказала Лиз. — Господи, в этих новомодных машинах столько всяких проводов, что удивительно, как мы все еще не летим с шоссе вверх тормашками. Мой брат механик, он говорит, что в этих малолитражках между панелью управления и другими штуками так мало места, что приличный двигатель просто не умещается.

— В следующий раз непременно возьму машину побольше, — улыбнулась Джоанна. — Какой-нибудь джип.

— Мне нравятся джипы! — с воодушевлением сказала Лиз и округлила глаза, потому что повар указывал ей на другого клиента, уже давно ждущего, когда его обслужат. — Извините, мне пора, — шепнула она и отправилась исполнять свои обязанности.

— Скотт говорил, что вы попали в аварию, — сказал Дилан, качая головой. — Что-то там с акселератором. Боже, порой мне кажется, что лучше уж вернуться к лошадям и повозкам.

Джоанна с облегчением рассмеялась — Скотт,

видимо, не упомянул о том, что машину испортили сознательно.

— Ну, не будем драматизировать. Мне повезло. И к тому же машина не моя, и пусть голова болит у той фирмы, что дала мне ее напрокат, — беззаботно заявила она.

— Хоть это хорошо, — согласился Дилан.

Она улыбнулась и сделала глоток кофе.

— Ну, а о чем болит голова у вас? Я видела у больницы бульдозеры и решила, что строительство уже началось.

— Ну, Скотт несколько забежал вперед, когда приказал расчистить территорию. Работу придется приостановить до получения всех необходимых разрешений и выправления всех необходимых бумаг, как я уже говорил. И док, конечно, огорчен, потому что наступает зима, и новое крыло смогут закончить не раньше следующего лета, отчего стоимость его, несомненно, возрастет.

— А Кэролайн оставила на это определенное количество денег?

Дилан кивнул.

— Возможно, этого будет достаточно — а может быть, и нет. Но, разумеется, Скотт покроет разницу.

— Да?

— Да. Кэролайн хотела его построить, значит, оно будет построено.

Джоанна помолчала, пока он пил свой кофе, потом сказала:

— Наверное, вы хорошо ее знали.

— Я едва ли не каждый день приходил к ним в дом, — ответил он. — Так что, я думаю, знал. Хотя она не слишком много внимания обращала на своих батраков.

Джоанна насторожилась и посмотрела на него очень внимательно.

— Батраков?! Но не могла же она относиться так ко всем, кто работал на Скотта? — Она невольно вспомнила Адама Харрисона и его растоптанную любовь.

Дилан чуть нахмурился.

— Вы знаете, это было не презрение, просто полное безразличие. Она выросла в доме, полном слуг, и привыкла их не замечать; а поскольку мой кабинет у них в доме и я работаю на Скотта, я, видимо, попал в ту же категорию. В этом не было злого умысла. — Он невесело улыбнулся. — Но когда тебя постоянно не замечают, как привычную мебель, это не самое приятное ощущение.

Но Кэролайн всегда замечала привлекательных мужчин, неважно, каков был их социальный статус. Это Джоанна знала теперь так же хорошо, как свое имя.

— Наверное, — тихо сказала она.

Тоже любовник? Боже, неужели она спала даже с человеком, которого ее муж видел в доме ежедневно. Это было более чем вероятно, но Джоанна не готова была задать прямой вопрос. Она спросила о другом.

— Вы не заметили в последнюю неделю ничего необычного? Я имею в виду, не была ли она расстроена?

— Расстроена? Кэролайн невозможно было расстроить, насколько я знаю. — Он пожал плечами. — Но я тогда часто ездил в Портленд и мало ее видел. А почему вас это интересует?

Пришла очередь Джоанны пожать плечами.

— Я просто думаю, что если она не справилась со своей машиной, то, должно быть, была чем-то расстроена.

— Я не знаю, откуда она возвращалась, — сказал Дилан. — Бог весть почему она оказалась так далеко от города к северу. Она вообще-то нечасто покидала город, да еще в середине дня.

— Может быть, ездила в Портленд, пройтись по магазинам? — предположила Джоанна, словно не знала о встрече, назначенной в старой конюшне. Она не собиралась говорить об этом.

Ты знаешь об этом месте, Дилан? Ты встречался с ней там?

— В то утро она была одета не для Портленда, — сказал Дилан. — Когда Кэролайн собиралась в город, она одевалась очень тщательно, отнюдь не просто в джинсы и свитер. Правда, потом она могла переодеться.

— Могла, — согласилась Джоанна. — Но так или иначе, все это уже не имеет значения.

Он пристально и серьезно посмотрел на нее.

— Вы чувствуете с ней какую-то связь, да? Это из-за того, что вы похожи?

— Может быть. Это очень странно — узнать, что ты так похожа на другого человека; а узнать, что этот человек так ужасно погиб, — еще больший шок. И... мне кажется, я теперь в ответе за Риген.

— Мне так жаль этого ребенка, — вздохнул Дилан. — Я едва вижу ее в доме. Она, словно тень, исчезает за углом, как только бросишь на нее взгляд.

Джоанна наконец решилась задать прямой вопрос.

— Скотт всегда был так безразличен к ней?

Дилан, не задумываясь, отрицательно покачал головой.

— Вовсе нет. Когда она родилась, он любил ее до безумия. То есть буквально до безумия. И она его обожала, это было совершенно очевидно. Потом, не знаю, года через три или четыре, все вдруг резко изменилось. Сначала я думал, что у него просто стало больше работы, потому он и ездит так часто то в Портленд, то в Сан-Франциско, и на Риген не остается времени. Кэролайн тогда все суетилась вокруг нее, много читала ей, водила на уроки танцев, в гости... Я думал, она старалась как-то компенсировать Риген то, что Скотт постоянно занят. Но постепенно я понял, что отношение Скотта к дочери полностью изменилось. Это было совершенно очевидно и столь же непонятно. Когда он смотрел на нее, на его лице не отражалось совершенно никаких чувств. Я даже видел пару раз, как он ее оттолкнул — буквально! И после этого она уже не пыталась к нему приблизиться.

— Как вы думаете, почему он так резко переменился?

Дилан криво улыбнулся.

— То, о чем я рассказываю, я просто видел своими глазами. Я наблюдал, и больше ничего. Сомневаюсь, чтобы Скотт с кем-нибудь обсуждал эту тему. Уж во всяком случае, не со мной.

Джоанна лихорадочно размышляла, прихлебывая кофе. Был ли Дилан любовником Кэролайн? Последним любовником Кэролайн?! Ей ужасно хотелось спросить его прямо, но затрагивать эту тему здесь, на публике, она не решилась. Почему же Скотт отвернулся от Риген? Джоанна еще не поняла, как относится к Скотту, но в любом случае он уже не казался ей бесчувственным. И она могла предложить лишь одно объяснение того, почему вдруг он оттолкнул от себя некогда обожаемую дочурку.

— Черт возьми, — вдруг сказал Дилан, посмотрев на часы. — Мне пора возвращаться в суд. А вы оставайтесь, сколько хотите, Джоанна, — я угощаю.

— Спасибо, Дилан.

Он встал из-за стола и улыбнулся.

— Мне очень приятно. Еще увидимся.

— Непременно. — Джоанна смотрела, как он подошел к кассе и расплатился. Потом отодвинула чашку. Гриффин, наверное, уже волнуется, куда она подевалась? К тому же есть опасность, что Лиз или кто-нибудь еще, улучив момент, заведет с ней долгий разговор.

Подождав, пока Дилан выйдет из кафе, перейдет улицу и скроется в здании суда, она поднялась, взмахом руки попрощавшись с Лиз, и отправилась по своим делам.

Она собиралась поспешить к Отделу шерифа, но, увидев выходящего из аптеки доктора, обратилась к нему:

— Док?

Он остановился и, обернувшись, удивленно поднял брови.

— Добрый день, Джоанна. Чем могу быть полезен?

Поблизости никого не было, дверь соседнего магазина была закрыта, и Джоанна не стала раздумывать. Ее деликатность при прошлом разговоре не возымела действия, может быть, эффективнее будет тактика бури и натиска.

— Можете сказать правду, — ответила она.

Мне очень жаль, док, но я не могу терять время...

— Не понимаю, о чем вы. — Он говорил по-прежнему вежливо, с легкой улыбкой, но в глазах застыла настороженность.

— Нет, вы понимаете. Вы солгали мне — вы видели Кэролайн накануне ее смерти.

— Как-то выскочило из головы. — Лицо его окаменело, губы сжались.

— Да? — Скрестив руки на груди, Джоанна натянуто улыбнулась. — А может быть, вас тоже мучит совесть? Ведь вас не было рядом, когда ей так нужна была ваша помощь?

— Что значит «вас тоже»?

Теперь он был весь внимание, и Джоанна внутренне собралась. Ей не хотелось говорить то, что она собиралась сказать, ей это было противно, но у нее не было выбора.

— О, док, она умела внушить чувство вины — особенно своим бывшим любовникам! И не говорите мне, что вы думали, будто вы единственный. Даже Скотт считает, что их было по крайней мере полдюжины.

Док не изменился в лице, но голос его стал очень тихим.

— Большое спасибо, что сказали.

— Может быть, вам нужно это знать. — Джоанна старалась, чтобы в ее голосе не дай бог не проскользнула насмешка. — Может быть, вам всем нужно это знать, — устало добавила она. — Потому что, насколько я могу судить, ни один из вас так и не примирился с ее уходом.

— Вы не понимаете.

— Не понимаю? Так объясните мне, док. Объясните, как ей удавалось растаптывать все чувства мужчин, кроме одного — одержимости ею.

Он открыл было рот, но потом покачал головой.

— Не могу. Она была... было в ней что-то такое.

— Разрушительное, но влекущее? — подсказала Джоанна. — Некоторые считают это определением зла.

— Нет, какое зло? Кэролайн была... неизменно в состоянии войны с собой, в вечной борьбе. Ее не удовлетворяло то, что у нее было, ей всегда хотелось большего или просто другого. Поймите, она не была расчетливо жестокой. Просто ей обязательно нужно было получить то, что она хотела, неважно, какой ценой.

— Судя по тому, что вы говорите, она была как испорченный ребенок, — заметила Джоанна.

Его тонкое лицо смягчилось, и Джоанна почувствовала острую жалость.

— Да, в ней, несомненно, было что-то детское. Младенчески-невинное. Пусть и испорченная — но какой она умела быть щедрой и любящей! Такой Кэролайн и осталась в моей памяти.

— У вас был с ней роман, когда она погибла?

— Нет, — отсутствующим голосом сказал он. — Наш роман завершился два года назад.

Джоанна не стала спрашивать, не знает ли он, кто был последним любовником Кэролайн, — новость, что он был не единственным, слишком сильно его потрясла.

— Вы не знаете, о чем она хотела рассказать вам в последний раз, когда вы ее видели?

Док посмотрел на нее, словно возвращаясь издалека.

— Нет. У меня был вызов, я очень спешил. Она сказала, что ей нужно поговорить, а я ее оттолкнул.

Джоанна вздохнула — голос у него был виноватый.

— Не вы один, док. Запомните это. И спасибо, что сказали правду.

Он слегка кивнул и, не сказав ни слова, пошел прочь.

Она минуту посмотрела ему вслед и направилась к Отделу шерифа. Гриффину явно не понравится, что она загнала дока в угол, но, по крайней мере, это происходило в центре города, на глазах у всех.

Остается, конечно, возможность, что у дока была какая-то тайна, столь страшившая Кэролайн, но это очень маловероятно. И потом, кто же все-таки был последним любовником Кэролайн? Может быть, Дилан?

Она вошла в кабинет Гриффина и опустилась в кресло для посетителей, пребывая в состоянии озабоченном и разочарованном — и Гриффин это заметил.

— Надеюсь, у тебя хорошие новости, — сказала она.

Гриффин поднял голову от заваленного бумагами стола и неохотно улыбнулся.

— У меня нет новостей, ни хороших, ни плохих. Кроме того, что Кейна по-прежнему нигде нет. А у тебя как прошло утро?

Джоанна вздохнула.

— Миссис Чандлер сказала, что незадолго до смерти Кэролайн приходила в библиотеку, чтобы узнать, с какими странами у Америки нет договора о выдаче преступников. Похоже, она действительно была замешана в нечто противозаконное. Как ты думаешь?

— Я бы сказал, такая возможность существует, — согласился он.

— Еще я поговорила с доком. Но это не слишком много дало — его роман с Кэролайн был года два назад. Ты ведь не станешь упоминать об этом в рапорте, правда? А то я бы тебе ничего не сказала.

— Насколько мне известно, информация такого рода не подлежит включению в рапорт, если только не имеет прямого отношения к делу, — сообщил Гриффин.

Она в раздумье посмотрела на него.

— Мне показалось, что ты удивился, когда я в первый раз упомянула о том, что у Кэролайн были связи на стороне.

— Это действительно так. Насколько я знаю, никаких разговоров насчет дока и Кэролайн не было, вот я и удивился, как быстро ты это раскопала.

Джоанна не стала углубляться в подробности того, как именно она это сделала.

— Так или иначе, хотя теоретически можно предположить, что у него есть какая-то тайна, которую нужно во что бы то ни стало сохранить, мне что-то не верится, что он мог до смерти запугать Кэролайн или столкнуть кого-нибудь с обрыва.

— Мне тоже.

Джоанна уже собиралась рассказать о встрече с Диланом и о своих подозрениях, как вдруг раздался резкий стук в дверь и в кабинет вошел Скотт Маккенна, подчеркнуто тщательно закрыв за собой дверь.

Джоанна порадовалась, что сидит несколько в стороне. Казалось, между Гриффином и Скоттом натянут высоковольтный провод. Она почти физически чувствовала напряжение Гриффина, а назвать выражение лица Скотта недружелюбным было все равно что сказать: алмаз твердый. Трудно было подобрать слово, чтобы описать его глаза. Ей было нестерпимо неловко, но деваться было некуда.

— Добрый день, Скотт, — подчеркнуто вежливо поздоровался Гриффин, не встав, впрочем, со стула.

Скотт молча кивнул и отрывисто заявил:

— Джоанна сказала, у вас есть вопросы по поводу смерти Кэролайн. Это так?

— Примерно. Садитесь, Скотт.

Не обращая внимания на приглашение, Скотт посмотрел на Джоанну.

— После вашего ухода вчера я подумал, что, может быть, ошибся и Кэролайн все-таки вела дневник. И решил посмотреть в ее вещах.

— Нашли дневник?

Он отрицательно покачал головой и вынул из внутреннего кармана пиджака маленький медный ключик.

— Я нашел вот это. — Он положил ключик на стол перед Гриффином. — Он был в ее столе в спальне. Я его никогда не видел, и, насколько я могу понять, ни к чему в доме он не подходит.

Джоанна посмотрела на Гриффина.

— Кто-то мне говорил, что незадолго до смерти Кэролайн купила маленькую старинную шкатулочку.

— Среди ее вещей нет ничего похожего, — сказал Скотт.

— Джоанна, она купила шкатулку в «Еще одной штучке»? — спросил Гриффин, потянувшись к телефонной трубке.

— Кажется, да.

Скотт, не двигаясь, с совершенно непроницаемым лицом наблюдал, как Гриффин набирает номер.

— Бонни? Это Грифф. Послушай, не покупала ли миссис Маккенна у тебя где-то летом старинную шкатулку? Когда? Понятно. А у нее был замок с ключом? — Он взял в руку медный ключик. — Опиши, пожалуйста, ключ. — Он кивнул. — Спасибо, Бонни. — И повесил трубку.

— Это ключ от той шкатулки? — быстро спросила Джоанна.

— Или его точная копия. Но вопрос в том, где сама шкатулка?

— И что в ней хранится?

Скотт переводил взгляд с одной на другого и наконец выбрал Джоанну.

— Почему вы думаете, что она должна была там что-то прятать?

Гриффин явно не был расположен отвечать. Ей ничего не оставалось делать, как взять это на себя.

— Это просто догадка, Скотт. Мы полагаем, что Кэролайн знала что-то такое, что таило в себе большую угрозу для... Ну, пока неизвестно для кого. И она боялась. Перед аварией она хотела поговорить с некоторыми людьми, которым она доверяла, — здесь, в городе, но по разным причинам ей так и не удалось этого сделать.

— Почему она не рассказала мне? — безжизненным голосом спросил он.

Джоанна покачала головой.

— Этого я не знаю. Но точно известно, что незадолго до аварии она уже готова была обратиться к шерифу.

— Откуда вы знаете? — спросил он, посмотрев на Гриффина.

— Она прислала мне записку с просьбой о встрече, — немедленно ответил Гриффин. — Но я задержался на работе и не успел к назначенному часу. Это было в тот день, когда она погибла.

Лицо Скотта окаменело.

— Так что на этот раз наш пострел не поспел, — ядовито сказал он.

На минуту повисло ледяное молчание. Его прервал Гриффин.

— Что, черт возьми, это должно означать?! — спросил он, очень четко произнося слова.

Скотт пожал плечами, и недобрая улыбка искривила его губы.

— Ничего особенного, шериф. Я просто думал, что вы всегда были к услугам моей жены, когда ей было что-нибудь нужно.

Джоанна вздрогнула. Но она понимала, что напряжение нагнеталось слишком долго и не могло не прорваться. Рано или поздно это должно было произойти, она поняла это еще тогда, когда впервые увидела их лицом к лицу на мирной улочке Клиффсайда.

— Послушайте, я не знаю, в чем дело, — прошипел Гриффин, поднимаясь из-за стола, — но с меня хватит! Вы хотите мне что-то сказать? Так скажите прямо. Вы хотите со мной драться? Назовите место и время, и я непременно явлюсь. А сейчас лучше отправляйтесь домой и побудьте со своим несчастным ребенком. Ей нужен отец в гораздо большей степени, чем мне — ваши намеки.

— Вот вы к ней и пойдите, — пробормотал Скотт и повернулся к двери.

— Что?!

Гриффин не успел сделать и шага, как Скотт вновь обернулся — и на лице его отразилась такая боль, что Джоанне захотелось убежать.

— Я повторю, если вы плохо слышите. Это вам следует утешать Риген, — хрипло сказал он. — Черт побери, она не моя дочь! Она ваша дочь!

Глава 14

На каком-то уровне сознания Джоанна была готова услышать от Скотта эти безумные слова — с того самого момента, как она узнала, что его отношение к Риген резко переменилось несколько лет назад. Это было единственное возможное объяснение внезапной холодности отца к малому невинному ребенку. А учитывая все, что она знала о Кэролайн, такое объяснение было более чем вероятно.

Но Джоанна не ожидала, что ей будет так больно услышать это обвинение в адрес Гриффина.

— Нет, — сказал Гриффин. Он не смотрел на Джоанну, он не сводил глаз со Скотта.

— Вы думаете, я вам поверю? Мне сказала это сама Кэролайн еще много лет назад.

Гриффин подался к нему и, по-прежнему не сводя с него глаз, очень спокойно сказал:

— Послушайте меня и постарайтесь поверить. Она солгала вам. Я не знаю зачем, но она солгала. У нас никогда не было романа. Мы ни разу не ложились в постель. Риген никак не может быть моей дочерью.

К Джоанне постепенно возвращалась способность дышать.

— Я не верю вам, — хрипло проговорил Скотт. — О таких вещах не лгут. Это невозможно.

— Хотите, я пройду тест на отцовство, чтобы доказать вам, что это ложь? С радостью. Но тогда и вы его пройдите. Она ваша дочь, Скотт.

Повисло тяжелое молчание. Прервала его Джоанна.

— Я знаю, Скотт, вам кажется, что Риген похожа на Кэролайн, — тихо сказала она. — Но всмотритесь внимательнее. Разрез глаз, форма ушей у нее ваши. У нее ваше выражение лица, ваши гримаски. А руки? Это просто женская версия ваших собственных рук! Вы просто слепы как крот!

Скотт шагнул вперед и ухватился за спинку кресла для посетителей. Он смотрел на Гриффина и не видел его. Он вообще сейчас ничего не видел. Взгляд его был направлен в глубь себя; лицо побелело.

— Как долго я был в заблуждении, — наконец произнес он.

— Кэролайн ослепила вас своей ложью, — сказала Джоанна. — Когда она вам это сказала, вы стали смотреть на Риген с сомнением — и все, все было отравлено. Должно быть, она хотела сделать вам больно — очень больно.

Скотт медленно покачал головой, все так же глядя в пространство.

— Нет, она хотела не этого. Теперь я понимаю. Она хотела, чтобы Риген принадлежала ей одной, а я ей мешал. И она заставила меня отвернуться от ребенка. О! Она отлично знала, что я не смогу этого вынести.

Док прав — эта женщина всегда добивалась своего, неважно, какой ценой. Джоанна сразу поверила, что Кэролайн могла поступить столь чудовищно жестоко и эгоистично для того, чтобы девочка любила только ее одну. Ей, вероятно, даже в голову не пришло, что она нанесла Риген глубокую рану, лишив ее отцовской любви; она искренне считала, что малышке вполне достаточно любви матери. И, надо сказать, она была прекрасной матерью, она всю себя посвятила ребенку — но какую цену пришлось заплатить за это бедняжке Риген!

И какую цену пришлось заплатить за это Скотту!

Джоанна с Гриффином молчали, ожидая, когда Скотт придет в себя. Постепенно он возвращался к действительности, к тому, что происходит здесь и сейчас. И проходило это тяжело и болезненно — столь гордому, всегда застегнутому на все пуговицы человеку сейчас было стыдно, что в этом маленьком кабинете он так обнажил свои чувства.

Скотт молча взглянул на нее, потом на него и пошел к двери. Но перед тем, как уйти, он обернулся к Джоанне.

— Вы были правы, — сказал он и вышел, тихо закрыв за собой дверь.

— В чем? — спросил Гриффин, когда они остались одни.

— В том, что он любил Кэролайн, — сказала Джоанна, глядя вслед Скотту. — Несмотря на все, что она делала, он все эти годы любил ее.

— Боже мой, — пробормотал Гриффин, тяжело опускаясь на стул. — Неудивительно, что он так меня ненавидел.

Джоанна глубоко вздохнула.

— Тебе, наверное, и в голову не приходило, что он может считать Риген твоей дочерью?

— Господи, конечно, нет! А то бы я давно уже поговорил с ним прямо. — Он покрутил головой. — Поскольку это совершенно невозможно, как мне могло прийти такое в голову? Он был не очень близок со своим ребенком, но, черт возьми, с кем вообще он был близок?

Джоанна не удивилась, услышав, что ни Гриффин, ни все остальные практически не обратили внимания на внезапное безразличие Скотта к дочери. Заметить эту резкую перемену и удивиться ей мог только человек, который много времени проводил с их семьей — как, например, Дилан.

— Но, наверное, ты все-таки недоумевал, с чего это он вдруг стал тебя ненавидеть? — спросила она.

— Я думал...

— Думал что?

Гриффин замялся, потом, вздохнув, заговорил:

— Ты как-то сказала, что в прошлом между Кэролайн и мной явно что-то было. В каком-то смысле ты права. Что-то действительно было.

Джоанна молча ждала. Наконец она узнает, какое влияние на Гриффина оказала эта женщина, несшая в себе соблазн и разрушение.

— Тогда я только-только поселился в Клиффсайде. Я уехал из Чикаго, потому что был на грани нервного срыва от нескончаемого потока ежедневных жестоких преступлений, с которыми там приходилось иметь дело. Поэтому когда в Портленде я услышал о вакансии шерифа в маленьком городке, это место показалось мне раем, и я, не раздумывая, представил свои документы. Городской совет их одобрил, и уже недели через две я переехал сюда, в этот коттедж. Первые недели работы здесь после Чикаго показались мне блаженным отдыхом. Я пришел в себя, обжился, начал знакомиться со здешними людьми. Кэролайн была едва ли не первой леди города. Молода, всего года два как замужем, во всем, что здесь происходило, она принимала участие. Она на первый взгляд показалась мне хрупкой и застенчивой, но, наверное, надо было всмотреться получше.

— Она в тебя влюбилась, — прошептала Джоанна.

Гриффин кивнул.

— И захватила меня врасплох, признавшись в этом у меня дома, наедине. Она сказала, что гуляла неподалеку и зашла спросить о чем-то, сейчас уже не помню, о чем. В общем, когда она заговорила о своей любви, я просто не знал, как быть. Я к ней ничего такого не чувствовал, воспринимал ее только как жену Скотта и вообще женщину не моего круга. Да и вообще, она всегда казалась мне скорее ребенком, чем женщиной.

«Вот где подвела тебя, Кэролайн, прелестная младенческая невинность», — злорадно подумала Джоанна.

— Я попытался ее образумить, — продолжал Гриффин. — Говорил, что достоин осуждения за то, что она неверно истолковала мои чувства, произносил еще какие-то идиотские клише, типа того, что она скоро поймет, что ошибается, что мы останемся друзьями...

— И как она это восприняла?

Гриффин сокрушенно потер затылок.

— Она залилась слезами, а потом мы как-то оказались на диване, и я ее обнимал, утешал.

Слезы. Господи, Кэролайн, какие ты только штуки с ним не проделывала!

— Между нами ничего не было, — поторопился

уверить ее Гриффин: вероятно, на ее лице что-то отразилось. — Но в какой-то момент я заметил, что она уже не плачет. Она взяла мою руку и положила себе... ну, неважно.

— Спасибо, — сказала Джоанна.

Он усмехнулся.

— Ладно, ладно. Спрашивали — отвечаем. Как-то мне удалось освободить диван и выпроводить ее из дома. После этого некоторое время у нас были довольно напряженные отношения, но она больше к этому не возвращалась. — Он перестал улыбаться. — Однако она часто обращалась ко мне с разными небольшими просьбами, и, наверное, Скотт это заметил.

— Вот почему он сказал: наш пострел везде поспел?

— Да. И так сложилось, что я всегда, когда это было в моих силах, облегчал жизнь Кэролайн. По большей части это были вещи незначительные. Ну, скажем, быстро выдать разрешение на парад для школьников или помочь убедить городской совет в том, что местный театр должен работать... Такого вот рода просьбы.

— И когда ты понял, что Скотт тебя ненавидит...

— Я подумал, что он знает или подозревает, что Кэролайн была в меня влюблена, и ему, естественно, не нравится, когда мы общаемся с ней. Но я-то знал, что я чист — я не оставил у нее никаких сомнений, что встреч наедине больше не будет. А поскольку я нечасто видел Скотта, меня не очень-то интересовало, как он ко мне относится.

— Понятно, — кивнула Джоанна. — Ты просто ставил себе в вину то, что не встретился с ней в тот последний день — ведь ты привык всегда ей помогать.

— Тебя это мучило? — спросил Гриффин.

— Немного. Кэролайн так сильно воздействовала на своих мужчин, даже когда отношения прекращались, что я все думала...

— Что я ее любил?

— Да, — призналась Джоанна. — Хотя ты и отрицал связь с ней, я не могла избавиться от ощущения, что между вами что-то было. Это казалось очень правдоподобным. А поскольку другие ее любовники до сих пор еще... Ладно. Оставим. Просто живая соперница — это одно, а бороться с привидением невозможно.

Особенно если оно охотится за тобой так же, как в свое время за этим мужчиной, которого ты любишь.

Гриффин встал, обошел вокруг стола и обнял ее.

— Мне казалось, все достаточно ясно, — несколько сухо сказал он, — но, по-видимому, это не так. Милая, я никогда никого не любил — пока не встретил тебя. И уж конечно, я полюбил тебя не за то, что ты слегка похожа на Кэролайн или на кого-то там еще. Ни у кого, кроме тебя, нет таких огромных золотистых глаз, такого сладкого певучего голоса, никто, кроме тебя, не может довести меня до того, что я теряю голову и совершаю безумные поступки.

— Но... — чуть растерянно сказала Джоанна, — мы ведь знакомы всего неделю...

— Разве это важно? — напрямик спросил он.

— Нет, — честно ответила она. — Гриффин...

Раздался резкий стук в дверь: один из помощников Гриффина быстро вошел в кабинет с толстой пачкой бумаг.

— Ах, простите, — с досадой сказал он. — Но, Грифф, ты просил всю информацию о Батлере нести к тебе срочно, как только она поступит. Только что пришел факс из Сан-Франциско.

— Кэси, — сказал Гриффин, — ты даже представить себе не можешь, как ты не вовремя.

Джоанна, освободившись от его объятий, не могла удержаться от смеха.

— Ничего, мы договорим потом, — сказала она. — Послушай, мне нужно еще кое-что сделать, так что я лучше пойду в отель, а ты займись работой.

— Сейчас время ленча, — возразил Гриффин; он такими глазами смотрел на Джоанну, что не оставалось сомнений в том, какого рода голод он испытывает.

— Давай устроим поздний ленч, — предложила она. — В два ты заезжаешь за мной в отель, хорошо?

Гриффин почти с ненавистью посмотрел на Кэси, который невозмутимо стоял и ждал.

— Придется нам так и сделать. Только не забудь, на чем мы остановились.

— Ни за что, — мурлыкнула она.

* * *

Как только Джоанна вышла из Отдела шерифа, ее охватило всегдашнее томительное беспокойство. Как все-таки благотворно на нее действует Гриффин! Только с ним это постоянное внутреннее напряжение отпускало ее, и ей мгновенно и остро захотелось вернуться в его объятия, потому что силы ее были на пределе. Она не знала, сколько еще сможет выдержать.

Столько, сколько нужно! Эта решимость и постоянное чувство необходимости делать что-то тоже были частью ее беспокойства, которое изматывало, лишало сил и уверенности в себе — и не покидало ни на минуту.

Может быть, поэтому, когда примерно через квартал она снова столкнулась с Диланом, ее голос звучал чуть резче, чем нужно.

— Можно вас на минутку? — спросила она, подходя. Вокруг никого не было, и ей не хотелось упускать случай поговорить без риска, что их кто-то подслушает.

— Конечно, Джоанна. Что случилось? — Его красивое лицо улыбалось, но в глазах застыла настороженность, которую она уже привыкла видеть на лицах жителей Клиффсайда.

Джоанне некогда было миндальничать, а кроме того, тактика бури и натиска вполне оправдала себя в разговоре с доктором. Поэтому, зажмурившись, она спросила в лоб:

— У вас был роман с Кэролайн?

На мгновение его лицо стало непроницаемым. Потом он чуть улыбнулся.

— Вы спрашиваете из злорадного любопытства?

Она, покачав головой, настойчиво повторила:

— Так был у вас роман с Кэролайн?

Дилан посмотрел на свой портфельчик, словно бы избегая требовательного взгляда Джоанны.

— Леди из высшего общества снисходит к... Вы это хотите услышать? Пожалуйста. Да, это правда. Когда я вернулся и стал работать у Скотта, мне было страшно тяжело. За то время, что я провел в колледже и в Сан-Франциско, она выросла и расцвела.

— Она тоже полюбила вас?

Его губы горько искривились.

— Нет, черт возьми! Она меня только дразнила. Улыбалась, флиртовала, когда Скотта не было поблизости, — и все время держала на расстоянии. Я просто с ума сходил.

— Но роман у вас все-таки был. — «Говорит так же, как и другие», — с горечью подумала Джоанна.

— Если это можно так назвать. — Он резко передернул плечами. — Примерно с неделю мы встречались каждый день, набрасывались друг на друга как сумасшедшие, почти что срывали друг с друга одежду. А потом она сказала, что все кончено, и стала вести себя так, словно ничего и не было.

Джоанне больно было смотреть, с каким трудом он пытается улыбнуться и какой горькой получается эта вымученная улыбка, но она заставила себя задать еще один вопрос, очень тихо:

— А где вы встречались?

Он коротко хохотнул.

— На заднем сиденье моей машины. Можете себе это представить? Я сказал, что сниму комнату, но она изо всех сил настаивала на машине. Так что я уезжал в какое-нибудь место, где можно было незаметно припарковаться подальше от дороги, и мы перебирались на заднее сиденье.

«Еще одно нелепое, неудобное место, — подумала Джоанна. — Словно Кэролайн хотела наказать себя, даже ища наслаждений».

— Дилан... это было недавно?

— Нет, это было много лет назад, когда я только вернулся сюда. А теперь позвольте вас спросить, какое, черт возьми, вам дело до всего этого?! — вдруг возмутился Дилан.

— Я просто стараюсь составить для себя целостную картину, вот и все. Я никому не расскажу, Дилан, честное слово. — Она чуть поколебалась. — А Кэролайн не пыталась поговорить с вами примерно за неделю до своей смерти? Вам не показалось, может быть, ее что-то волновало?

Он нахмурился.

— В ту неделю я ее почти не видел. Мне нужно было трижды съездить в Портленд, причем два раза я оставался там на ночь. Но это неважно, она меня и так совершенно не замечала. С чего бы ей вдруг захотеть поговорить со мной?

Может быть, она и не хотела. Может быть, она уже научилась не искать больше помощи у брошенных любовников. Может быть, она тогда и решила обратиться к Гриффину.

— Я просто спрашиваю, — сказала Джоанна. — Хочу понять, не была ли она чем-нибудь расстроена в ту неделю.

— Кэролайн никогда не расстраивалась, я вам уже говорил. Она была леди из высшего общества и отлично умела держать себя в руках.

Эти слова прозвучали так, словно гнев и горечь вытеснили в сердце Дилана страсть, но Джоанна не сомневалась, что рана, нанесенная Кэролайн, будет кровоточить еще долго. Как и у всех остальных ее мужчин.

Джоанна чуть улыбнулась.

— Спасибо вам за откровенность.

— Простите, не могу ответить «пожалуйста».

Дилан повернулся и пошел прочь, ничуть не в лучшем настроении, чем доктор после аналогичного разговора.

Вздохнув, Джоанна продолжала свой путь. Мысли ее были взбудоражены. Скольких еще мужчин Кэролайн использовала и бросила? Был ли среди них Кейн? И не был ли именно он ее последним любовником, несмотря на роман с Холли?

Черт возьми, Кейн, куда ты подевался?

* * *

Всю дорогу до Портленда Холли твердила себе, что совершает ужасную ошибку. Нужно было внять совету Джоанны и потерпеть, дождаться, когда Кейн сам вернется в Клиффсайд и все объяснит. Но когда сегодня утром она вышла в город, разговоры шли уже такие, что Кейн скрывается от ареста за убийство Амбер Уэйд.

Утром она еще поговорила с Гриффом, когда он выходил из гостиницы, и, хотя он был в добром расположении духа, довольный тем, что его отношения с Джоанной углубляются, его отнюдь не радовало странное отсутствие Кейна, и он вовсе не собирался ждать вечно, даже ради дружбы.

Вот почему Холли решила, что должна ехать в Портленд. Если Кейна нет в городке и машина его тоже исчезла — а так оно и было, она проверяла, — тогда он скорее всего в своей студии в Портленде. Никто в Клиффсайде, кроме Холли, не знал об этой студии, или, во всяком случае, не знал, где точно она расположена. Кейн не любил о ней распространяться. А поскольку там не было телефона — Кейн также не любил, когда его отрывали от работы по любому поводу, — у нее не было выбора, и она отправилась прямо туда.

Она не знала, что ему скажет. Даже припарковав

машину и уже входя в огромный перестроенный товарный склад, где студия Кейна занимала верхний этаж, она все еще не знала, что скажет, когда он откроет ей дверь — если он ее откроет.

В вестибюле она настойчиво позвонила, но прошло несколько минут, прежде чем через домофон раздался раздраженный голос Кейна:

— Что там?

— Кейн, это Холли. Можно мне войти?

После короткого молчания огромный лифт загудел, спускаясь в вестибюль. И, даже поднимаясь в лифте, Холли все равно не знала, что будет говорить.

Кейн ждал ее наверху. Он открыл перед ней наружную дверцу лифта и явно был рад ее видеть.

— Привет, малыш. Что привело тебя сюда?

— Где, черт возьми, ты пропадаешь? — услышала она свой сварливый, совершенно неузнаваемый голос.

Кейн поднял брови.

— Последние два дня? Здесь.

Холли испугалась, что если спросит еще о чемнибудь, то снова услышит этот противный голос торговки рыбой, которая, видимо, жила в ней, и потому молча прошла за ним в большую комнату. Здесь разбегались глаза от множества мольбертов, столов, заставленных стаканами с кистями, тюбиками красок и бесчисленными кувшинами и вазами. Повсюду торчали разноцветные коврики, с постамента, задрапированного тканью, где обычно позируют модели, небрежно свисало что-то непонятное. Прочие атрибуты ремесла художника были раскиданы где попало.

— Исчез, почти ничего не сказав, и оставил меня один на один со всеми сплетниками Клиффсайда?

— Ты думаешь, я смог бы их остановить? — спросил он со скукой и безразличием. — Мое присутствие вряд ли изменило бы что-нибудь. Не обращай на них внимания, Холли. Все эти разговоры скоро затихнут...

— Нет, не затихнут, — сказала она. — Как ты не понимаешь, Кейн? Ты солгал шерифу о том, где был в воскресенье ночью, и теперь весь город это обсуждает.

— А как он это узнал? — нахмурился Кейн.

— Незадолго до полуночи кто-то увидел твою машину. Куда ты поехал? Сюда?

Кейн, помолчав, кивнул.

— Да, я поехал сюда.

— Зачем?! Работать? Что могло случиться такого важного, что тебе понадобилось среди ночи мчаться сюда работать?! И ради бога, скажи, почему ты солгал Гриффу?

— Это не его дело. Послушай, я не убивал эту девушку...

— Черт возьми, я-то знаю! Я только не могу понять, зачем лгать, зачем прятаться здесь, когда там все летит к черту, и почему ты мне ничего не сказал... — Ее взгляд упал на один из мольбертов, и она споткнулась на полуслове.

Это был портрет Кэролайн, уже законченный. Он был великолепен.

— А может быть, понимаю, — в растерянности пробормотала она. — Как замечательно ты ее написал. Кажется, ее ты знал достаточно хорошо, а? Действительно, прекрасно! Ты был ее любовником, правда?

— Да, — ответил Кейн.

* * *

Когда Джоанна подошла к отелю, небо затянуло тучами. Перемена погоды точно соответствовала ее настроению. На душе у нее было тяжело, она непрерывно думала о том, что нужно сделать, чтобы помочь Риген.

Она по-прежнему беспокоилась о девочке, и очень сильно. У нее было такое чувство, будто опасность притаилась где-то рядом. Но все же кое-что изменилось, и ей хотелось верить, что в лучшую сторону.

Изменился Скотт. По крайней мере, ей так казалось. И причиной этого стала она, Джоанна. Если бы она не рассказала Скотту о своих подозрениях, вряд ли он стал бы просматривать вещи Кэролайн, вряд ли задумался бы о том, как может оказаться важен маленький медный ключик. И тогда не состоялся бы тот, важный для них обоих, разговор с Гриффином — они продолжали бы избегать друг друга, как много лет до этого.

Так что, возможно, Джоанна и помогла, помогла вернуть Риген отца. Но это было не то или не все, что требовала Кэролайн.

Джоанна понимала, что эта внезапная перемена в отношениях не будет легкой ни для Скотта, ни для Риген. У Риген накопилось много обид на отца. И за смерть матери, и за то, что много лет назад он необъяснимо оттолкнул ее от себя. Но почему-то Джоанна была уверена, что Скотту удастся восстановить отношения с дочерью — уж если он обожал ее когда-то, то это чувство быстро вернется.

Когда она вошла в отель и поднялась в свой номер, ее мысли вернулись к Гриффину. Она уже не боялась призрака Кэролайн, но по-прежнему не хотела облекать свои чувства в слова, поэтому, когда Кэси прервал их объяснение, она была едва ли не благодарна ему. Да и вряд ли Гриффину будет приятно услышать: «Я люблю тебя, но в голове у меня по-прежнему Кэролайн».

А пока все это не кончится, что она может еще сказать? И даже потом, даже если предположить, что головоломка наконец сложится, все три убийства будут раскрыты и Риген перестанет что-либо угрожать — кто знает, избавит ли ее Кэролайн от своего зловещего присутствия?

Раньше Джоанна об этом не думала, но даже гипотетическая возможность того, что Кэролайн будет вечно охотиться за ней, приводила ее в трепет.

— Только не это, Кэролайн, — вслух мрачно пробормотала она. — Пожалуй, я выдержу чье угодно присутствие в моем сознании, только не твое.

Джоанна села на кровать и перевела дыхание, стараясь погасить вдруг накатившую волну отчаянного страха. Этого не случится! Не случится! Все должно прийти к счастливому концу, так или иначе. А когда все это кончится, голова ее будет занята только лишь Гриффином.

Точка.

Она немного посидела, стараясь поймать ускользающую мысль, соображая, что же все-таки не дает ей покоя. То, что она видела? То, что она слышала от кого-то? Что?! Она встала и подошла к туалетному столику, чтобы причесаться, и чуть нахмурилась, когда ее взгляд упал на дорожную шкатулку. Так вот что не дает ей покоя!

Ожерелье Кэролайн. Джоанна открыла шкатулку, вынула его и посмотрела на изящное украшение.

— Черт! Я совсем забыла отдать его Риген, — пробормотала она.

Она покрутила в пальцах тонкую цепочку, поворачивая сердечко к свету то одной, то другой стороной. С кем из своих любовников встречалась Кэролайн в старой конюшне в тот день, когда потеряла это ожерелье? Может быть, с Кейном? Может быть, ему удалось успешно обманывать одновременно двух женщин этого маленького городка, и ни одна не подозревала о существовании другой?

А если ее последним любовником был Кейн, что так страшило ее? Или, может быть, Джоанна не права и страх Кэролайн не был связан с ее любовником?

С ожерельем в руке Джоанна вышла на балкон, подышать холодным влажным воздухом, и стала смотреть на дом Скотта и Кэролайн, напряженно размышляя.

Ее привел сюда сон. И почти все в нем оказалось реально существующим. Грохот океанских волн и огромный дом над морем — все как в ее ночных кошмарах. Дом может, кстати, указывать на Дилана, на связь Кэролайн с человеком из ее собственного дома. Картина на мольберте привела Джоанну к Кейну. Но может быть, она уделила недостаточное внимание тому, что написал ее именно Кейн; или тому, что она изображает маленькую девочку? Может быть, она не учла важности картины?

— Черт. — Джоанна перебирала в памяти образы. Что там еще? Розы, безусловно реальные, привели ее к Адаму Харрисону и, кажется, другого значения не имеют. Карусельная лошадка — любимое место Кэролайн. Бумажный самолетик! Его она не видела ни разу. Не было в Клиффсайде бумажных самолетиков.

Может быть, это символ?

— Бумага. Летающая бумага. Движущаяся бумага, — сказала она вслух. — Что, черт возьми, это значит?

Ничего — казалось ей. Тиканье часов — очевидно, ход времени. Плачущий ребенок — конечно, Риген, дочь Кэролайн.

А чувства, которые испытывает Джоанна? Этот страх, что сжимает ей горло и заставляет просыпаться с колотящимся сердцем, — зачем это? Предостережение Кэролайн? Отчаянная мольба о помощи ее ребенку? Или это просто чувства, которые испытывает женщина в момент насильственной смерти?

Нет. Нет, это нечто большее! Джоанна была уверена, что попала сюда не случайно. Причина где-то здесь. Опасность где-то здесь. Иначе почему кто-то покушался на ее жизнь?

Она отрешенно блуждала взглядом по большому дому, по зарослям деревьев между домом и «Гостиницей»... Там, за деревьями, невидимая отсюда — беседка Кэролайн. Джоанна подумала, что можно отнести ожерелье в беседку и оставить там для Риген. В конце концов, именно это было любимое место Кэролайн...

Вдруг перед ее мысленным взором снова возник бумажный самолетик, парящий и кружащий, перед тем как приземлиться — но уже в другом месте. Вот в чем дело! Вот в чем изменился сон! Раньше самолетик приземлялся на траву, Джоанна живо помнила яркую зелень. А в последние несколько раз он приземлялся... на доски.

Такие, как на полу в беседке!

* * *

— Наверное, ты думаешь, что мне это безразлично? — сдавленным голосом произнесла Холли.

— Знаю, что не безразлично. Потому и не рассказывал.

— Пошел к черту!

— Холли, послушай. — Он не пытался подойти к ней или взять ее за руку, он говорил спокойно и твердо. — Это было много лет назад, еще до тебя. В мой первый приезд в Клиффсайд. И длилось всего одно лето.

— Но на следующее лето ты вернулся.

— Но не из-за Кэролайн. Просто потому, что я полюбил этот городок. Потому, что там хорошо работать. Я вернулся не из-за нее.

— И ты хочешь, чтобы я в это поверила? — Холли отрывисто хохотнула. — На тебя так подействовала ее смерть, что ты исчез на неделю. А это? — Она мотнула головой в сторону портрета. — Ты писал его, когда она погибла, я знаю, я видела его в твоем коттедже.

— Холли, это был заказ. Весной Кэролайн попросила меня написать ее портрет. Она хотела подарить его Риген. Потом у нас у обоих не было времени — и, когда она погибла, портрет остался незаконченным. Теперь я его закончил и почти уже решил подарить Риген на следующий день рождения. Собственно, этого и хотела Кэролайн.

— Всеми средствами стремиться к тому, чего хотела Кэролайн!

Кейн чуть сжал губы, но говорил по-прежнему спокойно.

— Я так понимаю, что мы должны покончить с

Кэролайн раз и навсегда, а не то разговора не получится. Да, я уехал, когда она погибла, — но мне нужно было готовиться к выставке, и ты об этом знала. Я должен был полностью сосредоточиться на работе. Ты, помнится, тоже была занята — ты трогательно держала бедного Скотта за руку, и практически весь город был в трауре, — вот я и уехал. Но не из-за нее. Холли, я никогда не любил Кэролайн.

— Хотела бы я в это поверить, — прошептала она. — Но я видела, как к ней относились мужчины. Все мужчины! Глаз с нее не сводили. Смотрели на нее так, словно она — самая большая в мире драгоценность. Это не любовь?

— Нет. — Кейн глубоко вздохнул. — Во всяком случае, для меня — нет, да и, наверное, для многих других. Ты удивлена? Не удивляйся. Да, за эти годы у нее сменилось несколько любовников — и только с Гриффом у нее, кажется, хотя и был роман, но до секса дело не дошло. Она мне рассказывала о своих увлечениях очень подробно, но о сексе с Гриффом — никогда.

— Она рассказывала тебе о других любовниках?! — потрясенно спросила Холли.

Он чуть улыбнулся.

— Ты снова удивлена? Вот такой была Кэролайн, Холли, — и это одна из причин, почему я считал ее обворожительной. Она была очень женственна, вела себя с прелестной неуверенностью, но при этом брала и бросала любовников, испытывая те же чувства, что кошка во время течки. Не думаю, что она вообще понимала, что такое любовь, во всяком случае, любовь к мужчине. Она, кажется, никогда ее не испытывала, даже к Гриффу.

Холли не знала, что и подумать, — просто чувствовала громадное облегчение, потому что он рассказывал об этом отстраненно и даже равнодушно.

— Не знаю, может быть, она уродилась такой, — продолжал он. — Может быть. А может быть, если бы у нее был выбор, если бы она не вышла замуж так поспешно, практически сразу после школы, она была бы другой. Впрочем, возможно, просто такова ее натура. Она любила секс, но избегала чувств. Я верю, что она самозабвенно любила Риген — но той же любовью, что кошка любит своих котят. А когда котята вырастают, кошка видит в них только лишь других кошек, чужих для нее; боюсь, что, когда Риген стала бы взрослой, Кэролайн относилась бы к ней просто как к другой женщине, то есть как к возможной сопернице.

Холли больше не думала, что Кейн любил Кэролайн.

— Кейн, как можно быть в интимных отношениях с женщиной, о которой ты такого мнения?

— Когда все это началось, я еще не знал ее — в ходе романа я, собственно, и начал понимать ее натуру. — Он покачал головой. — Не буду отрицать, я был очень увлечен ею в то лето. Но я никогда ее не любил, Холли, и, когда приехал через год, чувствовал к ней только жалость.

Холли трудно было представить, как можно жалеть Кэролайн.

— Жалость?

Он серьезно кивнул.

— Она никогда не знала счастья. Краткое удовлетворение — и все.

Помолчав, Холли понимающе кивнула.

— Прости. Я наговорила лишнего, словно я...

— Ревнива, — закончил он, улыбаясь и сияя зелеными глазами. — Кстати, для меня это хороший знак.

— Хороший знак?

— Э-э. Сначала давай покончим с ложью Гриффину?

— Давай, — неуверенно согласилась она.

Наконец Кейн подошел к ней и взял ее за руку.

— Я не хотел говорить Гриффу, куда я ездил ночью, потому что ты сидела рядом, а я не хотел, чтобы ты знала. Потом бы я ему, конечно, сказал, но, честно говоря, мне даже в голову не пришло, что это может быть так важно.

Холли сразу поверилось в это. Она знала, что, когда Кейн погружен в работу, он теряет способность замечать окружающее, полностью сосредоточившись на том, что пишет.

Он подвел ее к одному из мольбертов, завешенному плотной тканью.

— Вот над чем я работал в последние недели, уезжая сюда. Я не хотел тебе говорить, пока не был уверен... пока непонятно было, что у меня получилось. — И он решительно сорвал покрывало.

Перед Холли был ее собственный портрет. Она смотрела на море, ветер играл ее темными волосами, откинутыми назад. Как и на всех его картинах, краски были живые и яркие, и «модель» тоже выглядела как живая — настолько, что Холли казалось, что ее губы на картине вот-вот приоткроются и она заговорит.

— Кейн, это... прекрасно, — прошептала она. — Но ты ведь говорил, что недостаточно хорошо меня знаешь.

— Это был самый легкий ответ, — тихо сказал он. — Просто отговорка, когда не можешь чего-то объяснить. На самом деле я долго не мог приступить к работе, потому что знал тебя слишком хорошо, видел слишком часто. Я не мог увидеть тебя в перспективе, необходимой художнику, я был слишком близко, ты все время стояла у меня перед глазами. И пока я не разобрался со своими чувствами, я не знал, как тебя писать.

Она наконец оторвалась от портрета и посмотрела на него. Сердце ее судорожно колотилось.

— Значит, ты... разбирался со своими чувствами?

Его губы чуть шевельнулись, а живые зеленые глаза стали вдруг абсолютно беззащитными.

— Да, и я понял, что без тебя моя жизнь будет пуста. Я люблю тебя, Холли.

Холли глубоко вздохнула и повисла у него на шее.

— Слава богу. Я так давно уже тебя люблю, — прошептала она сквозь поцелуи.

В итоге они оказались на задрапированном постаменте для позирующих натурщиков. Постель не самая удобная, но они это заметили только потом — Холли мягко удивилась, почему они не смогли дойти до кровати. Всего-то тридцать футов.

Кейн засмеялся.

— Наверное, можно было попробовать. Но знаешь, мы не виделись столько дней, что ты должна простить мне мое нетерпение. — Он поцеловал ее — сначала нежно, потом все крепче и крепче. — Ты останешься у меня на ночь, малыш?

— Но сейчас середина дня, — растерянно сказала она и тотчас добавила: — Конечно, останусь. А в «Гостинице» подежурит за меня Дана.

— Ах. — Он поднял голову и улыбнулся. — Неужели случилось чудо?

— Ну, я же обещала, что у нас будет больше времени. А на Дану вполне можно положиться. — Она провела указательным пальцем по его нижней губе. — Но завтра давай лучше вернемся в Клиффсайд или найдем телефон и позвоним Гриффу. Он на тебя обиделся. Надо все же объяснить ему, почему ты солгал.

— Должно быть, я подозреваемый номер один, — предположил Кейн, и ясно было, что это не слишком его волнует. — Интересно, кто же на самом деле убил эту девушку?

— Не знаю, но очень надеюсь, что Грифф докопается до сути — до того, как общественное мнение Клиффсайда окончательно навесит это преступление на тебя, — грустно сказала Холли. Потом чуть нахмурилась. — Я слышала, он пытается как-то связать смерть Кэролайн и смерть Амбер. Ты не знаешь, был у Кэролайн с кем-нибудь роман? Ну, в те последние дни перед ее гибелью?

— Если только она не бросила его после того, как перестала мне позировать, — ответил Кейн. — Тогда ее любовником был Дилан Йорк.

* * *

Это займет всего несколько минут, подумала Джоанна и поспешила через вестибюль к веранде. Гриффину еще рано, и она вполне успеет добраться до беседки и благополучно вернется обратно до его прихода. Она понимала, что лучше дождаться Гриффина, но ей очень хотелось поскорее проверить свою догадку.

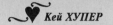

— Хей, Джоанна, что за спешка?

Она замедлила шаги и в дверях веранды с удивлением увидела Дилана.

— Да так, кое-какие дела. А вы, Дилан, как здесь оказались?

— Я здесь живу, разве вы не знали? — Он пожал плечами. Выражение его лица было куда приятней, чем когда они расстались в городе после разговора о Кэролайн. — Я живу в отеле, как и Холли. Вот вернулся домой, Скотт отпустил сразу меня после того, как я закончил в суде. Могу я угостить вас чашечкой кофе?

— Спасибо, но я тороплюсь. Дождь перестал?

— Вот, всегда так. А что до дождя, то он только еще собирается, если вы не в курсе. Вот-вот польет как из ведра.

— Ничего, не растаю, — беспечно сказала она, помахала рукой и вышла на веранду.

* * *

— Ты поверил тому, что тебе сказали, — тихо заговорила Лисса, глядя, как Скотт нервно меряет шагами кабинет.

— Я не должен был в это верить, — очень низким, охрипшим от волнения голосом произнес он. — Я должен был пройти тест на отцовство вместо того, чтобы принимать все, что она говорила, на веру. Я должен был заставить ее доказать, что Риген не моя дочь! А я ее слушал, как будто меня околдовали. Господи, прости меня за то, что я позволил Кэролайн разрушить любовь моей дочери ко мне!

— Скотт, ты же не знал, что это ложь. Откуда ты мог знать? — Лисса подошла к нему и несмело положила руку ему на плечо. Это не предусматривалось сценарием, но сегодня все шло иначе: около часа назад он позвонил ей, попросил прийти и рассказал, что сделала Кэролайн.

Лисса и сама была в шоке. Она никогда не любила Кэролайн, но так подло поступить — в подобную жестокость Лисса просто отказывалась верить.

Она не знала, как к этому относиться. Не знала, как его утешить. Она никогда не видела его таким уязвимым, таким страдающим, и не знала, чего он от нее ждет. Она вела себя так, как подсказывало ей чувство — чувство, которое она давно уже испытывала к нему, и очень надеялась, что не сделает ему хуже, руководствуясь столь эфемерными ориентирами.

Он не ответил на прикосновение, но продолжал говорить все тем же низким голосом, который она едва узнавала, с бледным и застывшим, но отнюдь не отрешенным, как обыкновенно, лицом.

— Она очень хорошо все рассчитала. Я его ненавидел. Я знал, что она была влюблена в него. Это было не вожделение, как с другими, это была любовь — или очень близко к тому. Любовь, которая была доступна Кэролайн. И когда она сказала, что родила ребенка от него, что Риген не моя, а его дочь... почва была подготовлена.

Лисса открыла было рот, желая что-то сказать, но вдруг резко повернула голову — из холла донесся какой-то негромкий звук.

— Слышишь?

Скотт уже мчался через всю комнату к неплотно закрытой двери. Он распахнул ее...

Сначала Лисса подумала, что там никого нет. Но Скотт наклонился, а когда выпрямился, в руках у него была кукла — единственная кукла, с которой Риген не расставалась.

— Нет, — прошептала Лисса.

Скотт повернулся к ней, его лицо было серым, и оба они услышали, как гулко хлопнула наружная дверь.

— О господи, она все слышала, — хрипло сказал он.

* * *

Факс из Сан-Франциско содержал самую разнородную информацию — от оценок Роберта Батлера в колледже до официальных сведений о его многочисленных предприятиях, и Гриффин уже безумно устал читать эту ерунду страницу за страницей. Он боялся пропустить что-нибудь действительно важное, а потому внимательно вчитывался в каждое слово.

В последние годы Роберт Батлер стал весьма состоятельным человеком — во всех отношениях преуспевающий бизнесмен. Гриффин терпеливо читал длинный перечень его успешных операций, ища хоть каких-нибудь связей с Клиффсайдом или его жителями.

Он почти уже добрался до конца, и вдруг знакомое имя прыгнуло со страницы ему в глаза. Он удвоил внимание и стал читать еще медленнее. Потом перечитал. И факты, о которых упоминалось в личных бумагах Батлера, полученных от его сестры, совершенно прояснились.

Вот она, искомая связь.

Много лет назад Дилан Йорк работал на Батлера. И обокрал своего работодателя. Он украл много и успел скрыться буквально за момент до разоблачения. Батлеру же пришлось долго потом наводить порядок в своих бухгалтерских книгах. Он не выдвигал против Дилана формального обвинения — может быть, потому, что сильные мужчины, такие, как он, предпочитают сами разбираться со своими проблемами, не впутывая в это дело полицию.

Слепо глядя на страницу, Гриффин принялся строить догадки. Допустим, что или в ходе какой-то деловой операции, о которой упоминала его сестра, или от специально нанятых для поисков людей Батлер узнал, что Дилан Йорк живет в Клиффсайде. Допустим, что Батлер приехал сюда, желая лицом к лицу встретиться с человеком, который его обокрал. Допустим, они встретились, случайно или намеренно, за «Гостиницей», где живет и Дилан, и между ними возникла борьба.

Это лишь догадки, одернул себя Гриффин. Но то, что Роберт Батлер разбился насмерть об острые пики скал, уже не догадка, а факт.

Итак, первая смерть? Гриффин лихорадочно выстраивал последовательность событий, перемежая факты предположениями.

Дилан снова работает на богатого человека; стало быть, он вполне мог взяться за старые штучки. Эту изначально порочную натуру искушало, с одной стороны, богатство работодателя, а с другой — привычка Скотта во всем полагаться на своих служащих. И за годы, проведенные в Клиффсайде, Дилан мог наворовать действительно много.

Может быть, Кэролайн как-то обнаружила это или узнала об убийстве Батлера — она ведь была близка с Диланом. Почему она не предупредила Скотта? Должно быть, потому, что у нее была связь с Диланом; возможно, ей даже трудно было поверить в то, что он вор.

Дальше... Дальше Гриффин не знал. Что-то напугало Кэролайн, и она решила, что ей нужна помощь. Может быть, она нашла какие-нибудь доказательства. Они-то, вероятно, и спрятаны в шкатулочке, которой никто не видел. Дилан мог узнать или заподозрить, что они у нее есть.

Тогда дальнейшее может выглядеть так: Дилан возвращается из Портленда раньше, чем ожидалось, и видит у старой конюшни машину Кэролайн. Полный подозрений, он начинает выяснять с ней отношения, и она в ужасе бежит от него, прыгает в машину... Дальше — две машины мчатся одна за другой по мокрому шоссе, навстречу ветру, пока первая — машина Кэролайн — не выходит из-под контроля и не падает в пропасть...

И если все так, то совсем нетрудно предположить, что, когда Джоанна начала расспрашивать о Кэролайн, восстанавливая картину случившегося, Дилан увидел в ней угрозу своей безопасности. Очень серьезную угрозу.

Да, Джоанна была права. Права во всем.

— Господи боже, — бормотал Гриффин, одной рукой хватая телефонную трубку, а другой шаря в нижнем ящике стола, где хранился пистолет, который он ни разу не брал в руки со времен Чикаго.

Глава 15

Джоанна была на полпути к беседке, когда холодный ветер усилился и упали первые капли дождя. Она ускорила шаги, машинально держась подальше от края обрыва. Собравшиеся над головой тучи плохо на нее действовали, все казалось ей слишком мрачным и зловещим.

В голове у нее, не переставая, кружились обрывки разговоров, наблюдений и отчетов, показанных ей Гриффином, — как когда-то фрагменты ее сна, — она ничего не могла с этим поделать. Словно бы она подсознательно ищет что-то совершенно необходимое, листая страницы памяти. И когда она подошла к беседке, нужная страничка наконец нашлась. Джоанна остановилась как вкопанная.

Откуда он мог знать, как она была одета?!

Он сказал, что Кэролайн была в джинсах и в свитере. В то утро она была одета не для города — в джинсы и свитер! Но в то утро его здесь не было — так значилось в папке с делом Кэролайн, Джоанна это отчетливо помнила. Он уехал в Портленд накануне, заночевал там и вернулся только на следующий день ближе к вечеру, уже после аварии. Ее тела он тоже не мог видеть — то, что от нее осталось, видели только Гриффин, спасатели и главный врач Клиффсайда. Поскольку вопрос об опознании не стоял, даже Скотт в тот день не был допущен к телу жены.

В газетах тоже не было упоминаний о том, как была одета Кэролайн в последний день своей жизни.

Так откуда же Дилан мог знать, что на ней было, когда она погибла, если он ее в тот день не видел? Значит, он видел ее! Может быть, в старой конюшне?

Джоанна ощутила почти непреодолимое желание оглянуться, но вместо этого, наоборот, поспешила вперед, не зная и не имея возможности узнать, не идет ли он за ней следом — ведь ему не впервой было покушаться на чужую жизнь средь бела дня.

Но если даже и так, Дилан должен быть сейчас где-то на полпути от отеля. О! Ей вовсе не хотелось с ним встречаться. «Нет, самое лучшее, — подумала она, — идти вперед, мимо беседки, к дому Скотта — там люди, там она будет в безопасности, и оттуда можно позвонить Гриффину».

Но как только она вышла на опушку, она увидела Риген. Девочка скорчилась на полу беседки, и каждый изгиб ее тельца выражал непереносимую боль. Какое еще горе обрушилось на этого ребенка?!

Джоанна, не раздумывая, инстинктивно бросилась к девочке, словно Риген была ее собственная плоть и кровь. И как только она ступила в беседку, небеса разверзлись, дождь ожесточенно забарабанил по крыше и окружил беседку плотной стеной — так что в нескольких футах ничего уже не было видно.

Джоанна опустилась на колени и нежно погладила малышку по голове. Она думала, что для Риген просто пришла пора выплакать свою печаль по маме.

— Риген, маленькая...

Риген подняла голову — ее бледное личико было залито слезами — и с громким плачем бросилась в объятия Джоанны.

— Не мой, — жалобно всхлипывала она, — он не мой, Джоанна!

— Не твой? Риген...

Всхлипывая едва слышным сквозь шум дождя и ветра голосом, Риген заговорила:

— Я только что слышала, как он разговаривал с Лиссой, и он ей все сказал. Он сказал, что мама знала, куда нанести удар, и что я не его ребенок. Он не мой папа, Джоанна! У меня нет и папы!

Джоанна не знала, что именно умудрилась подслушать Риген, но, вероятно, Скотт почему-то объяснял Лиссе эту ситуацию, а девочка, услышав часть их разговора, впала в отчаяние и бросилась сюда.

— Послушай меня, малышка, — сказала она, привлекая девочку к себе. — Ты просто опять подслушала обрывок чужого разговора, только и всего, и поэтому поняла все неверно. Клянусь тебе, он твой папа — и он это знает.

— Он сказал...

— Неважно, что он сказал, Риген, он твой папа! И он тебя любит, я точно знаю.

Риген упрямо покачала головой.

— Нет, больше не любит. Я плохая, Джоанна, и за это бог отнял у меня их обоих.

— Малышка...

— Вы ничего не знаете! Я думала, что это тоже игра, такая игра, мы с мамой все время в нее играли. Я думала, она спрятала эту шкатулочку, чтобы я ее потом нашла. И когда она ушла, я взяла ее, но шкатулка была заперта, и я не знаю, что внутри. Я искала ключ, но его нигде не было. А потом я видела, как мама выходила отсюда. Она очень испугалась, не найдя шкатулки, я это поняла, потому что она была такая бледная и чуть не плакала. И она села в машину и поехала очень быстро, и больше уже не вернулась! Она никогда не вернется, и я виновата в этом! Потом я принесла шкатулку назад, я опять спрятала ее в тайничок, но мама уже никогда не вернется!..

Джоанна обняла плачущую девочку. Как дьявольски легко пропустить самое важное! «Я плохая, Джоанна». Если бы она сразу обратила больше внимания на упорные самообвинения Риген...

— Риген, в этом нет твоей вины, — начала она, но продолжить ей помешали.

— Ах, как трогательно.

Зловеще-будничный голос раздался так близко, что Джоанна вздрогнула. Это был Дилан, и в руке он держал пистолет. Дилан стоял под крышей беседки, не заходя в нее, положив на перила руку с пистолетом, наведенным прямо на Джоанну.

Джоанна встала на ноги, инстинктивно заслонив собой Риген. Дилан улыбался. Раньше она не представляла себе, какой ужасной может быть иногда улыбка. Глаза у него были мертвые. Совершенно мертвые.

— Дилан, не сходите с ума, — сказала она как можно спокойнее. — Все кончено. Вы думаете, эту смерть тоже сочтут несчастным случаем? До сих пор вам везло, но...

— Везло?! — Он злобно засмеялся, качая головой. — Я много месяцев повсюду искал эту дискету, и все это время дрянная девчонка прятала ее здесь? Боже мой!

Дискету? Но Джоанна не стала просить объяснений.

— Пусть Риген вернется в дом, — потребовала она без особой надежды.

С лица Дилана не сходила зловещая улыбка.

— Боюсь, это невозможно. Видите ли, из того, что я здесь услышал, я заключил, что крошка в ужасе выбежала из дома, и мне кажется вполне вероятным, что под этим дождем и ветром она нечаянно оказалась слишком близко к краю обрыва. И вы, Джоанна, вы, живое воплощение ее матери, вместе с ней. Разве это не прекрасно? Вы, кажется, собирались спасать Риген? Но никто из вас не спасется. — Глумливо нахмурившись, он опять покачал головой. — Опасные у нас здесь скалы, очень опасные. Думаю, после этой последней трагедии я буду вынужден просить городской совет поставить вдоль обрыва постоянное ограждение.

Все это время Риген молчала, вцепившись в Джоанну. У нее явно был шок. Джоанна, погладив ее по голове, легонько закрыла ей ухо ладонью и крепче прижала к себе, чтобы она не слышала того, что ей не следовало слышать. Единственное, что она могла сделать в этих обстоятельствах, — это тянуть время, максимально тянуть время, заставить Дилана говорить о чем угодно и как можно дольше.

— Значит, Дилан, вы солгали мне о вашем романе? Он происходил не много лет назад, а незадолго до того, как Кэролайн погибла.

Он наклонил голову, издевательски изображая вежливое признание ее правоты.

— Что ж, Джоанна, мне действительно пришлось солгать. Я не хотел, чтобы вы считали меня самым близким Кэролайн человеком. Ну посудите сами, вы ведь могли рассказать об этом Гриффу, прежде чем я уберу вас с дороги. Я должен был избегать такого поворота событий. К тому же я, конечно, понимал, что вы хотите услышать. Что Кэролайн использовала меня и бросила, разбив мне сердце на куски. То же самое, что твердили вам другие. Правильно?

— Откуда вы знаете?

— Я годами следил за ней. Я видел, что она сделала со всеми своими прежними любовниками. Я видел, что она делала со Скоттом. И я думал, что в один прекрасный день мне все это пригодится — в тот день, когда я наконец решусь соблазнить даму из высшего общества. — Улыбка его стала шире и выглядела как приклеенная. — Поверьте, я отлично знал, какие кнопочки нажимать. Кэролайн неожиданно для себя вдруг обнаружила, что на сей раз все наоборот — используют ее. Неприятная, знаете ли, истина.

Когда он произносил эту речь, в его голосе звучало злорадное торжество, и у Джоанны мурашки поползли по спине. Она перевела дыхание и предложила:

— Возьмите свою дискету и оставьте нас в покое. — В голосе ее уже звучал страх. — Мы не являемся угрозой для вас.

— Нет, Джоанна, нет, вы — страшная угроза для меня. Причем с первого дня, как только сюда приехали. Думаете, я этого не понимал? Вы задавали вопросы, совали нос не в свое дело, словно вы знали... — Внезапно он наклонил голову к плечу, в нем неожиданно проснулось любопытство. — Ведь вы с самого начала не считали смерть Кэролайн несчастным случаем, так? А почему?

— Мне сказала Кэролайн, — ответила она.

«Я должна его заболтать, — напомнила она себе, отбрасывая страх. — Нужно заговаривать ему зубы, пока Гриффин не дойдет до отеля — наверное, два уже есть?» Она не решалась посмотреть на часы.

— Но Кэролайн мертва, — недоверчиво прищурился он.

Джоанна изобразила улыбку.

— Да, действительно. Но, видите ли, Дилан, случилась странная вещь. Этим летом, когда она умерла, я умерла тоже.

— Что?

Она кивнула, пускаясь в объяснения.

— Я тоже попала в аварию, выжила без единой царапины, но на мою машину упал провод высоковольтной линии, и меня ударило током. В тот самый момент, когда Кэролайн умерла, умерла и я.

Дилан помрачнел, явно обеспокоенный и заинтригованный, на что Джоанна и надеялась.

— Совпадение. Ну и что?

— А то, что между нами возникла какая-то непонятная связь, и я с того времени знаю то, что знала Кэролайн. Она говорит со мной, Дилан. Она хотела, чтобы я помогла Риген, чтобы я приехала сюда и убедилась, что девочка в безопасности. Она хотела, чтобы все узнали правду. Правду о вас.

— Простите, но я не могу в это поверить, — с коротким нервным смешком сказал Дилан.

Джоанна продолжала улыбаться.

— Мне нет никакого дела, можете вы поверить или нет. Но я знаю некоторые вещи, которых никак не должна бы знать. Знаю, что вы с Кэролайн обычно встречались в старой конюшне. Так что в тот день, возвращаясь из Портленда и увидев там ее машину, вы заподозрили, что она ждет кого-то еще. Вы остановились и затеяли скандал. Но Кэролайн это не понравилось, и она просто не стала с вами говорить, так ведь?

— Она была совершенно издерганна, — пробормотал он. — Я понял, что она кого-то ждет, но не знал кого.

— И вы не были уверены, у нее ли дискета, да? И так и не узнали этого.

— Сначала я думал, что я сам ее куда-то засунул, — сказал он. — А потом вдруг сообразил, почему она так нервничает и почему с некоторых пор меня избегает. Потому что дискета у нее! Эта сучка стащила у меня дискету!

Джоанна перевела дыхание.

— Она боялась вас, правда? Вы кричали на нее, следили за ней — с ней никто раньше так не обращался.

Дилан самодовольно улыбнулся.

— Скотт и все остальные слишком много ей позволяли. Но не я. Я показал ей, кто здесь босс!

— И в тот день, — продолжала тянуть время Джоанна, — вы наконец поняли, что дискета точно у нее. Но вы не поладили, она убежала. Прыгнула в машину и поехала в город. А вы помчались за ней.

— Она психанула и потеряла управление, — пожав плечами, сказал он. — Когда я подъехал и посмотрел вниз, все было кончено. Так что это был просто несчастный случай.

— Несчастный случай, который вы спровоцировали, — уточнила Джоанна. — Следующей была Амбер. Она погибла вместо меня, да, Дилан?

Он нахмурился.

— Тоже была любопытная сучка. Она вечером вылезла зачем-то на веранду и увидела меня. Я как раз смотрел на ваш балкон, решая, как бы от вас избавиться. А она спросила, что я здесь делаю с пистолетом. — Он пожал плечами. — Она и раньше могла его заметить, когда бродила вокруг игровой комнаты, а я следил за вами и на всякий случай сунул его за пояс. Эта сучка вполне могла его заметить.

— И за это вы ее убили? Только за то, что она видела у вас пистолет?

— Вы, разумеется, понимаете, Джоанна, — она ведь могла кому-нибудь рассказать. — Он говорил зловеще-рассудительным тоном. — Или Кейну. Или Гриффу. Я не мог этого допустить. Никто меня ни в чем не подозревал, а тут вдруг... Одной больше, одной меньше. Особенно такой дуры. — Он опять пожал плечами. — Это вообще можно не считать. Слишком многое было поставлено на карту. И мне везло. Кэролайн угодила в аварию, Батлер...

— Роберт Батлер?! Его вы тоже убили?!

Дилан нахмурился.

— Я лишь ударил его. И он пошатнулся и упал.

— Опять несчастный случай? Не думаю...

— Да думайте себе, что хотите. — Он снова улыбнулся, и кровь стыла в жилах от его улыбки, потому что лицо его выражало искреннее восхищение. — Вы великолепны, Джоанна, я отдаю вам должное. И вы дьявольски везучи. Я ведь следил за вами с того момента, как вернулся, но мне никак не удавалось выбрать удобный момент и подобраться к вам поближе.

Он все время следил за мной, а я ничего не знала. Леденящий страх пробрал ее до костей. Но Джоанна справилась с этим. Она все еще не понимала, что связывало Дилана и Роберта Батлера, и охотно поговорила бы на эту тему еще, но чувствовала, что он теряет терпение. Заговаривать ему зубы становилось все труднее.

— Однажды вы подобрались очень близко. Вспомните мою машину. Вы хорошо над ней поработали, — резко сказала она.

— Как потом выяснилось, недостаточно хорошо. — Он раздраженно засмеялся. — Но на сей раз вы от меня не уйдете. И этот младенец тоже. А потом я заберу дискету, и все чистенько — лучше не придумаешь.

— Дилан, это не сойдет вам с рук. Это не удастся

выдать за несчастный случай. Гриффин уже идет сюда. Остальные «несчастные случаи» ему тоже очень подозрительны. Крайне подозрительны, Дилан! Он расследует их заново и рано или поздно обнаружит связь.

— Какую такую связь? Он ничего не знает.

— Ну, что связывало вас с Батлером... — наудачу сказала Джоанна, только бы еще чуть-чуть протянуть время. — Причина, по которой вы его убили. Можете, конечно, думать, что он ничего не знает, но он ее найдет... Вот и выяснится, что этот «несчастный случай» вовсе таковым не был. Тогда Гриффин раскопает и все остальное. Особенно теперь. Вы полагаете, он легко смирится с моей смертью, Дилан? Подумайте получше.

Он помрачнел.

— И все же я попробую. Выходите. Немедленно выходите отсюда.

Джоанна не двигалась. Боковым зрением она уловила за спиной у Дилана слабую тень движения.

— И не подумаю. Вы что, полагаете, будто я подведу Риген к обрыву и позволю вам столкнуть ее вниз? Вы с ума сошли, Дилан.

Он взвел курок.

— Я сказал, выходите.

— А как вы объясните пулевые отверстия в телах жертв вашего «несчастного случая»? А ведь будет баллистическая экспертиза, и непременно выяснится, что это пули из вашего пистолета.

— Это пистолет Скотта, — нетерпеливо объяснил он. — А поскольку я позаимствовал у дока пару резиновых перчаток, то и отпечатки пальцев на нем будут Скотта. «Скорбящий вдовец застрелил дочь и точную копию своей жены» — хороший сюжет для «Новостей в одиннадцать». — Он улыбнулся. — Бульварная пресса будет в восторге, как вам кажется?

— Мне кажется, что вы сумасшедший, — сказала она.

Он весело засмеялся.

— Нет, я просто решительный. Джоанна! Я до смерти устал работать на богатых. Пришло время и мне получить мой кусок пирога. И пусть он будет пожирнее. Вон из беседки, или я стреляю. И сначала — в ребенка.

— Дилан!

Он вздрогнул и посмотрел в сторону. Лицо его буквально почернело — в нескольких футах от него стоял Скотт. Потом в голову ему пришла новая мысль, он просветлел и натянул маску зловещего дружелюбия.

— О, как удачно, что ты здесь. Заодно убью и тебя тоже.

— Отпусти их, Дилан, — спокойно сказал Скотт. Он стоял под проливным дождем, в прилипшей к телу мокрой одежде, с мокрых волос стекала вода — но все равно выглядел он весьма внушительно. — Все кончено.

— Нет, не все. Я еще не стрелял, — резонно возразил Дилан.

— Бросай оружие, Дилан, — раздался неумолимый голос у него за спиной.

Дилан обернулся, оторвавшись от перил, и оказался под дождем; прицел пистолета сместился. Рядом со Скоттом стоял Гриффин.

— Привет, Грифф. Я и не знал, что у тебя есть револьвер.

Револьвер был нацелен на Дилана.

— Я был когда-то копом в Чикаго, забыл? — Гриффин смотрел холодно, в упор. — И не потерял формы. Не заставляй меня это доказывать, Дилан. Бросай пистолет! Я знаю, что ты сделал с Робертом Батлером и почему он приезжал к тебе сюда. И готов спорить, что со Скоттом ты поступил так же. А дискета содержит все необходимые доказательства, так?

Улыбка Дилана потеряла уверенность, и он стал медленно пятиться к обрыву.

— Мне не хотелось бежать из страны, — сказал он. — Летом я подумывал об этом, но решил остаться. Без этой дискеты даже аудиторы Скотта ничего не смогли бы найти. Я был бы чист и свободен. И в конце концов я взял бы расчет у Скотта и уехал. До конца жизни я мог бы не работать. Я это заслужил! У меня было бы все, что есть у него. — Он мотнул головой в сторону Скотта.

— Брось пистолет, Дилан, — без всякого выражения произнес Гриффин.

— И сядь в тюрьму? Ну уж нет! — Его рот искривился. — Я был так близок к цели. Но не устоял перед возможностью соблазнить даму из высшего общества, и вот чем это кончилось. Она все испортила. Будь она проклята, она все испортила!

— Дилан, не смей! — приказал Гриффин, заметив, что тот снова поднимает пистолет.

Дилан криво улыбнулся.

— Ну уж ты прости, Грифф. — И прицелился в него.

Джоанна инстинктивно повернулась к Риген, чтобы убедиться, что девочка этого не увидит, и сама закрыла глаза. Пуля пробила Дилану грудь, он качнулся назад и беззвучно упал с обрыва.

На мгновение все застыли. Потом, как по сигналу, дождь припустил с новой силой. Гриффин медленно убрал револьвер в кобуру и подошел к краю. Когда он вернулся к беседке, его лицо было мрачнее тучи.

Скотт шагнул вперед, но остановился в футе от беседки, напряженно глядя на свою дочь.

— Риген?

Джоанна чувствовала, как девочка дрожит, крепко обхватив ее тонкими ручонками, но не сказала ни слова. Это было дело Риген и Скотта, они разберутся сами.

— Риген, девочка моя... посмотри на папу. — Голос его сел от волнения, но Джоанна еще не слышала, чтобы он был таким нежным.

Риген чуть повернула головку, сквозь слезы глядя на него.

— Ты сказал, что ты не мой папа, — прошептала она.

— Неправда. Я сказал, что я так думал. Но я ошибался, Риген. Я твой папа. Пожалуйста, позволь мне исправить эту ужасную ошибку.

Она не двигалась, хотя и перестала цепляться за Джоанну. Она просто смотрела на него в полной растерянности — шок от всего того, что здесь случилось, еще не прошел. Она была всего лишь маленькой девочкой и, к счастью, не могла до конца понять всего, что увидела и услышала. Ей нужны была любовь и утешение, и, когда отец протянул к ней руки, все в ней потянулось ему навстречу.

— Я люблю тебя, Риген, — хрипло сказал Скотт.

Риген оторвалась от Джоанны и сделала первый неуверенный шаг. Потом другой. И вдруг с прорвавшимся громким плачем кинулась в объятия отца. Он крепко прижал ее к себе и на мгновение закрыл глаза. Потом, посмотрев поверх ее головки на Гриффина, сказал:

— Я отнесу ее домой.

Гриффин кивнул. Проводив взглядом Скотта, уносящего свою дочь, он вошел в беседку и резким движением притянул к себе Джоанну.

— Господи, как же ты меня напугала, — сказал он, зарывшись лицом в ее волосы.

Оказавшись в его объятиях, Джоанна почувствовала себя так, словно наконец-то попала домой, и это чувство было таким чудесным, полным и подлинным, что она прижалась к нему еще крепче.

— Я и сама испугалась. Я понимаю, надо было дождаться тебя, ты можешь даже не говорить мне этого. Я идиотка, я дура четырехзвездочная, я просто дебил, прости меня, но я не думала...

Гриффин приподнял ее голову со своего плеча и поцеловал. Крепко.

— Больше так не делай, — наконец с трудом произнес он. — За последние десять минут я поседел.

Она улыбнулась ему, чувствуя, что колени ее слабеют — то ли от шока, то ли оттого, что он был рядом.

— Прости. Мне очень жаль. Но по крайней мере теперь все это кончилось.

— Более или менее, — сказал он.

* * *

Они нашли старинную шкатулку в тайничке, о котором говорила Риген, под одной из досок пола беседки. Медный ключик, найденный Скоттом, подошел; внутри лежала компьютерная дискета.

— Она понадобится, — сказал Гриффин, — бухгалтерам Скотта и юристам, когда они начнут разбираться в этом деле, ибо Дилан, похоже, вел книги так виртуозно, что незаметно прикарманил за эти годы почти два миллиона долларов. Цена, которую Скотт заплатил за то, что сосредоточил слишком много власти в руках одного человека.

Дилан был вынужден вести эти записи для себя, ибо его двойная бухгалтерия была очень сложна и хитроумна — что его и погубило. Из того, что он поведал Джоанне перед смертью, они могли заключить, что Кэролайн каким-то образом его разоблачила. Поскольку они были любовниками, она часто приходила к нему и, возможно, в один прекрасный день наткнулась на подозрительную информацию.

Так или иначе, она взяла эту дискету и, вероятно, дома, на досуге, ознакомилась с ее содержанием, постепенно постигая невероятные масштабы хищений Дилана. Конечно же, ей нужно было немедленно сообщить о своем открытии Скотту или Гриффину, и можно только строить догадки, почему она этого не сделала.

Каким-то образом — без грубого насилия, следы которого заметили бы Скотт и остальные, — Дилану удалось не на шутку запугать Кэролайн. Он держал ее в покорности то ли угрозами, то ли просто подавлял сознанием своего превосходства. В какой-то момент, вероятно, Кэролайн столкнулась с тем, что ее любовник способен и к насилию. Ей пришлось собрать все свое мужество, чтобы попытаться освободиться из-под его власти и раскрыть его преступления.

Она решила обратиться за помощью или за советом сначала к одному своему прежнему любовнику, потом к другому. Но по злой иронии судьбы — и к тому, и к другому не вовремя. А может быть, просто — чему быть, того не миновать. Наступил момент, когда ее бессердечие по отношению к ним обратилось против нее же. А к Скотту, похоже, она не пришла потому, что именно ему не хотела признаться, что связалась с мужчиной, с которым не в силах справиться.

Наконец она решила отдать дискету Гриффину. Вероятно, она не собиралась посвящать его в интимные подробности дела или даже придумала какую-нибудь более или менее правдоподобную историю, вполне невинно объясняющую, как дискета с личными записями Дилана попала к ней. Так или иначе, она отправила Гриффину записку и пошла в беседку, чтобы взять шкатулку из тайника.

Риген из окна своей спальни — тогда она была немного простужена — видела, как мать возвращалась из беседки, и была потрясена тем выражением ужаса и неподдельного страдания, отразившимся на лице Кэролайн. Она тотчас поняла, что напрасно перепрятала шкатулку, и теперь, вероятно, ее вечно будет мучить чувство вины за это. Больше она маму не видела.

Остальное восстановить легко благодаря последним словам Дилана. При свидетелях — это слышали и Джоанна, и Гриффин, и Скотт — он признался в том, что «нечаянно» убил Роберта Батлера и намеренно и хладнокровно — Амбер Уэйд.

Теперь Гриффин сможет объяснить скорбящим родителям, кто и почему убил их дочь. Какой бы чудовищной, не укладывающейся в сознании, ни была эта причина, все же им будет хотя бы кого проклинать.

Команде спасателей понадобилось около двух

часов, чтобы найти среди скал и вытащить наверх тело Дилана. За это время новость распространилась по Клиффсайду, подобно лесному пожару. Любопытные высыпали посмотреть, и мелкий моросящий дождик, который шел не переставая, отнюдь не послужил им препятствием. И, конечно же, в толпе нашлось немало людей, уверявших, что они всегда видели в Дилане «что-то подозрительное».

Кейн наконец позвонил Гриффину, объяснив, почему солгал. Гриффин с некоторой горечью ответил, что он немного опоздал.

Джоанна все это время была рядом с Гриффином, во-первых, потому что ей так хотелось, а во-вторых, он объявил, что, как только она выходит из поля его зрения, у него повышается давление. Она понимала, как он испугался, когда она едва не стала четвертой жертвой Дилана, и теперь всячески демонстрировала ему, что с ней все в порядке.

Это может показаться странным, но с ней действительно все было в порядке, и даже более чем. В ее душе царили мир и покой — несмотря на то, что она побывала под прицелом пистолета безумца, а потом его застрелили на ее глазах.

Наконец-то в ее жизни наступила ясность. Она чувствовала, что дурная полоса кончилась. И никогда ей еще не было так хорошо, вопреки здравому смыслу.

* * *

Лисса стояла в дверях спальни Риген и молча смотрела на Скотта. Он сидел у постели спящей дочери, склонившись над ней, и держал ее ручку в своей, легонько поглаживая маленькие пальчики, словно бы заново изучая их. Наконец он положил ручку Риген на одеяло и взглянул на Лиссу.

Лисса молчала.

Уже спустились сумерки; включили лампу, и отец с дочерью оказались в мягко очерченном круге ее теплого света. Скотт просидел у ее постели уже почти два часа.

— Я не хочу ее оставлять, — сказал он.

Лисса кивнула — она понимала его, однако сказала:

— Док говорит, после укола, который он ей сделал, она спокойно проспит всю ночь. А тебе нужно спуститься и поесть. Я попросила миссис Эймс оставить для тебя в духовке что-нибудь горячее.

Чуть поколебавшись, еще раз посмотрев на Риген, он все же вышел вслед за Лиссой в коридор. На лестнице он спросил:

— Где миссис Эймс?

— У себя. Я сказала, что, если она понадобится, мы позвоним. Очень расстроена. Она любила Дилана.

Скотт посмотрел на нее, озабоченно нахмурившись.

— А как ты себя чувствуешь?

Лисса постаралась улыбнуться.

— Нормально. Конечно, это шок. Я так давно его знаю — или мне казалось, что знаю. Неужели все это правда? Неужели он действительно виновник всех этих смертей?

Скотт не удивился, что ей уже все известно. Он ничего не успел рассказать ей, но, без сомнения, за последние два часа не один человек позвонил по телефону — и ей, и миссис Эймс.

— Да, — ответил он. — Кэролайн не справилась с

машиной из-за него. Он ударил Роберта Батлера, отчего тот и упал с обрыва. Он столкнул Амбер Уэйд,
потому что она видела у него пистолет и могла кому-
нибудь рассказать.

— Боже мой! — Лисса в ужасе покачала головой. —
И он обкрадывал тебя? Присваивал твои деньги?

— По мне, так это наименьшее из его преступлений. Если бы он мог на этом остановиться... Но
убийства нельзя ни забыть, ни простить.

С этим Лисса не могла не согласиться.

Они пошли на кухню. Там стоял небольшой столик, которым пользовались редко, в основном ку-
харка. На него-то они и стали выгружать блюда из
духовки.

— Положительно, миссис Эймс не даст тебе умереть с голоду, — сокрушенно сказала Лисса.

— Ты ведь тоже ничего не ела, — вспомнил Скотт
и вынул из буфета две тарелки.

Сев за столик, они молча ели, и это по-новому
сближало их. Лисса не знала, что это значит, не
знала, что будет дальше. И будет ли вообще что-нибудь. Их всегдашний сценарий был нарушен еще
днем, и сейчас она чувствовала, что он уже не годится.

Она успокаивала себя: ведь днем, когда Скотту
нужно было с кем-то поговорить, он позвонил именно ей. И по ее совету он пошел искать дочь, случайно услышавшую то, что не предназначалось для ее
ушей. «Ей нужна твоя любовь, Скотт. Ты так долго
не проявлял своей любви, теперь ты должен обязательно сказать ей, просто сказать, что ты ее любишь».
Так говорила она ему.

Судя по тому, как Риген обнимала отца, когда он
принес ее в дом, девочка его не оттолкнула. Но вряд

ли им будет легко: годы пренебрежения и холодности наверняка не прошли бесследно.

Лиссе было до слез жаль Риген и Скотта, жаль и Кэролайн, хотя к ней она испытывала более сложные чувства: то, что сделала Кэролайн с мужем и дочерью, приводило ее в ярость. Раны, нанесенные Кэролайн, могут не зажить никогда — и все из-за ее эгоистической жестокости.

— Я должен был от нее уйти, — вдруг сказал Скотт, глядя на полуопустошенный бокал вина, который он держал в руке. — Или выгнать ее.

Он снова читал ее мысли, но теперь это уже не пугало.

— Ты любил ее, — спокойно сказала она.

Скотт посмотрел на нее и невесело улыбнулся.

— Я любил ее. И ненавидел. Она поглотила меня целиком. Это нельзя назвать нормальными отношениями. Наш брак был ошибкой, которая отняла у меня часть жизни, а у Кэролайн — всю. И ничего уж не вернешь.

— Тогда забудь об этом. И живи дальше. — Лисса улыбнулась. — И не забывай, что у тебя осталось от этого брака и что-то хорошее. У тебя есть Риген.

— Пройдет много времени, прежде чем я сумею ее вернуть. Не знаю, чего она наслушалась сегодня в беседке. Я видел, Джоанна старалась оградить ее, насколько это было возможно, но что-то наверняка запало в ее голову. Конечно, она не поняла большей части того, что услышала, но слова запомнила. И однажды она придет ко мне и спросит.

— Может быть, — сказала Лисса. — А может быть, к тому времени она поймет, что даже люди, которых мы очень любим, несовершенны. Об этом еще рано волноваться, Скотт.

Он чуть улыбнулся, оттаивая.

— Наверное, ты права.

— Конечно, права! Я всегда права.

Он вдруг потянулся через стол и накрыл ее руку своей.

— Ты была со мной так терпелива.

— Ну, сегодня был тяжелый день, — начала было она.

— Нет, — перебил он, качая головой. — Я не о сегодняшнем дне. Ты вообще много вытерпела от меня.

Лисса хотела было по привычке свести это к шутке, отделавшись легким остроумным ответом. Но у нее вдруг возникло такое чувство, что это поворотная точка в их отношениях, и если она так поступит сейчас, то они навсегда вернутся к своему старому сценарию, к заранее известным вопросам и ответам — безопасным и ничего не значащим. И она потеряет его навсегда.

Она вздохнула. Сделала над собой усилие, чтобы голос звучал спокойно, с легкой насмешкой над собой.

— Тридцать пять — это поздно для первой любви. В этом возрасте уже не остается иллюзий молодости: уже знаешь, что мечты — это одно, а действительность — совсем другое. Поневоле обретаешь терпение.

Он не удивился; он смотрел на нее, и глаза его были полны нежности.

— Сначала нам будет трудно, — тихо сказал он. — Особенно с Риген. Ей придется уделять очень много времени. Ты понимаешь?

— Конечно.

— Тогда потерпи еще немного. Дай мне время пройти через это, вернуть себе дочь.

Лисса слегка сжала его руку и улыбнулась.

— Бери. Я никуда не тороплюсь.

Скотт встал и, не отпуская ее руки, наклонился и нежно ее поцеловал.

— Спасибо.

Он выпрямился, и Лисса заставила себя разжать руку.

— Не за что. Послушай, не пора ли тебе вернуться к Риген? А я уберу здесь и поеду домой.

Он замялся.

— А не могла бы ты остаться? — осторожно спросил он. — Мне легче, когда ты рядом. Конечно, могут пойти разговоры, но...

— Разговоры не пойдут, — ответила Лисса. — Я скажу миссис Эймс, что ты все время был при Риген, а я осталась на тот случай, если вдруг что-то срочно понадобится. Девочка столько пережила. Кто знает, во что это выльется? Я даже лягу не в гостевой спальне, а где-нибудь на диване. Не волнуйся. Завтра миссис Эймс с удовольствием распространит эту весть, и только эту.

Скотт кивнул, легко коснулся ее щеки, еще раз сказал «спасибо» и пошел наверх, сидеть у кроватки спящей дочери.

* * *

— Большого скандала быть не должно, — предположил Гриффин. — Поскольку я застрелил подозреваемого, разумеется, будет проверка от полиции штата. Так положено. Но подозреваемый в присутствии трех свидетелей признался в содеянном и к тому же на глазах у всех целился в меня из заряженного пистолета, так что не думаю, что услышу что-нибудь, кроме поздравлений.

Они удобно устроились у камина на груде подушек, накрывшись толстым стеганым одеялом.

— Это вообще не должно тебя волновать, — серьезно сказала Джоанна, озабоченно посмотрев на него. — У тебя не было другого выхода, ты все сделал правильно.

— Я и не собираюсь лить слезы от того, что прикончил убийцу. Он стал причиной смерти троих людей, он едва не убил вас с Риген. Кроме того, он в меня прицелился — я просто вынужден был выстрелить первым. Он отнюдь не был склонен подставлять грудь под пулю, и, если бы я не убил его, он убил бы меня.

— Вот что я думаю. — Джоанна со вздохом отставила бокал с вином. — Должна ли выходить наружу вся правда о Кэролайн? Я имею в виду, что она и Дилан были любовниками?

— Если тебе интересно мое мнение, то нет. — Он на мгновение задумался. — Полагаю, что совершенно ни к чему их отношениям становиться достоянием всего города. Она нашла дискету — нет нужды объяснять как, тем более что мы и сами толком этого не знаем. Кэролайн спрятала ее. Дилан обнаружил пропажу и стал ей угрожать, запугав настолько, что она не справилась со своей машиной. Но он не знал, где находится дискета. Потом появилась ты, и он занервничал, потому что ты постоянно расспрашивала о Кэролайн: естественно, он испугался, а вдруг ты как-нибудь найдешь дискету, а с нею и доказательства его преступления. И он пытался тебя убить. Дважды.

Джоанна чуть улыбнулась.

— А я опять обманула смерть. Сейчас ты скажешь, что мне нужно осторожнее переходить улицу, да?

Гриффин тоже отставил свой стакан и склонился над ней. Лицо его было серьезно.

— Не стоит с этим шутить. Видит бог, я надеюсь, что у тебя столько же жизней, сколько у кошки, значит, еще осталось. Но будь осторожнее с ними, пожалуйста. Я не хочу тебя потерять. Я совсем не хочу тебя потерять.

Она закинула руки ему на плечи, погладила по волосам. «А глаза у него синие, — решила она. — Темно-темно-голубые, темнее, чем сапфиры».

— Значит, не потеряешь, — пробормотала Джоанна, раскрывая губы ему навстречу.

Он крепко поцеловал ее, и Джоанна почувствовала, как ее вновь охватывает огонь желания. Мысли исчезли, она хотела не думать, а чувствовать — и дала себе волю.

* * *

Гриффин проснулся на рассвете и быстро сел в постели, обнаружив, что Джоанны рядом нет. Отбросив одеяло, он встал, быстро натянул пижаму; вышел в темную гостиную и тотчас успокоился: по комнате гулял холодный ветер, дверь на балкон была приоткрыта и Джоанна, закутавшись в стеганое одеяло, из-под которого торчал воротничок его рубашки, стояла на балконе.

Он вышел к ней и, прислонившись к перилам, крепко потер ей спину.

— Эй, ты здесь замерзнешь.

Она смотрела на него — ясноглазая, с разгоревшимися от утреннего холодка щеками.

— Знаешь, я думала обо всем этом, — произнесла она совсем тихо. — Но особенно о Дилане. Что делает человека таким, как он? Когда жадность становится столь абсолютной, что даже убить легко?

— Не знаю, милая.

Она вздохнула — изо рта у нее вылетело облачко пара.

— За его мелкое, неважное преступление три человека заплатили своей жизнью. Просто за то, чтобы не открылась его проклятая кража. Гриффин, ведь это всего только деньги!

Он покачал головой.

— Нет. Для Дилана это совсем другое. Для него это означало еще и власть. Это... поднимало его в собственных глазах, давало ему то, чего, как он считал, он достоин, а не имеет просто потому, что мир несправедлив к нему. Такие всегда считают, что им кто-то должен, и всегда обижены на вопиющую несправедливость. Конечно, он мог убить для того только, чтобы получить то, что хотел. Ведь он защищал свое представление о себе, заслуживающем всего, а имеющем самую малость. Пойми, Джоанна, он не просто заурядный уголовник; то, что ему удавалось проделывать это так долго и успешно, доказывает, что он действительно умнее многих. Как разрушительно это постоянное чувство, что тебе недодали.

Джоанна, согласно кивнув, немного помолчала. Потом опять вздохнула.

— Но теперь, слава богу, все действительно кончилось. Этой ночью сон уже не мучил меня. Наконец-то это прошло, Гриффин! Этот вечный страх, и напряжение, и чувство, что твоей волей кто-то управляет. Кэролайн отпустила меня на свободу, я чувствую. — Она очень серьезно посмотрела на него.

Гриффин погладил ее по щеке.

— Я рад, милая.

— Пока она меня не отпускала, я... не способна была ни на что другое.

— Я знаю.

— А знаешь ты, что я тебя люблю? — серьезно спросила она, глядя ему прямо в лицо.

Он чуть улыбнулся.

— Была у меня такая надежда, — ласково ответил он. — Но ты заставила меня долго ждать этих слов.

— Я должна была освободиться от Кэролайн, — объяснила она.

— И заодно увериться в том, что и я от нее свободен?

— Примерно так.

Он наклонил голову и нежно ее поцеловал.

— Я всегда был от нее свободен. А от тебя — нет. Боже мой, как я люблю тебя! Ты — у меня в голове, ты — в моем сердце, и под кожей, и внутри меня... так глубоко, словно ты — часть меня. Словно ты всегда была со мной. Я люблю тебя, Джоанна.

— И я люблю тебя.

Он поднял голову, заглянул ей в глаза и легонько погладил по щеке.

— Пойдем в дом. Ты уже замерзла.

Ее улыбка была так прелестна, что у него чуть сердце не разорвалось от переполнявшей его нежности.

— Знаешь, я хочу увидеть рассвет. Так непривычно больше не просыпаться от смертельного ужаса. И так хорошо! Посмотри, Гриффин, как красиво!

Ему нелегко было оторвать от нее взгляд, но он взглянул на горизонт, где черное небо отливало темным пурпуром; над головой оно было уже темносиним и постепенно светлело к востоку, где скоро должно было взойти солнце. Был прилив, океанские волны шумели и бились о скалы, а утренний воздух был солоноват и влажен.

Он глубоко вздохнул.

— Я с первого взгляда полюбил это место, — сказал он.

— Я тоже. — Джоанна улыбалась ему, чувствуя, как успокаивается душа. — Я не понимала этого до конца, пока всюду видела опасность и на все смотрела с подозрением, но, несмотря ни на что, в глубине души я чувствовала, какое это прекрасное место.

— Тогда оставайся здесь и выходи за меня замуж. — Он не хотел так скоро делать ей предложение, но, сказав это, почувствовал, что правильно сделал. — Я понимаю, тебе многого будет не хватать, но...

Она закрыла ему рот пальчиками, чтобы он не наговорил лишнего.

— Чего мне будет не хватать? Большого города? Он мне не нужен. Моей семьи? Тетя Сара была последней. Друзей? Обзаведусь новыми.

— Милая...

— Я люблю тебя, Гриффин, — тихо произнесла она. — И ничего на свете не хочу больше, чем остаться здесь с тобой.

Он глубоко вздохнул, но это не помогло избавиться от сладкой боли в груди, да и не то чтобы в этом была необходимость.

— Клянусь, Джоанна, ты не пожалеешь об этом, — сказал он, привлекая ее к себе.

— Я знаю. — Сияя улыбкой, она взъерошила ему волосы. — Я это поняла сразу, как только тебя увидела, хотя и долго не хотела себе в этом признаваться. Я тогда смотрела на тебя, на твое лицо, и уже знала, что больше не вернусь в Атланту — разве что за вещами.

— Я думаю, ты просто ведьма.

— Это все оттого, что я очень-очень счастлива.

Гриффин подумал, что счастлив на самом деле он, но спорить не стал, а поднял ее на руки и отнес назад, в теплую постель.

Эпилог

Прошло ровно две недели с того дня, когда Джоанна приехала в Клиффсайд. В этот солнечный октябрьский вторник они с Гриффином подошли к тихой старой церкви в северном конце города. Он довел ее до церковной ограды и распахнул перед ней створки железных ворот изящного литья.

— Ты действительно не хочешь, чтобы я пошел с тобой?

— Действительно, — улыбнулась ему Джоанна. — Я должна сделать это одна. Со мной ничего не случится, честное слово.

— Ладно, — согласился он и нежно поцеловал ее. Он все понимал без объяснений. — Я буду ждать тебя здесь. Только помни — не больше пятнадцати минут.

— Даже меньше.

Она вошла на территорию старейшего городского кладбища и не спеша побрела по засыпанной гравием дорожке. Кладбище было ухоженное, залитое солнцем; лишь несколько огромных старых дубов отбрасывало густую тень на могилы. Шум прибоя здесь был почти не слышен, он скорее ощущался, как некая пульсация земли. Это место, где покоятся мертвые, казалось удивительно живым.

До сегодняшнего дня Джоанна избегала этого места. Избегала даже думать о нем — она боялась, как бы рядом с могилой Кэролайн, с застывшей реальностью надгробной плиты, не укрепилась непрочная связь между ними.

Но теперь это так долго мучившее ее наваждение наконец исчезло, значит, пришла пора попрощаться с Кэролайн.

Ее могила была так же безукоризненно аккуратна, как и все остальные, травка на ней была коротко подстрижена и, несмотря на октябрь, ярко зеленела, мраморная надгробная плита блестела под лучами солнца. На плите выгравировано имя, КЭРОЛАЙН ДУГЛАС МАККЕННА, и годы жизни. Она не прожила и тридцати лет, и больше десяти из них жизнь ее была адом. Скотт добавил к надписи слова: «Любимой жене и матери», — и Джоанна полагала, что он сделал это искренне, а не только потому, что так принято.

Бедная Кэролайн. Она жила и умерла, так ничего и не поняв.

С обеих сторон от плиты высились мраморные вазы, и в каждой по букету роз, названных ее именем. В это время года они стоят недолго, но как только эти облетят, из оранжереи принесут свежие им на смену. Воистину, розы для Кэролайн. Почему-то Джоанна не сомневалась, что цветы будут еще долго украшать могилу Кэролайн.

— Тебе они, наверное, не понравятся, — задумчиво сказала Джоанна, кладя на могилу скромный букет, составленный из самых разных цветов. Вокруг никого не было, и она спокойно говорила вслух, не боясь любопытных ушей: она чувствовала, что это правильно. — Но розы пусть тебе приносят твои мужчины.

Джоанна смотрела на надгробную плиту с высеченным на ней именем этой странной женщины, которой не удалась жизнь, но удалось преодолеть смерть, чтобы спасти свою дочь.

— Ты знала, что Риген угрожает опасность, правда? Может быть, в последний момент своей жизни ты поняла, что это она нашла шкатулку с дискетой. А может быть... может быть, после смерти возникает тот краткий миг, когда нам становится ясно все, что случится с теми, кого мы оставляем.

Как бы то ни было, ты это знала. Ты знала, что ей нужна помощь. А может быть, ты поняла и что-то еще, Кэролайн? Может быть, ты ужаснулась от того, что сделала со Скоттом? Поняла ли ты, что Риген нужен отец?..

Разумеется, ответа не было, да и не могло быть, но Джоанна продолжала размышлять вслух, подводя своего рода итог этих кошмарных дней своей жизни, когда их судьбы так удивительно переплелись.

— Мне хочется думать, что есть вещи, о которых ты сожалеешь, Кэролайн. Что ты привела меня сюда не только для того, чтобы защитить Риген, но чтобы я, по крайней мере, попыталась залечить раны, нанесенные тобой. Теперь Скотт знает правду о своей дочери. Адам получил возможность... ну, хотя бы излить душу. И даже Гриффин больше не ставит себе в вину твою смерть.

Весь город вздохнул с облегчением, когда стала

известна правда. Ведь эти две смерти — твоя и Батлера — потрясли всех гораздо сильнее, чем люди хотели это признать. А когда сюда приехала я, столь на тебя похожая, и стала задавать вопросы, это только добавило напряжения. Гриффину тоже казалось, что в городе с некоторых пор что-то не так. Может быть, это беспокоило и всех остальных. Так или иначе, сейчас все обстоит гораздо лучше. Наверное, для большинства так и останется тайной, почему я сюда приехала, но сейчас даже те, кто относился ко мне настороженно, приветливы и дружелюбны. Это прелестный городок, Кэролайн. Кажется, я полюбила его.

Я думаю, мы с тобой не понравились бы друг другу. То, что я узнала здесь о тебе, не так уж приятно. Но в сердце моем нет ненависти. Ты, наверное, просто не могла быть другой, что ж с этим поделаешь? Но мне кажется, ты не умела наслаждаться жизнью, а это так горько. Ты не любила, когда тебя жалели, и мне тебя не жаль, но мне бы хотелось...

Чего бы ей хотелось? Джоанна вздохнула.

— Я рада, что ты меня сюда позвала, Кэролайн. Я рада, что смогла помочь — хотя все это едва не свело меня с ума. Единственное, о чем я сожалею, это Амбер. Гриффин сказал, что это не моя вина, нельзя же всего предусмотреть, но я все же чувствую свою ответственность за то, что с ней случилось. Придется научиться жить с этим — я полагаю, это цена, которую я заплатила за то, что приехала сюда.

Риген чувствует себя хорошо. Им со Скоттом еще многое предстоит преодолеть, но начало многообещающее. Вчера она даже доехала в его машине до города, в первый раз за долгое время. Все были рады ее видеть. Хотя тебе это и не понравится, Скотт, похоже, остановил свой выбор на Лиссе. Она помогает ему во всем и очень его поддерживает. Ты должна порадоваться за них, Кэролайн. Ты знаешь, он любил тебя. Жаль, что ты не смогла взять то, что он мог дать тебе. Не знаю, что произошло раньше, твоя ли вздорная натура охладила его, или ты взбесилась оттого, что ему трудно было выражать свои чувства, и тогда ты... стала искать утешения... и, возможно, даже находила. Но ты никогда не испытала самого прекрасного чувства в этой жизни, Кэролайн. И мне все-таки жаль тебя.

Джоанна немного помолчала, потом улыбнулась.

— Я знаю, тебе не нужна моя жалость. Покойся с миром. Я присмотрю за Риген, обещаю. Прощай, Кэролайн.

Джоанна повернулась и пошла назад, к церкви. Она была спокойна: черта подведена. А когда она увидела, что человек, которого она любит, ждет ее у церковных ворот и при виде ее глаза у него просветлели, она ускорила шаги. Она была счастлива. И не оглянулась ни разу — с прошлым покончено.

Важно только настоящее. И будущее.

Литературно-художественное издание

Кей Хупер
ВЕЩИЕ СНЫ

Редактор А. Юцевич
Художественный редактор А. Мусин
Художник А. Мусин
Технический редактор Н. Носова
Компьютерная верстка Е. Попова
Корректор Т. Пикула

Налоговая льгота — общероссийский классификатор
продукции ОК-005-93, том 2; 953000 — книги, брошюры.

Подписано в печать с оригинал-макета 14.11.2000.
Формат 84×108 ^{1}/$_{32}$. Гарнитура «Таймс».
Печать офсетная. Усл. печ. л. 22,68.
Тираж 8 000 экз. Заказ № 3460

ЗАО «Издательство «ЭКСМО-Пресс»
Изд. лиц. № 065377 от 22.08.97
125190, Москва, Ленинградский проспект, д. 80, корп. 16, подъезд 3.
Интернет/Home page — www.eksmo.ru
Электронная почта (E-mail) — info@ eksmo.ru

Книга — почтой:
Книжный клуб «ЭКСМО»
101000, Москва, а/я 333. E-mail: bookclub@ eksmo.ru

Оптовая торговля:
109472, Москва, ул. Академика Скрябина, д. 21, этаж 2
Тел./факс: (095) 378-84-74, 378-82-61, 745-89-16
E-mail: reception@eksmo-sale.ru

Мелкооптовая торговля:
Магазин «Академкнига»
117192, Москва, Мичуринский пр-т, д. 12/1
Тел./факс: (095) 932-74-71

ООО «Унитрон индастри». Книжная ярмарка в СК «Олимпийский».
г. Москва, Олимпийский проспект, д. 16, метро «Проспект Мира».
Тел.: 785-10-30. E-mail: bookclub@cityline.ru

Дистрибьютор в США и Канаде — Дом книги «Санкт-Петербург»
Тел.: (718) 368-41-28. **Internet: www.st-p.com**

Всегда в ассортименте новинки издательства «ЭКСМО-Пресс»:
ТД «Библио-Глобус», ТД «Москва», ТД «Молодая гвардия»,
«Московский дом книги», «Дом книги на ВДНХ»

ТОО «Дом книги в Медведково». Тел.: 476-16-90
Москва, Заревый пр-д, д. 12 (рядом с м. «Медведково»)

ООО «Фирма «Книинком». Тел.: 177-19-86
Москва, Волгоградский пр-т, д. 78/1 (рядом с м. «Кузьминки»)

ГУП ОЦ МДК «Дом книги в Коптево». Тел.: 450-08-84
Москва, ул. Зои и Александра Космодемьянских, д. 31/1

Отпечатано на MBS
в ОАО «Ярославский полиграфкомбинат»
150049, Ярославль, ул. Свободы, 97.

ВСЕРОССИЙСКАЯ РОДИТЕЛЬСКАЯ ГАЗЕТА

АРГУМЕНТЫ И ФАКТЫ

Семейный совет

О родителях и ДЛЯ родителей

ПОДПИСНОЙ ИНДЕКС 31912

Мы ответим
на все ваши
"детские" вопросы

✓ где учить,
✓ как лечить,
✓ с кем играть,
✓ что читать...

И еще многое другое,
интересное для взрослых и детей